COLLECTION

VISION

GLOBALE

ÉDITIONS DU MÉRIDIEN

INTERVENIR AVEC LES IMMIGRANTS ET LES RÉFUGIÉS

JOCELYNE BERTOT ET ANDRÉ JACOB

INTERVENIR AVEC LES IMMIGRANTS ET LES RÉFUGIÉS

Données de catalogage avant publication (Canada)

Jacob, André, 1942-
    Intervenir avec les immigrants et les réfugiés

    ISBN 2-89415-051-2

    1. Réfugiés - Canada - Conditions sociales. 2. Réfugiés - Politique
gouvernementale - Canada . 3. Canada - Emigration et immigration - Politique
gouvernementale. 4. Intégration sociale - Canada. I. Bertot, Jocelyne. II. Titre.
III. Collection

JV7282.R4J32 1991   325'.21'0971   C91-090866-4

Illustration de la couverture : Sonia Varnier

Conception graphique de la couverture : Eric L'Archevêque

© Éditions du Méridien — 1991

Dépôt légal : 4e trimestre 1991 — Bibliothèque nationale du Québec.

Imprimé au Canada

INTRODUCTION GÉNÉRALE

Il va sans le dire, l'arrivée de milliers d'immigrants et de réfugiés au Canada n'est pas un phénomène nouveau. Même si le phénomène a pris une importance quantitative et qualitative importante depuis la Deuxième guerre mondiale de 1939-45, les pratiques sociales développées depuis cette époque sont encore relativement jeunes. De fait, jusqu'au début des années 80, on note peu de préoccupation pour les immigrants et les réfugiés dans les services sociaux publics, les programmes de formation en travail social et les politiques gouvernementales. C'est le secteur privé qui a développé le plus rapidement une approche des situations sociales vécues par cette population.

Les milliers de réfugiés européens déplacés à cause de la guerre créèrent des pressions énormes sur les gouvernements et les Églises. Consciente du vide laissé par l'État, l'Église catholique canadienne entreprit dès 1950 de définir son orientation face à la problématique des nouveaux arrivants. Elle mit sur pied une Commission Internationale sur l'immigration et organisa des débats systématiques dans le cadre des Semaines Sociales du Québec. À sa démarche, elle associa les institutions reliées à son ministère, les syndicats et tous les autres organismes et associations qui, de près ou de loin, devaient voir à l'établissement des immigrants et des réfugiés. Force est de reconnaître le rôle supplétif important joué par l'Église Catholique, les autres grandes églises comme l'Église Anglicane et aussi les organismes de la communauté juive.

Au Québec, les débats sur les pratiques sociales et la formation à l'intervention sociale en milieu interethnique en sont encore à leurs premiers pas. En réalité, cette problématique apparaît pour la première

9

fois dans un dossier politique de l'État lors de la publication du rapport de la Commission d'Enquête sur les services sociaux et de santé (mieux connue sous le nom de Commission Rochon, du nom de son président, Monsieur Jean Rochon). La Commission d'Enquête sur les services sociaux et de santé de 1972 (Commission Castonguay-Nepveu) passait cette dimension sous silence; pourtant, les années 50 et 60 furent des années record au niveau de l'immigration d'après-guerre, en provenance essentiellement des pays européens.

Depuis le début des années 80, les services sociaux sont confrontés à un phénomène nouveau, l'arrivée massive de réfugiés en provenance des pays du tiers-monde. Des efforts se sont alors développés pour élaborer des modèles d'intervention prenant en compte les particularités de ces personnes. C'est ainsi qu'a été élaborée, par exemple, l'approche interculturelle diffusée par le Centre de services sociaux du Montréal Métropolitain (CSSMM). Il y a cependant beaucoup à faire encore pour affiner la théorie et la pratique de l'intervention auprès des réfugiés et développer la formation, encore vacillante dans la plupart des écoles de travail social.

Le présent ouvrage centre sa démarche sur les rapports sociaux d'insertion tels que vécus par les réfugiés. Le premier chapitre présente une revue de la littérature sur les problèmes qui découlent de la situation sociale des réfugiés et sur les rapports sociaux d'insertion caractéristiques de cette catégorie particulière d'usagers des services sociaux. Le second chapitre présente les résultats d'une recherche réalisée auprès de deux groupes de réfugiés, les Salvadoriens et les Iraniens. Cette recherche visait, entre autres choses, à connaître la perception que les réfugiés avaient des réfugiés. Le troisième chapitre fait une revue générale des politiques en relation avec l'immigration, l'accueil et l'établissement des immigrants et des réfugiés. Enfin, le quatrième chapitre est organisé autour d'une synthèse critique des principaux courants de pensée sur les pratiques sociales en milieu interethnique et développe des pistes de réflexion pour une alternative critique aux courants dominants. Fruit de plusieurs années de recherche et de pratique pédagogique et militante, cet ouvrage sert de pont entre des réalités diverses.

Les 15 millions de réfugiés à la recherche d'une patrie à travers le monde sont au cœur des problèmes politiques, économiques, sociaux, idéologiques et militaires qui secouent le monde entier. Les réfugiés s'accrochent à la frange déchirée de l'ordre économique mondial. Ils ont des droits. Ils vivent des problèmes profonds. Le Canada fournit une réponse partielle, en acceptant en moyenne 25 à 30,000 d'entre eux. Comme pays, comme collectif, nous jouons le jeu du «développement à la mode américaine» et nos réponses restent très limitées au niveau des services. Sans prétention, ce livre soulève donc plusieurs pans du voile: la question des rapports Nord-Sud; la relation profonde entre le contexte prémigratoire de l'exilé et sa réalité sociale actuelle; la dynamique entre les questionnements politiques et les problèmes émotifs et socio-culturels du réfugié.

Le reste relève de l'initiative des professionnels, des gouvernements et des organismes responsables de la promotion des droits des réfugiés et/ou de leur établissement.

CHAPITRE 1

LES RAPPORTS SOCIAUX D'INSERTION DANS UNE NOUVELLE SOCIÉTÉ

CADRE THÉORIQUE

1. Des notions de base à clarifier

A. Les courants d'analyse

Dans la littérature, une variété de termes sont utilisés, allant du «ghetto ethnique» à la «communauté ethnique» et à la «communauté culturelle» en passant par «l'enclave» ou le «groupe» ethnique.

Dans la pratique courante au Québec, la notion de «communauté culturelle» fait partie de la terminologie officielle. Dans certains milieux, on utilise l'expression «communauté ethnoculturelle» tandis que d'autres parlent de «communauté ethnique» ou de «groupe ethnique». Dans chaque cas, on réfère à des gens qui ont une origine ethnique particulière mais en réalité les significations sont différentes. Il convient de souligner quelques éléments de cette problématique complexe pour préciser le cadre théorique dans lequel s'inscrivent ces divers concepts.

La notion de communauté culturelle relève d'une approche politique particulière. Elle fut introduite dans le discours politique par le Parti Québécois après son arrivée au pouvoir en 1976. Cette théorie, dite de «convergence culturelle», conçoit les rapports interethniques comme des rapports d'abord interculturels où langues, valeurs, habitudes de vie et traditions sont les éléments qui cimentent toute société. Dans la société québécoise, les francophones forment la communauté dominante autour de laquelle «convergent» les autres communautés dites «culturelles». Dans cette approche, fait assez paradoxal, on ne définit pas les francophones comme une communauté culturelle. Comment peut être définie la communauté dominante sinon comme une communauté ethnique majoritaire ou encore une nation identifiée à un territoire par des traditions et une langue communes? Par ailleurs, les autres ethnies ne peuvent être que minoritaires parce que ne correspondant pas aux caractéristiques de la majorité. En fait, on masque et on évacue du discours politique et idéologique les rapports majoritaires-minoritaires au nom de «la» culture. De plus, cette notion de «communauté culturelle» laisse croire que chaque groupe ou communauté ethnique forme un tout homogène cimenté par une culture, qui transcende les classes sociales. Plusieurs analystes ont critiqué cette notion; en réalité, il s'agit, comme le dit Constantinides (1983: 65), de viser l'assimilation des nouveaux immigrants au groupe dominant au plan social et idéologique «sans altérer la cohésion de la société d'accueil». Dans les faits, toutes les questions jamais réglées comme l'accessibilité aux services, mais aussi à toutes les instances, tant dans le secteur privé que public, traduisent bien le fait que les problèmes de fond ne seront pas solutionnés sans des changements de perspectives. En février 1990, le gouvernement du Québec a finalement amorcé une politique d'accès à la fonction publique pour les membres des communautés ethnoculturelles. Constantinides pose la question en des termes très directs: «la question qu'il faut se poser est de savoir quel type de rapports peut exister entre la communauté majoritaire qui contrôle les appareils d'État et cherche à reproduire sa culture et les autres, minoritaires, qui cherchent à survivre. Comment concilier cet effort désespéré d'une communauté francophone qui cherche à renforcer son poids démographique, en assimilant les immigrants alors que ces derniers cherchent à sauvegarder leur identité»? (Constantinides, 1983: 67). Au fond, ce qu'il remet en question, c'est l'explication idéaliste et historique des relations interethniques. Comme le souligne D. Gay, «la doctrine du multiculturalisme (Canada) et celle de la «convergence culturelle» (Québec), en postulant l'influence déterminante de la culture sur les attitudes et les comportements, envisagent la transformation de l'ordre en laissant intacte la structure socio-économique et politique existante qui, elle, n'est pas passive cependant.» (Gay, 1985: 89). Par contre, il ne faut pas nier pour autant l'importance de l'identité et de la conscience ethnique comme des éléments fondamentaux dans le développement et la dynamique d'une communauté et d'un individu.

Le cadre de référence politique adopté par le gouvernement du Canada et celui du Québec pour expliquer les relations interethniques, donne un sens particulier à la notion d'intégration et à la définition des «problèmes» vécus par les immigrants et réfugiés, ainsi qu'aux programmes et stratégies d'intervention mis de l'avant pour «répondre aux besoins» de ces derniers. Etant donné que la présence d'une communauté ou d'un groupe de même origine ethnique que l'immigrant ou le réfugié est une variable déterminante dans son processus d'insertion sociale, il est utile de définir le plus rigoureusement possible ce qu'est effectivement une communauté ethnique. Pour cela, il est nécessaire de préciser autant la notion d'ethnicité que de communauté. Il faut ensuite voir comment se définit la notion de groupe et quel effet ont ces deux types de collectivité (communauté et groupe) sur le processus d'insertion sociale. La littérature sur ces sujets est dense et très variée. Quatre grands courants sont cependant nettement identifiables: le courant culturaliste, le courant psychologique, le courant sociologique, le courant structurel. À mon avis, le courant structurel est le plus susceptible de rendre compte de l'ensemble du vécu des immigrants et des réfugiés.

B. La notion d'ethnicité

Plusieurs auteurs, dont Gilles Bibeau (1987), Frances Henry (1976), Selim Abou (1981), Milton M. Gordon (1978), ont noté que la notion d'ethnicité la plus répandue s'inscrit dans le courant culturaliste nord-américain. Le terme «ethnicité» réfère en ce cas à une identité basée sur une histoire (origines raciales et territoriales, vécu) et à des symboles (valeurs, croyances, langue) spécifiques à un ensemble d'individus. Peuvent être assimilés à ce courant des auteurs comme Barth (1967) ou Schermerhorn (1967).

Un autre courant important, dit «psychologisant», interprète l'ethnicité en termes de type de personnalité générant des conceptions, attitudes et comportements particuliers. Certains traits de personnalité «de base», partagés par des individus, déterminent leurs comportements et modes de pensée, ce qui serait à l'origine des caractéristiques différenciant un groupe ethnique d'un autre. La théorie bien connue sur la transmission de l'intelligence par hérédité, qui a justifié des exactions non moins connues, sous prétexte de la supériorité de certains peuples sur d'autres, est une illustration extrême des implications de cette approche.

D'autres auteurs, qui pourraient être situés dans ce que G. Bibeau appelle le courant «sociologisant» (1987: 33), sont amenés à inclure, dans la définition de l'identité ethnique, une notion de «relations aux autres» par différenciation, de «conscience de soi» par rapport à d'autres. Les propos de S. Abou illustrent bien la position théorique induisant cette préoccupation. L'ethnie, c'est le groupe culturel primaire, «ce que les anciens appelaient «Le peuple» [...] signifie l'homogénéité de la race, de la religion, de la langue, des coutumes et des traditions, bref de la culture». (1981: 31). Chez les peuples primitifs isolés, la question de l'identification ethnique ne se pose pas. Elle n'apparaît qu'au moment où surviennent des contacts avec d'autres peuples, c'est-à-dire lorsqu'une ethnie prend conscience des différences qui viennent «menacer» le sentiment de sécurité fourni par la cohésion culturelle du groupe. Ainsi, «le problème de l'identité ethnique ne surgit que lorsque le groupe ethnique entre en contact avec d'autres groupes et que les systèmes culturels correspondants s'affrontent (1981: 31)», forçant ainsi les individus à se définir par rapport aux autres.

Cette conclusion ne rejette nullement le contenu historique et culturel de l'ethnicité. Mais là où se différencient le courant culturaliste et le courant «sociologisant», au-delà de leurs distances communes par rapport au courant psychologisant, c'est dans leur approche de la construction de l'identité ethnique et du groupe ethnique. Ces approches divergentes impliquent nécessairement des conceptions distinctes par rapport au processus d'insertion des immigrants et des réfugiés.

Évidemment, les réfugiés ne vivent pas leur processus d'insertion en fonction d'une approche théorique mais cela n'empêche pas les théoriciens de tenter d'expliquer leurs situations vécues en privilégiant un aspect ou l'autre de ce phénomène. Dans la pratique, les réfugiés sont confrontés à la réalité de leur appartenance ethnique, tant au plan culturel, social, politique, que psychologique; leur conception des relations sociales, leurs attitudes, leurs organisations sociales et politiques, leurs traditions, leur langue, leurs valeurs, etc. sont autant d'éléments de leur vie qui sont confrontés à une ou plusieurs réalités sociales. En ce sens, on peut parler d'une approche structurelle. Cette sorte de confrontation avec la société dominante, dans une situation minoritaire, est l'essence même des difficultés d'insertion.

C. La notion de groupe ethnique

Par rapport au groupe ethnique, Schermerhorn caractérise bien l'approche «culturaliste»: un groupe ethnique est une collectivité enclavée dans une société plus large, laquelle a une ascendance commune, réelle ou putative, la mémoire d'un passé historique partagé et un focus culturel sur un ou des éléments symboliques définis comme l'épitomé de leur peuple (Schermerhorn, 1967: 12). L'auteur insiste sur la référence à une appartenance génétique, historique, perpétuée par la transmission de l'histoire d'un peuple donné et de coutumes, habitudes de vie, fonctionnement social, considérés par les individus comme étant le reflet de leurs caractéristiques, de ce qui leur est spécifique. Le groupe ethnique est alors le regroupement, dans une société «large», d'individus qui se reconnaissent comme appartenant au même peuple.

Ici, la société dans laquelle s'insère le groupe ethnique est simplement dite «large», sans référence aux rapports société dominante et groupes minoritaires. À défaut de questionner la constitution du groupe ethnique en tenant compte des rapports potentiellement conflictuels avec la société dans laquelle ils s'inscrivent, les tenants de ce courant abordent la problématique de l'insertion des «minorités ethniques» en termes d'assimilation à la société nord-américaine, selon l'idéologie du «melting-pot». Cette approche conduit des auteurs comme T. Parsons (1981) à affirmer, malgré les évidences contraires, que les minorités ethniques ne subsistent plus aux États-Unis que sous forme de «groupes culturels symboliques». Affirmer ceci suppose une «adaptation automatique» dont le facteur principal serait le temps et l'objet d'adaptation, les caractérisiques culturelles seulement. Toutes les autres dimensions (rapports sociaux, rapports de pouvoir) annuleraient effectivement les possibilités d'assimilation automatique en raison des conflits qu'elles créeraient. Cette perspective implique une négation des rapports sociaux et des rapports de pouvoir. De façon implicite, on suppose que les rapports conflictuels nuisent à l'assimilation.

Nombreux sont les auteurs qui critiquent cette approche. Dan R. Aronson (1976), par exemple, aborde la notion de groupe ethnique en ajoutant à la définition «culturaliste» la notion de groupe d'intérêt, dans la mesure où le groupe ethnique poursuit des buts distincts de ceux de la société dominante, sur la base de ses valeurs différentes: «les systèmes symboliques ethniques, ou «ethnicités» selon mon utilisation du terme,... créent une conscience collective, génèrent des revendications quant à la condition et l'orientation de la société (vue comme certains types de «nous-autres» et «eux-autres»), et rendent possibles des implications et actions spécifiques. Dans ce sens, l'ethnicité est obligatoirement une forme particulière d'idéologie» (Aronson, 1976: 13). Dans cette perspective, le groupe ethnique ne défend pas nécessairement des intérêts politiques et ne définit pas automatiquement ses rapports avec la société dominante en termes de conflits de classes.

Un groupe ethnique n'a pas nécessairement des visées politiques, au sens strict du terme, divergentes de celles de la majorité composant la société d'accueil; d'autre part, à l'intérieur d'un même groupe ethnique se retrouvent des options politiques liées à des positions de classe différentes; enfin il ne s'agirait pas de réduire la notion d'ethnicité à la stricte notion d'idéologie, comme le stipule Aronson. En effet, l'ethnicité, dans ses caractéristiques comme la couleur de la peau, les traits physiques, la langue, etc. existe bien au-delà de l'idéologie.

L'apport d'Aronson est en définitive de montrer que les différences entre les groupes ethniques génèrent une façon particulière de concevoir les rapports entre ces groupes. «L'idéologie ethnique», selon l'auteur, procède d'un «diagnostic» posé sur la société comportant plusieurs schèmes de valeurs; ce diagnostic inclut la revendication qu'aucun de ces schèmes ne soit imposé à l'ensemble des individus composant la dite société. La notion d'ethnicité, affirme Aronson, est porteuse d'une idéologie qui vise à perpétuer les principales valeurs perçues comme non partagées par les autres» (Aronson, 1976: 15). Cet élément est intéressant parce qu'il permet de mieux comprendre à quel niveau se situent les membres des groupes ethniques quand ils parlent «d'adaptation à la société» d'accueil; s'éclairent aussi leur perception de leurs rapports sociaux avec «les autres», les stratégies qu'ils développent pour réussir à fonctionner dans leur nouveau milieu de vie et le sens général de leurs attentes vis-à-vis de la majorité: «... nous ne partageons pas les valeurs fondamentales (ou objectifs ou idéaux) de votre système; laissez-nous (en nous accordant éventuellement les ressources nécessaires) poursuivre nos propres buts et poursuivez les vôtres si vous voulez...» (Aronson, 1976: 15). En définitive, et en termes très simples, ceci revient à dire qu'un élément fondamental de ce que représente le groupe ethnique est non seulement la reconnaissance de traits et symboles culturels communs mais aussi l'aspiration à ce que ces traits et symboles puissent se perpétuer et soient respectés. Les stratégies développées alors pourront éventuellement aller, dans certains cas, jusqu'à l'action politique. Mais cette démarche n'est pas automatique et n'implique pas nécessairement tous les membres du groupe ethnique. Il importe donc de ne pas confondre la notion de «groupe ethnique», même si cette notion inclut une référence à des intérêts spécifiques, et la notion de «groupe politique». De même, la distinction doit demeurer claire entre «groupe ethnique» et «groupe culturel».

À propos de cette distinction fondamentale entre les concepts d'ethnicité et de culture, S. Abou parvient sensiblement aux mêmes conclusions qu'Aronson. Dans un premier temps, il établit qu'ethnicité et culture se confondaient parfaitement dans les sociétés primitives isolées; il montre ensuite qu'elles se sont différenciées avec le processus d'identification ethnique, apportant alors une notion de rapport conflictuel avec «les autres»; puis il définit le groupe ethnique comme «un groupe dont les membres possèdent, à leurs propres yeux et aux yeux des autres, une identité distincte enracinée dans la conscience d'une histoire ou d'une origine commune» (1981: 32). Face à un autre groupe ethnique et particulièrement dans le cas de groupes insérés dans une nation, cette conscience d'identité distincte peut donner lieu à une revendication collective qui s'exprime selon les conditions politiques, sociologiques et psychologiques de son insertion. À ce moment-là, l'identification culturelle ne sera plus que «l'héritage» du groupe qui construira son identité à partir d'une idéologie revendicative particulière, «l'héritage culturel» étant le noyau de cohésion primaire du groupe. Prenant l'exemple - type de la diaspora juive, l'auteur montre qu'en fait il peut y avoir dans certains cas un écart très grand entre identité ethnique et identité culturelle réelle (1981: 37). Enfin, l'auteur complète sa définition en soulignant qu'à l'intérieur d'une même unité ethnique et/ou culturelle, on retrouve des «sous-groupes» ayant des modes de vie et des codes de valeurs diversifiés. Ces sous-groupes correspondent d'une part à l'appartenance de classe sociale, d'autre part à l'origine régionale (rurale ou urbaine) des individus.

Dans une perspective d'étude sur les déterminants de l'insertion des immigrants et réfugiés à une société donnée, il est important de retenir les conclusions de ces auteurs. En effet, elles permettent d'identifier un certain nombre de variables influentes; elles permettent également de «raffiner» la perception du «groupe ethnique», donc des fonctions qu'il peut jouer et, par là-même, du type d'apport qu'il peut représenter dans le processus d'insertion de l'immigrant ou réfugié à la société dominante.

Sans oublier les mises en garde d'Aronson quant à la confusion à éviter entre «groupe ethnique» et «groupe politique», on doit considérer la notion de classe sociale. Un bon nombre de chercheurs y font référence, souvent de façon beaucoup plus incisive que les deux auteurs précités. Par exemple Gans (1962), Jordan, (1968), Ertel et al. (1971), Gordon (1978), Martin et Martin (1985), établissent une relation très claire entre groupe ethnique, classe sociale et relations interethniques et rapports de classe. Les nuances faites par chacun les amènent à définir des notions «alternatives» à la notion de groupe ethnique.

Pour W. Petersen, M. Novak et P. Gleason (1982), la notion de groupe ethnique, telle qu'utilisée couramment, évacue la dimension d'intérêts communs qui est à la base de tout groupe. Elle est confondue à leur sens avec un agrégat, une catégorie que forme une fraction de la population (subpopulation) reflétant seulement une différence en termes de traits communs généraux. Ils préfèrent employer le terme «subnation». Ce mot réfère à une entité plus petite qu'une nation mais similaire à cette dernière ce qui, à leur avis, rend beaucoup plus justement compte de la forme de regroupement et d'organisation des communautés ethniques au sein des sociétés «d'accueil». Gans (1978) parle plutôt de «sous-système social» (référence aux situations de classe); d'autres auteurs enfin préfèrent une définition qui situe précisément les groupes ou sous-groupes ethniques dans leurs rapports de classe avec la société globale.

Procédant comme Selim Abou un peu plus tard (1981), Gordon (1978) part d'une définition «originelle» du groupe ethnique (désigné par la race, la religion, son origine nationale ou une combinaison de ces éléments) pour passer à une notion de «sous-culture» (unité de fonctionnement qui a un impact intégratif sur l'individu participant et qui est composée d'une combinaison de situations sociales liées à des facteurs tels que la situation de classe, les antécédents ethniques, la provenance régionale, les affiliations religieuses); il aboutit, au terme de son analyse, à la notion «d'ethclass», point de rencontre entre le groupe ethnique (stratification verticale) et la classe sociale (stratification horizontale).

Le grand intérêt de l'étude de Gordon est de montrer qu'en fait on peut retrouver trois formes différentes de regroupement ethnique. Les précisions qu'il apporte évitent de tomber dans le piège d'une approche statique unique du phénomène de regroupement chez les immigrés et permettent d'établir une distinction rigoureuse entre «communauté» et «groupe». Enfin, la richesse des nuances établit avec netteté ce qu'apporte spécifiquement chacun de ces regroupements aux nouveaux arrivants.

La différenciation établie par l'auteur est basée sur une analyse de la structure sociale caractérisant chacune de ces entités. Par «structure sociale», il entend les composantes des relations sociales «cristallisées» entre les membres d'un même groupe, déterminant la place qu'ils occupent dans le groupe et le mode de mise en rapport de ces individus avec les principales «activités institutionnelles de la société (vie économique et occupationnelle, religion, mariage, famille, éducation, gouvernement, loisirs). La notion de relations sociales «cristallisées» réfère quant à elle à des relations autres qu'occasionnelles et basées dans une certaine mesure sur des attentes partagées (1978: 114).

Cette analyse fait ressortir la distinction entre le groupe d'appartenance primaire et le groupe d'appartenance secondaire. Le groupe primaire est celui des relations intimes, personnelles, informelles, qui implique la personne dans sa totalité (par exemple la famille, le groupe de jeu, le noyau de relations sociales); c'est le lieu où se transmet la culture et où se forme la personnalité. Gordon associe le «groupe ethnique» au groupe primaire; le sentiment d'appartenance au groupe est en ce sens basé sur l'identification ancestrale et l'orientation de l'identification future (de la génération suivante, donc du devenir de l'ethnie particulière au sein de la société d'insertion). Le sentiment d'appartenance est alors un sentiment d'identité indissoluble et intime.

Le groupe secondaire est le groupe des contacts impersonnels, formels ou occasionnels et segmentés. Un exemple est celui des groupes d'intérêts. Entre les deux, il y a certains groupes où les relations primaires autant que secondaires se retrouvent. Force est de reconnaître que la communauté ethnique, qui présente autant une occasion de relations primaires (contacts intimes, transmission de valeurs, etc...) que de relations secondaires (par le biais de ses institutions) constitue l'une de ces collectivités «mitoyennes».

Enfin, «l'ethclass», groupe d'identification primaire dans la mesure où elle implique des relations primaires, se distingue du groupe ethnique de par le type d'identification qui prévaut à sa formation. Le groupe ethnique relève, comme on l'a vu, d'une identification «historique» tandis que «l'ethclass» réfère à une identification «participative» où le facteur classe sociale est plus déterminant que le facteur ethnie. Or, comme l'ont souligné d'autres auteurs, le mode de participation sociale, les valeurs et comportements sont autant liés à la classe sociale qu'à l'ethnicité. En d'autres termes, au sein d'un même groupe ethnique, on retrouve des valeurs et des comportements différents selon la situation de classe des individus. C'est sur cette base que Gordon parle d'identification participative.

L'apport de chacun de ces types de regroupement sera nécessairement différent. Gordon ne fait pas de distinction entre groupe et communauté ethnique. Mais à des fins pratiques, il est nécessaire de définir la notion de communauté avant de tracer les jalons du rôle que groupe, communauté ou «ethclass» peuvent jouer de façon prévisible dans le processus d'insertion sociale de l'immigrant ou du réfugié.

D. La notion de communauté

En premier lieu, il faut rappeler ce qu'est une communauté prise dans son sens le plus large. Qui dit communauté réfère à une organisation, une structure sociale minimale: un leadership plus ou moins organisé, des institutions, des lieux d'identification. Il s'agit donc d'une réalité collective objective, relativement stable dans la mesure où un groupe se maintient durant une période de temps assez longue pour permettre aux individus de développer des traits particuliers, tout en étant en perpétuel processus de changement, comme toutes les communautés. La notion de communauté est difficile à cerner avec précision. Pour sa part, Martin Poulin identifie quatre types de communauté: 1) la communauté à entité territoriale complète; 2) la communauté à portée limitée; 3) la communauté comme société; 4) la communauté personnelle.

1. La communauté considérée comme une entité territoriale complète où tout petit village et petite ville sont étudiés comme un «mini-système» social relativement autonome ayant des environnements sociaux auto-suffisants et capables d'offrir à ses membres une grande diversité de services. Chacun y connaît l'autre, les relations sociales sont informelles et personnalisées. Les types de recherches portent sur les études complètes de villages ou de petites villes ainsi que sur les structures de pouvoir municipal.

2. La communauté à portée limitée pose son regard sur un aspect limité de l'activité des personnes et tente de déterminer les caractéristiques importantes qui influencent la participation des individus à de grands ensembles urbains. L'espace territorial est important mais ce n'est que par un aspect limité de l'activité des personnes qu'on tente d'identifier la communauté. Ces recherches regroupent les études portant sur le voisinage immédiat et son processus, sur les régions urbaines et leurs aires sociales (quartiers).

3. La communauté comme société s'intéresse à un segment de population qui se différencie des autres par certaines caractéristiques: - partage de normes et de valeurs communes; - identification à une sous-culture, même origine ethnique, sociale ou économique. Une conscience de groupe est nécessaire. L'interrelation entre les membres est très forte. Ce sont les recherches sur les groupes minoritaires et d'intérêts communs.

4. La communauté personnelle doit son existence au choix des individus. Les fonctions accomplies par les membres sont peu nombreuses et la dimension territoriale absente. Elle définit la communauté par les relations formelles de participation existant dans les organisations ou les associations volontaires. On tente d'identifier les caractéristiques communes à ces institutions qui permettent de développer une solidarité et des réseaux de relations sociales entre les membres. Ce créneau de recherches s'intéresse aux institutions communautaires, à la participation et au membership des organisations ainsi qu'aux réseaux sociaux.» (Cuillerier, 1990:9).

Cette typologie ne clarifie pas la confusion entre la notion d'association et les modèles de relations interpersonnelles. Cependant, elle fait ressortir que l'aspect territorial ne suffit pas pour saisir toute l'amplitude de la notion de communauté. Les deux derniers types soulignent l'acculturation comme une stratégie majeure dans l'insertion sociale à une communauté.

Le G.R.A.R.S.P.I. (1984) précise la notion de communauté dans sa dynamique interne et sa relation à un milieu social élargi.

«Une communauté c'est un groupe de personnes possédant une *identité partagée* (affinités, sentiment d'appartenance), entretenant des *rapports sociaux organisés* dans un *territoire* à la fois limité et relativement délimité».

«(Le milieu) est un *lieu* géographique (plus ou moins bien déterminé par des barrières physiques ou des limites psychologiques) où des personnes vivent et partagent des *activités significatives* (éducation, travail, vie, loisirs) qui contribuent à renforcer ou à modifier leur socialisation à partir des valeurs qui y ont cours. La notion de milieu nous renvoie en quelque sorte à *l'acculturation* (milieu d'appartenance, milieu de référence) et transcende le vécu immédiat (l'ici et le maintenant) pour constituer le tissu social touffu à partir duquel se tissent de nombreuses relations cognitives et émotives qui assurent notre intégration à la société».

Robichaud et Quéviger (1990:22) introduisent des paramètres essentiels comme l'identité ou sentiment d'appartenance, les rapports sociaux organisés (intérêts communs), la localisation (territoire) dans la notion de communauté. Dans cette dynamique, il faut souligner la difficulté pour garder leur dynamique face à la logique de l'économie de marché qui marque la vie communautaire, les solidarités sociales et la vie familiale. En ce sens, la définition classique de Warren, basée sur la théorie des systèmes, reste toujours d'actualité:

> « On la définit (cette théorie) comme un système ouvert pouvant être modifié ou influencé par la présence d'éléments interagissant entre eux et avec l'environnement. La nature des interrelations existant entre les institutions composant la communauté locale et leurs relations avec des unités plus vastes situées dans l'environnement vont contribuer à maintenir ou à rompre l'équilibre du système local de la communauté» (Warren, 1972:418)

Enfin, pour survivre, estime Cuillerier (1990:13-14), chaque communauté locale doit dynamiser des foncitons fondamentales à l'égard de ses membres: «production et distribution de services; socialisation des membres par la transmission de normes et de valeurs; contrôle social en vue d'influencer le comportement des membres de façon à faire respecter les normes; participation sociale; support mutuel».

Ces dimensions se rencontrent dans les communautés dites ethniques. Comme communautés horizontales en opposition aux communautés verticales, hiérarchisées et structurées, elles font face à de multiples difficultés d'organisation et de survie en raison des contraintes externes de toutes sortes.

Quand on parle d'une communauté ethnique, on réfère souvent à un groupe en voie d'organisation sur un territoire donné, vivant dans un processus dynamique, qui est animé par un double mouvement de conservation et de changement d'identification à des traditions et à des nouveaux schèmes de référence. Ces mouvements de changement sont plus ou moins rapides dans la société d'accueil, dépendant si le groupe s'implique peu ou beaucoup. Par rapport à d'autres communautés, il y a donc un processus constant de différenciation, d'accentuation des particularismes et des points de divergence, mais aussi des convergences et des rapprochements dans la mesure où les communautés ne peuvent vivre de façon stable et totalement isolées les unes des autres.

Dans son étude sur la communauté portugaise à Montréal, Gilles Lavigne a élaboré une définition fort pertinente par rapport à notre étude, qui tient compte de deux dimensions, le perceptuel et l'organisationnel:

« L'idée de communauté, compte tenu du contexte américain où elle a pris corps, renvoie à celle d'un petit groupe ou sous-groupe composé d'individus ayant en partage un ou des intérêts sur lesquels existerait un consensus. Elle évoque aussi l'idée d'organisation c'est-à-dire d'une mise en forme des relations interindividuelles afin de pouvoir mener une action collective à l'intérieur de la société.

« Appliquée aux ethniques, cette notion signifie un regroupement des individus autour d'une commune réalité ethnique ou raciale, couplée avec une organisation pour mener une action sociale commune en tant que groupe ethnique. Cette organisation se manifeste à la fois par la création d'associations et par la mise en service d'équipements destinés à soutenir la vie communautaire: commerces, écoles, loisirs, média, etc.» (Lavigne, 1987, p.64)

La définition de Lavigne rejoint ce qui peut être observé à travers les diverses monographies se rapportant à certaines collectivités ethniques: The Italian Immigrant Experience (Potestio et Pucci, 1988); The South Asian Diaspora in Canada: six essays (Israel, 1987); Les Portugais au Québec (Alphalhao et Da Rosa, 1979); Les Haïtiens au Québec (Dejean, 1978); Les Grecs du Québec (Constantinides, 1983); Les Chinois à Montréal (Helly, 1987). Cette dernière étude montre très bien le passage de groupe à communauté, c'est-à-dire le processus de développement d'une communauté à travers la naissance de commerces, d'associations, de services et ses rapports avec la majorité. Pour reprendre les termes de Gordon, la nature d'une communauté comprend un regroupement autant sur la base d'une identification historique que d'une identification participative. Lorsque des individus d'une même origine ethnique ne font référence à leur identité qu'en terme culturel et psycho-social, sans référence à des institutions concrètes dans un milieu donné, sans appartenance à une communauté identifiable, c'est-à-dire lorsqu'ils s'identifient sur une base «historique», l'expression «groupe ethnique» semble plus appropriée. La distinction est importante parce que, concrètement, toutes les ethnies à Montréal n'ont pas atteint le même niveau d'organisation et ne peuvent donc jouer le même rôle vis-à-vis des individus qui les composent.

Voyons maintenant quels rôles respectifs jouent le groupe et la communauté dans le processus d'insertion du réfugié.

Par le biais des relations interpersonnelles, le groupe ethnique constitue un support psychologique à l'individu, lui permettant de retrouver un sens d'identification intime à un «peuple» (partage d'histoire et symboles communs) (Gordon,1978: 121). S. Abou insiste sur le besoin éprouvé par l'être humain de retrouver un lieu de «solidarité organique» quand il se trouve plongé dans un contexte où ses schèmes culturels sont confrontés à d'autres schèmes (1981: 32). Ross (1975), dans son étude portant sur la démarcation des frontières ethniques, identifie les mêmes éléments que les auteurs cités plus haut. Pour lui, dans un groupe ethnique, l'individu choisit, d'abord à partir de normes communes et d'idées sur la façon de les mettre en œuvre, d'entrer en contact de préférence avec les membres de sa communauté plutôt qu'avec des gens qui lui sont étrangers. De ses analyses sur le bénéfice que tire l'individu de ses liens avec le groupe, il ressort que le groupe constitue une protection ou une prévention face à l'anxiété générée par la confrontation à une situation stressante et à des valeurs nouvelles (contexte d'acculturation). Ces conclusions sont confirmées par les résultats des nombreuses recherches sur la santé mentale des immigrants et réfugiés. En somme, le groupe ethnique répond à des besoins psychologiques et affectifs, en procurant un lieu où, essentiellement, les individus se sentent en sécurité c'est-à-dire non menacés dans leurs valeurs, leurs habitudes de vie, leur engagement social et politique. De plus, leur désarroi face à leur nouvelle situation est connu et compris et ils peuvent compter sur des sources d'information sécurisantes pour les aider à faire face à leur nouvelle situation (voir à ce sujet les synthèses de M. Wood, 1988 et de A. et P.A. Walsh, 1987).

La communauté ethnique, lieu de relations secondaires autant que primaires, offre un type de support supplémentaire à l'immigrant et au réfugié. Il y trouve des services et des institutions qui lui permettent de «prolonger» en partie ses modes de vie et de garder ses comportements habituels, d'assurer la transmission de «l'héritage culturel» (langue, religion, normes et valeurs spécifiques), d'obtenir un support (en terme d'intervention), cohérent par rapport à sa perception des problèmes vécus: par exemple, les grandes communautés organisées de Montréal (juive, italienne, grecque, chinoise, etc...) offrent des services sociaux mis sur pied par la communauté. De plus, de par son action de «préservation» des intérêts du sous-groupe social (par référence à la société d'accueil) qui la constitue, la communauté génère un sentiment de protection individuelle et collective. Le stress d'acculturation peut donc être sensiblement atténué parce que l'immigrant peut se sentir «participant» à une collectivité où il ne sera pas «culturellement» confronté et parce que, dans sa confrontation à la société d'accueil, il ne se sentira pas isolé; sa communauté est en effet avec et autour de lui. La présence d'une communauté ethnique peut donc constituer un milieu «tampon» qui réduit l'effet du «choc culturel» et des diverses situations auxquelles l'immigrant ou le réfugié est confronté; par exemple, des situations d'exploitation au travail, des difficultés avec la langue, des situations de discrimination et de racisme dans la société d'accueil; elle peut, en ce sens, jouer un rôle transitoire qui facilite une insertion progressive de l'immigrant et du réfugié.

Néanmoins, certains auteurs soulignent qu'après quelques années, la communauté ethnoculturelle peut s'avérer une entrave à l'insertion sociale dans la mesure où la préservation de l'identité ethnique, culturelle et sociale, assurée par la communauté, peut favoriser chez l'individu un repli sur ses valeurs et ses modes de comportement ou même un rejet de tout ce qui caractérise la société d'accueil. Il faut noter que les auteurs ayant soulevé ce phénomène sont ceux qui, plutôt que de communauté, parlent d'enclave ethnique (M.Wood, 1988) ou de ghetto ethnique (W.A. Vega et al., 1987), termes qui induisent effectivement l'idée d'un milieu fermé, pour des raisons qui apparaissent autant internes (nature et objet d'existence de la communauté), qu'externes (attitude de la société d'accueil). W.A. Vega et al. soulèvent aussi le fait que le «ghetto ethnique» peut devenir une façon d'institutionnaliser l'inégalité des chances à laquelle est confrontée la grande majorité des immigrants et des réfugiés dans une société où les rapports sociaux et de pouvoir ne sont pas égalitaires (1987: 515).

2. Les rapports sociaux et l'insertion des réfugiés

A. Le problème des stratégies d'insertion

Réaliser une analyse dialectique de l'insertion des réfugiés nous fait buter sur une gigantesque pierrre d'achoppement, la diversité et la confusion dans l'utilisation des concepts d'inspiration fonctionnaliste. Tous les théoriciens fonctionnalistes, autant européens que nord-américains, les Parsons, Bales, Merton, Kluchobon, Radcliffe-Brown, Bourdieu, Malinowski, Passeron, Berstein, Durkheim et tous leurs fils et filles spirituels regardent la société sous l'angle de ses structures, de ses normes et ses fonctions et y portent un regard descriptif. Les fonctionnalistes récusent l'analyse conflictuelle, et, à l'inverse, fournissent les outils conceptuels pour justifier l'ordre social. Dans cette perspective, des concepts comme l'adaptation, l'intégration et l'assimilation sont non seulement au cœur de débats théoriques fondamentaux mais deviennent des stratégies politiques de maintien de la stabilité et de l'équilibre sociaux. Si l'on définit l'adaptation comme la survie d'un organisme social, on introduit subrepticement le postulat douteux de la stabilité et de l'équilibre sociaux. Ainsi, T. Parsons a conçu clairement l'adaptation comme finalité pour maintenir l'ordre social autour de quatre stratégies:

> « T. Parsons classe les régularités sociales (social patterns) selon quatre impératifs fonctionnels: l'intégration, l'adaptation, le maintien des régularités latentes et la visée d'un but (goal attainment).» (Encyclopedia Universalis, 9:611).

Ces concepts de base servent non seulement à justifier, à expliquer le «fonctionnement» actuel de la société capitaliste mais aussi à hiérarchiser les rapports entre la communauté majoritaire et les groupes et communautés minoritaires. L'approche fonctionnaliste nie d'emblée les rapports de classe qui traversent les relations interethniques. En d'autres termes, les relations interethniques ne peuvent prendre qu'un seul sens, l'adaptation, l'intégration et à plus long terme l'assimilation si la visée ultime est de nier l'existence de rapports sociaux contradictoires et conflictuels. À la rigueur, pour réaliser pleinement toutes les perspectives sociétales, le «contrôle social», tel que défini par Radcliffe-Brown (1958), s'avère nécessaire pour faire respecter les «normes sociales» de la classe dominante et garantir la stabilité sociale. Dans cette perspective, la structure sociale devient norme juridique, politique et idéologique et elle régit les rapports interpersonnels et interculturels, privilégie l'aspect intégratif de la société globale, le contrôle social aux dépens des tensions, des déséquilibres et des conflits. En son essence même, la société dominante est intégratrice et contrôlante, pas seulement au sens moral bien sûr mais au sens social, politique, idéologique et économique. La notion de «contrôle social» est souvent niée comme stratégie globale. Par contre, il suffit que des conflits interraciaux à une échelle locale éclatent pour que ressortent les velléités de contrôle et de recherche de l'ordre à tout prix. La finalité, la réalisation pleine et entière de la société, voilà la perspective dans laquelle doivent s'inscrire les rapports interethniques. La société «fonctionnelle» repose essentiellement sur des rapports harmonieux. Pour utiliser une analogie de P. Bourdieu: «la physiologie générale, en ramenant à l'échelle de la cellule l'étude de toutes les fonctions, rend compte du fait que la structure de l'organisme total est subordonnée aux fonctions de la partie [...] La relation des parties au tout est une relation d'intégration» -et ce dernier concept a fait fortune en physiologie nerveuse- dont la fin est la partie, car la partie ce n'est plus désormais une pièce ou un instrument, c'est un individu» (Bourdieu, 1973:183).

En somme, la question reste entière: l'intégration sociale doit-elle être stratégie ou visée ou les deux à la fois? L'intégration est-elle possible au sens où toutes les parties s'harmonisent dans le tout? Idéalement, l'intégration comme finalité est souhaitée mais, en réalité, cerner les conditions de sa réalisation représente un défi prométhéen. La société n'est pas un organisme, une structure aussi harmonieuse qu'on peut le souhaiter. Les contradictions réelles ne cessent de bloquer l'atteinte de la finalité ultime, l'intégration de toutes les parties.

De son côté, Robert K. Merton a tenté de nuancer cette finalité de la société qu'est l'intégration en introduisant la notion d'adaptation définie en cinq genres différents. Dans les faits, intégration et adaptation se confondent chez lui. Le *conformisme social* est le premier type d'adaptation: «dans la mesure où la société est stable, ce premier type d'adaptation (conformité à la fois aux buts et aux moyens) est le plus répandu. S'il n'en était pas ainsi, la stabilité et la continuité de la société ne pourraient être maintenues. Le tissu d'attentes dont est constitué tout ordre social est maintenu grâce à un comportement modal conforme aux schémas culturels établis, qui cependant peuvent se modifier d'un siècle à l'autre. C'est bien parce que le comportement des individus est modelé sur les valeurs fondamentales de la société que l'on peut parler d'une masse d'hommes comme d'une société (Merton, 1965: 176-177). Une telle perspective mène tout droit à l'approche culturelle intégratrice ou assimilationniste où individus, communautés et groupes modèlent leur comportement sur les valeurs fondamentales de la société, c'est-à-dire de la société occidentale, judéo-chrétienne et libérale. Cette perspective porte en elle les germes de l'exclusion parce que l'adaptation ou l'intégration conformiste ne peut tolérer ceux qui ne «se conforment» pas aux valeurs et aux normes.

Le deuxième type d'adaptation, «*l'innovation*» repose sur «la grande importance que la civilisation accorde au succès», c'est-à-dire la richesse et le pouvoir (Merton, 1965:177). En ce sens, la fin justifie les moyens. Ce modèle d'adaptation sert d'étalon pour justifier la théorie du «self-made man» américain si idéalisé aux États-Unis. On revoit facilement l'histoire glorieuse de ces pauvres immigrants devenus millionnaires; même s'ils ont pour nom Al Capone ou autres sinistres personnages, le héros qui sait «innover» démontre qu'il sait s'adapter à la société américaine.

« Le mode d'adaptation *ritualiste,* comme troisième type, suppose que l'on abandonne le sublime idéal de la réussite financière et de l'ascension rapide, et qu'on le rabaisse au point où les aspirations peuvent être satisfaites» (Merton, 1965:178).

Merton définit un quatrième type d'adaptation, *l'évasion.* Ses termes sont assez explicites et la relation avec les réfugiés devient trop facile: «sociologiquement, ce sont de véritables étrangers. Etant donné que ces personnes ne partagent pas l'ensemble des valeurs communes, elles ne peuvent être comprises parmi les membres de la société, en tant que celle-ci se distingue de la population. Cette catégorie rassemble des malades mentaux, des hallucinés, des parias, des exilés, des errants, des vagabonds, etc. Ils ont abandonné les buts prescrits et ne fonctionnent pas selon les normes» (Merton, 1965:186).

Enfin, la *rébellion* est le dernier type d'adaptation, c'est-à-dire que le rejet des normes de la société conduit des gens à se rebeller, à s'organiser pour proposer de nouvelles formes d'organisation sociale et/ou politique.

Les divers types d'adaptation définis par Merton ont eu une influence significative chez plusieurs théoriciens et praticiens nord-américains. L'analyse de plusieurs auteurs américains démontre la place importante de l'analyse fonctionnaliste où les concepts d'adaptation et d'intégration sont souvent utilisés dans le même sens et, chez la plupart, les deux stratégies devraient mener à l'assimilation.

Des auteurs américains comme Thernstrom (1980) ou Van den Berghe (1981), dans leurs études sur les communautés ethniques, utilisent le concept d'adaptation basé sur l'idéologie de l'assimilation des groupes minoritaires au groupe dominant, par l'adoption de ses modèles culturels et structurels et la disparition de ses propres référents. C'est la théorie de «l'assimilation totale» avec, en toile de fond, une hiérarchisation entre les «groupes ethniques», le majoritaire (groupe hôte) étant le modèle supérieur à imiter.

Dans une étude récente d'inspiration mertonienne, N. Hutnik a démontré que les immigrants et les réfugiés adoptent habituellement un des quatre modèles d'adaptation suivants: 1) une stratégie d'*assimilation,* lorsque l'individu se perçoit comme membre de la majorité et non comme membre d'un groupe ethnique; 2) une stratégie de *dissociation,* quand l'individu se perçoit uniquement comme membre d'un groupe ethnique minoritaire et pas du tout comme membre de la majorité; 3) une stratégie d'*acculturation,* lorsqu'il s'identifie à la fois avec le groupe ethnique et avec la majorité; 4) une stratégie de marginalisation, lorsqu'il n'y a identification ni à un groupe ni à un autre (1986: 154).

Une autre analyse, menée par J. W. Berry, Uichol Kim, Thomas Minde et Doris Mok (1987) aboutit aux mêmes conclusions; la notion d'«acculturation» amenée par Hutnik devient «intégration» chez ces auteurs mais le sens des deux termes demeure le même.

Ces modèles, de type fonctionnaliste, ne peuvent tout expliquer d'une manière adéquate. Ils laissent supposer un «choix» de la part des immigrants et des réfugiés, choix basé sur leurs perceptions, leur désir ou non d'identification et d'appartenance à leur groupe ethnique versus la majorité. Or, l'appartenance au groupe ethnique est un fait objectif, au-delà des «sentiments» de l'individu; malgré leur désir d'adaptation (en terme d'«ajustement» aux caractéristiques de la société d'accueil), beaucoup de gens sont contraints de s'accommoder de leur situation d'appartenance à un groupe minoritaire; ceci à cause de l'attitude politique et idéologique de la population majoritaire dans le pays d'accueil.

Par ailleurs l'approche d'E. Brody (1970) ne diffère guère a priori de celle des auteurs précédemment nommés (il parle du migrant qui «peut devenir un gagnant ou un perdant... en termes d'absorption économique, d'intégration culturelle et d'adaptation psychologique»); il soulève cependant des éléments pertinents sur le sens à donner au concept d'adaptation. Adaptation doit être entendu comme étant le processus suivi par l'immigrant et le réfugié pour exercer ses capacités et ses possibilités d'apprivoiser son environnement et ses mécanismes, le système socio-économique et socio-politique du pays d'accueil, puis d'agir avec et sur eux afin d'assurer son bien-être économique. Ce processus complexe suit un double mouvement contradictoire: E. Brody souligne l'existence d'un jeu constant entre mécanismes individuels de défense et mécanismes d'adaptation (assimilation, dans le sens employé par l'auteur), jeu conditionné par le vécu passé et les nouvelles circonstances dans lesquelles se situent l'immigrant ou le réfugié (1970: 15).

Michalowski estime que le concept d'adaptation fait référence à plusieurs dimensions: la satisfaction, l'identification, les connaissances, la langue, l'acculturation behaviorale, les performances économiques et l'intégration sociale (1987:21). Dans ce contexte, il définit l'adaptation en des termes opérationnels, c'est-à-dire qu'il situe l'individu comme partie prenante dans la vie productive du pays (économiquement et socialement) et des avantages pour l'individu (possibilité d'avancement, culture, services sociaux et autres possibilités). En ce sens, sa perspective est très fonctionnaliste: l'adaptation se base sur l'habilité de l'individu à «coopérer» selon les demandes de la société. Etant donné que la société où vit l'immigrant ou le réfugié est développée et très organisée, les pressions sur ses épaules sont très grandes. L'adaptation, selon Michalowski, exige un compromis entre les besoins de l'individu et les demandes de la société.

Cette question se complexifie lorsque s'ajoute le poids des différences raciales et culturelles aux différences de classe. Les structures de classe s'accommodent bien des différences dans le statut légal des réfugiés, des difficultés d'apprentissage de la langue de la majorité, du manque d'expérience. Là-dessus, marxistes et fonctionnalistes partagent la même analyse (Burgess, 1978; Stone, 1985; Hoffman-Nowotny, 1973; Rex & Tomlinson, 1979).

Cette référence au vécu passé et présent dans la dynamique de l'adaptation est reprise par la plupart des auteurs contemporains.

Quant au jeu entre mécanismes de défense et d'adaptation, certains auteurs québécois le définissent comme le processus d'insertion propre à chaque classe sociale. Quelques indices ressortent à ce sujet dans les propos de Berdugo - Cohen, Cohen et Lévy lorsqu'ils affirment que, à travers le prisme des trajectoires individuelles, se lisent les ambivalences qui accompagnent le déracinement (1987: 13). L'étude de Labelle, Turcotte, Kempeneers et Meintel (1987) nous fournit des données très pertinentes pour comprendre les points de référence à partir duquel les ouvrières immigrantes analysent leur réalité, autant dans leur passé que dans le processus migratoire et leur vécu d'immigrées. Les témoignages recueillis dans chacun de ces ouvrages font état des efforts développés par les immigrants et les réfugiés pour s'insérer dans une société qui présente à leurs yeux certains avantages (soit économiques, soit politiques, soit idéologiques) par rapport à leur milieu d'origine. En même temps, ils développent des mécanismes pour protéger des valeurs fondamentales opposées à celles du groupe majoritaire, pour se défendre devant des attitudes à connotation raciste ou assimilationniste, ou pour gagner un espace dans le procès du travail.

Plusieurs auteurs critiquent l'approche fonctionnaliste et sa visée assimilationniste. Alejandro Portes (1981:279) critique la tradition de recherche axée sur les stratégies de «coping» et le processus d'assimilation des immigrants. Pour lui, dans le contexte américain, l'assimilation implique l'utilisation de stratégies comme l'acculturation, l'adaptation et l'intégration. Le processus d'assimilation signifie une acceptation tacite du fait que les structures auxquelles les individus doivent s'adapter sont immuables et doivent maintenir les rapports sociaux inchangés.

Dans les faits, l'adaptation ne se fait pas sans passer par des contradictions fondamentales. Portes rappelle les conclusions classiques de dizaines d'auteurs américains (Rosemblum, 1973; Bonavitch, 1976; Tomasi, 1981; Portes, 1977; Burawoy, 1976), et européens (Rhoades, 1978; Sassen-Koob, 1978; Castles et Kosack, 1973): la masse des travailleurs immigrants et des réfugiés dans les pays capitalistes développés contribue à maintenir les pressions à la baisse sur les salaires et à combattre les efforts d'organisation des travailleurs (Portes, 1981:281). Ces conclusions se résument en quatre fonctions fondamentales: 1) L'immigration de travailleurs exerce une pression à la baisse sur la sécurité des emplois, sur les salaires et sur les conditions de travail. En ce sens l'immigration fait partie des stratégies de la classe dominante; 2) L'immigration tend à maintenir un bon niveau de santé de la classe ouvrière parce que les travailleurs sélectionnés sont habituellement jeunes et en santé; 3) L'immigration signifie une économie significative des coûts de reproduction de la force de travail (économie sur la formation, sur la santé, etc.); 4) L'immigration de travailleurs a tendance à diviser la solidarité de la classe ouvrière, surtout en période de crise économique. L'idéologie raciste et la discrimination contribuent aussi à masquer les intérêts économiques et politiques communs des travailleurs et la classe dominante prend des mesures pour maintenir ces divisions.

En ce sens, au lieu de parler d'acculturation, de dissociation (différenciation) et de marginalisation en termes de «stratégies d'adaptation», il serait plus juste de les définir et de les analyser comme des phénomènes objectifs liés à des situations vécues par les immigrants et réfugiés, sur le plan structurel, économique, idéologique, politique et psychologique, dans un processus dialectique d'insertion. L'éclairage apporté par Milton M. Gordon (1978) dans sa critique sur la nature de l'assimilation est très pertinent à cet égard. Ce dernier distingue sept types ou niveaux d'assimilation. Sa démonstration met en évidence le fait que ces niveaux dépendent en partie de l'attitude de l'immigrant ou du réfugié mais surtout de l'acceptation, par la société d'accueil, du nouvel arrivant (valeurs, idéologie, attitudes discriminatoires ou non), des structures économiques et politiques du pays d'accueil, de la situation de classe de l'immigrant et du réfugié au sein de la société et des rapports de pouvoir. Ainsi par exemple, l'assimilation de niveau culturel ou comportemental dépendra beaucoup, bien sûr, de l'attitude de l'immigrant et du réfugié. Par contre, l'assimilation «maritale» (mariages interethniques) ou l'assimilation «civique» dépendront surtout de l'existence ou non d'attitudes discriminatoires dans la société d'accueil, de l'existence ou non de conflits de valeurs et de pouvoirs, liés soit aux spécificités ethniques soit aux rapports de classe, aux conditions de vie et de travail.

Le riche contenu des différentes études menées sur la question amène donc à se distancer d'une approche purement fonctionnaliste culturaliste. En effet, celle-ci laisse de côté la question des situations objectives vécues par les immigrants et les réfugiés, ce qui ouvre la porte au concept «d'égalité des chances» quant à la pleine participation à la société d'accueil (qui reposerait à la limite sur le potentiel personnel et le choix des stratégies d'intégration). Une distance d'autant plus grande s'impose par rapport à l'approche «psychologisante», fonctionnaliste, pour laquelle les différences entre les groupes ethniques (et par conséquent les modalités d'intégration), s'expliquent un peu mécaniquement par des caractéristiques de «personnalités».

Face à ces courants, l'approche structurelle s'avère la plus adéquate pour aborder la problématique de l'intégration des immigrants et des réfugiés. Dans cette perspective, la définition du concept d'intégration devrait reprendre des dimensions de base importantes en écartant les éléments qui laissent dans l'ombre les conditions objectives auxquelles est confronté l'immigrant ou le réfugié et en l'enrichissant des considérations apportées sur les origines de classe et les rapports de pouvoir.

Comme on peut le constater, les notions d'intégration et de participation cachent des enjeux majeurs; elles évacuent complètement les rapports de classe et la participation politique; pourtant ces dimensions fondamentales réfèrent à la reconnaissance des droits des immigrants et des réfugiés et à leur participation pleine et entière à la société (Tomasi, 1981:323).

Selon les perspectives fonctionnalistes largement dominantes dans les sociétés capitalistes développées, l'intégration doit se faire sans heurts, dans le maintien de la stabilité sociale et politique. Dans la dynamique concrète de l'insertion sociale des réfugiés, les heurts sont pratiquement inévitables à certains moments. Véronique De Rudder estime que, dans le contexte français, les immigrés questionnent les credo établis au moment où, précisément, ils commencent à «faire partie» de la société, à y participer, en d'autres termes à s'y insérer socialement, politiquement et économiquement.

« Le moment crucial où apparaissent conjointement la stabilisation des immigrés, non plus seulement comme travailleurs, mais comme population familiale, leurs mouvements d'intégration (voire de promotion) sociale, leurs revendications contre les discriminations [...] est en lui-même porteur de réactions contre «leur incorporation» dans la nation. C'est bien, en effet, lorsqu'ils commencent à déroger au rôle économique et au statut social qui leur ont été assignés que les manifestations d'hostilité à leur égard se font plus explicites et plus violentes, en particulier de la part des catégories sociales qui se sentent concurrencées. Parce qu'elle accroît la précarité de l'emploi et les risques de déclassements sociaux, la crise ne fait qu'aggraver les tendances aux corporatismes chauvins, aux crispations sur les positions établies et sur les privilèges qu'octroient -ou que peuvent assurer- la citoyenneté, les appartenances nationales, culturelles ou «raciales», seuls traits, en définitive, que les groupes menacés partagent avec leurs classes dominantes. Elle favorise aussi la recherche de «boucs émissaires», selon une logique bien connue qui consiste à présenter comme coupables ceux qui sont les premières victimes» (De Rudder, 1987:10).

Ces propos à caractère militant n'excluent pas certains fondements objectifs et remettent en question les stratégies sociales mises de l'avant par la société majoritaire. De Rudder estime que la France souhaite l'intégration de ses immigrés tout comme le Canada et le Québec le font pour les leurs. De leur côté, les immigrants, et tout particulièrement les réfugiés, cherchent «à améliorer leur insertion, leur statut et leur marge de liberté au sein de cette même société, avec les moyens dont ils disposent , et dont certains leur restent refusés ...» (De Rudder, 1987:13).

Voilà introduite la notion d'insertion sociale, processus où individus et groupes s'allient ou s'opposent selon les circonstances ou les conjonctures. Les appartenances de classe, les activités, les ressources, les cadres juridiques, les politiques, etc. définissent des intérêts et des stratégies qui structurent la vie locale. Les réfugiés constituent une couche sociale particulière et leur insertion est soumise à des modalités économiques, sociales, politiques et spatiales particulières. Le discours politique et les politiques elles-mêmes laissent entendre qu'ils sont en transit au Canada; d'ailleurs ils doivent attendre l'obtention d'un statut pendant plusieurs années et à la fin de longues procédures ils risquent la déportation. Cette situation de fait illustre bien la conclusion de De Rudder:

> « La cohabitation pluri-ethnique peut aussi être considérée comme la résultante d'une dynamique de forces concourantes ou divergentes entre majoritaires, mais aussi entre majoritaires et entre minoritaires» (De Rudder, 1987:19).

Son analyse nécessite que l'on n'isole pas la dimension ethnique des autres dimensions comme l'économique, le social, le politique et l'idéologique. Elles sont étroitement interreliées.

La prise en compte de ces dimensions conduit à poser la question de l'insertion dans une société développée dominante en termes de droit et de devoir par rapport aux individus, et à l'éternel problème de la définition des termes. Aucune notion magique ne vient apporter une réponse claire et définitive. Que l'on parle d'adaptation, d'intégration, d'assimilation ou d'insertion, la réflexion sera toujours en retard sur la réalité parce que les caractéristiques des immigrants et des réfugiés changent et les conditions de leur insertion aussi. Ainsi, les centaines de milliers de «déplacés» venus d'Europe après la deuxième guerre mondiale avaient des caractéristiques différentes des réfugiés latino-américains, africains et asiatiques qui forment la nouvelle vague de réfugiés. Par ailleurs, la prospérité de l'Amérique du Nord des années 50 a cédé la place à une récession profonde en 1990, donc à une conjoncture moins favorable à l'immigration et à l'insertion des immigrants et des réfugiés.

De multiples études ont identifié les divers facteurs structurels qui influencent l'adaptation, entendue au sens le plus large du terme. En fait, comme Michalowski (1987:21), il faut parler «d'adaptation structurelle» si l'on veut tenir compte des caractéristiques démographiques, économiques et sociales comme facteurs d'influence sur l'insertion dans les rapports sociaux. S'appuyant sur les conclusions de nombreux chercheurs (Richmond et Kalbach. 1980; George, 1978; Fullum et Gomez, 1978; Anderson et Holmberg, 1978), il établit les principaux éléments qui spécifient chaque catégorie (Michalowski, 1987:22):

1) Les facteurs démographiques: le sexe, l'âge, le statut marital, le lieu de naissance, le lieu de résidence, la catégorie d'admission (immigrant reçu, immigrant parrainé, revendicateur du statut de réfugié, réfugié).

2) Les facteurs économiques: la participation à la force de travail, l'occupation, l'appartenance de classe, le niveau de revenu, les conditions de logement, les avantages sociaux (fonds de pension, etc.).

3) Les facteurs sociaux: le niveau d'éducation, l'expérience professionnelle, l'origine ethnique, la connaissance d'une des deux langues officielles, la participation à des associations, la religion.

À ces trois facteurs, il faut ajouter les facteurs politiques. La politique d'immigration du pays d'accueil et les politiques d'insertion au travail sont des facteurs-clés indépendants du réfugié ou de l'immigrant lui-même (Taylor, 1983; United Nations, 1982; Krothei et Matejko, 1977; Sell et De Jong, 1983; De Jong et Gardner, 1981).

Dans le même ordre d'idée, plusieurs recherches démontrent que le niveau d'éducation s'avère le facteur le plus déterminant dans l'obtention d'un statut occupationnel et, par le fait même, dans la société et dans un processus de mobilité sociale qui favorise l'intégration (Blau et Duncan, 1967; Turritin, 1974; Kritz et al., 1981; Richmond et Verna, 1978).

La politique d'immigration canadienne favorise l'entrée de gens bien éduqués, prêts à travailler. De fait, les nouveaux arrivants ont en moyenne un niveau d'éducation supérieur à la moyenne canadienne (Rao et al., 1984; Michalowski, 1987:26).

Tenir compte du niveau d'éducation est donc une dimension déterminante et indique que des immigrants et des réfugiés ne s'insèrent pas nécessairement dans le système économique au plus bas niveau (Beaujot, 1985; Taylor, 1983; Neuwirth et al., 1985; Samuel, 1984; Michalowski, 1982).

Évidemment, ces conclusions ne sont pas toutes partagées car certains estiment que, de façon générale, les immigrants et les réfugiés ont un niveau d'éducation plutôt bas (Entzinger, 1988:6). En réalité, considérant l'ensemble des immigrants et des réfugiés, le niveau d'éducation est relativement élevé.

Malgré des positions contradictoires au niveau des chercheurs et des théoriciens, une conclusion s'impose: en tenant compte des multiples variables en cause, la notion «d'adaptation structurelle» réfère à des rapports sociaux d'insertion.

En ce sens, l'adaptation structurelle est donc plus qu'un processus d'insertion dans les rapports sociaux de production; il s'agit d'un processus pour apprivoiser l'environnement culturel, socio-économique et socio-politique du pays d'accueil, afin d'assurer son insertion politique, économique, sociale, émotive et idéologique, dans le respect de ses intérêts personnels et de classe et de son identité ethnique.

B. Les déterminants de l'insertion au niveau de la santé mentale

Malgré les différences d'orientation idéologique ou théorique des divers auteurs, tous se rejoignent à quelques nuances près quand il s'agit d'analyser les facteurs qui facilitent ou non l'insertion des immigrants et des réfugiés au niveau de la santé mentale. Les études comparatives de J. W. Berry et al. (1987) et l'excellente synthèse préparée par M. Wood (1988) permettent d'établir une liste relativement exhaustive des variables identifiées comme déterminantes dans le processus d'insertion des immigrants et réfugiés au niveau santé mentale.

À propos du «stress d'acculturation»

J. W. Berry et al. ont isolé une forme de stress, le «stress d'acculturation», qu'ils définissent comme «une dégradation de la santé (incluant les aspects psychologiques, somatiques et sociaux) chez un certain nombre d'individus placés dans un contexte dit d'acculturation. Ils mettent en relief la corrélation systématique entre les phénomènes relatifs à la santé et le phénomène d'acculturation» (1987: 491). Le fait de vivre dans un contexte nouveau peut avoir, à leur avis, une incidence sur la santé physique et mentale des nouveaux arrivants.

La notion d'acculturation réfère ici aux dimensions objectives et incontournables (apprentissage de la langue, intégration à un milieu de travail, initiation à de nouveaux modes de communication, etc...), auxquelles doivent faire face les immigrants et les réfugiés dans leur nouveau milieu de vie, et aux changements inévitables qui entraînent divers degrés de stress pour le nouvel arrivant. On peut regrouper ces diverses dimensions sous cinq niveaux de changements: les changements physiques, biologiques, culturels, sociaux et psychologiques.

D'emblée, l'immigrant ou le réfugié va devoir affronter des changements physiques importants au niveau de l'habitat, de la densité de la population, de la pollution et autres; le choc sera plus grand pour l'individu provenant d'une ville non industrialisée, ou pis encore de milieu rural, qui se retrouve dans une grande ville industrialisée du Canada.

Il devra en même temps affronter ce que les auteurs dénomment des «changements biologiques» liés à la nutrition (par exemple: passage d'une alimentation de base peu variée à une panoplie de produits souvent peu nutritifs, additionnés de composantes chimiques auxquels l'organisme n'est pas habitué), liés aussi à la mise en contact avec des maladies nouvelles, parfois difficiles à surmonter par les populations immigrantes parce que leur système immunitaire n'y est pas préparé.

Un troisième niveau de changement relève plus du niveau structurel; il s'agit de l'organisation du pays d'accueil avec ses institutions politiques, économiques, techniques, linguistiques, religieuses et sociales. Encore là, on ne se surprendra guère du casse-tête que peut représenter pour un individu le fonctionnement, par exemple, du complexe système scolaire montréalais, voire même le contrôle exercé sur l'obligation d'envoyer les enfants à l'école, sans compter l'écart entre les valeurs et les idéologies véhiculées dans le pays d'origine et la société d'insertion.

Le quatrième niveau de changement, selon la classification de Berry et al., est celui des relations sociales. En plus de la coupure avec la famille et avec le réseau d'amis, le nouvel arrivant se trouve confronté à des formations sociales différentes (par exemple, la famille nucléaire versus la famille élargie; la vie individualisée versus la vie communautaire) ainsi qu'à des modes et codes de communication inconnus de lui.

Ayant démontré la quasi inévitabilité du phénomène de stress, lorsque l'individu est placé dans un système socio-culturel différent de celui d'où il provient, les auteurs ajoutent que les changements psychologiques, béhavioraux et les altérations de la santé mentale sont en eux-mêmes des types de changement auxquels l'immigrant et le réfugié sont confrontés. Parmi ces changements, on peut penser par exemple à l'anxiété face à l'inconnu, à la conscience d'être différent, physiquement, de la majorité, ou à la tristesse liée à l'éloignement du pays d'origine et du réseau affectif.

Les changements inévitables ainsi décrits par les auteurs correspondent en fait aux différentes situations auxquelles l'immigrant ou le réfugié est nécessairement confronté et devra s'adapter, quel que soit le type de réponse (stratégie d'insertion) qu'il leur donnera. À ce sujet, l'approche conceptuelle développée par Berry et al. est intéressante parce qu'elle permet de distinguer d'une part les phénomènes qui, en eux-mêmes, sont sources de stress; le stress ainsi provoqué vient alors de «l'a - culturation» par rapport à la «culture» nouvelle, étrangère à lui, devant laquelle l'individu est placé; ce qui amène à identifier clairement, d'autre part, le stress provoqué par le processus d'insertion comme tel, c'est-à-dire par le processus impliquant une démarche, consciente ou inconsciente, de l'individu, pour s'insérer dans la nouvelle société.

Là où l'on peut se démarquer de l'approche conceptuelle des auteurs, c'est dans la signification implicite donnée au terme «acculturation»; si le mot est juste quand on se situe par rapport à la «nouvelle culture» ou «culture étrangère à l'individu», il laisse dans l'ombre l'existence de la culture propre à l'individu, malgré la référence inévitable qu'y fait la notion de changement. Il prête aussi à confusion de par l'utilisation que d'autres auteurs dont Hutnik, en font, comme d'une stratégie ou mode particulier d'intégration. Dans cette dernière perspective, acculturation suggère non pas un choc entre deux cultures mais au contraire une certaine harmonisation, réalisée ou non (mais tout au moins visée) par l'individu. C'est pourquoi l'expression «stress de choc culturel» ou quelqu'autre équivalent aurait été préférable à «stress d'acculturation».

De même, lorsque Berry et al. abordent la question des variables influant sur le stress vécu par les immigrants ou réfugiés placés dans un nouveau contexte, une rectification terminologique serait justifiée. Nous sommes confrontés à un véritable problème sémantique et épistémologique. En effet, la plupart des auteurs font référence aux acquis et aux expériences personnelles de l'individu, le situant donc comme acteur dans un processus d'insertion qu'il entame avec (ou sans) un certain nombre de ressources qui lui sont spécifiques. Les variables identifiées (éducation, type d'emploi, biens personnels, langue, niveau d'instruction et de connaissances, statut légal, provenance urbaine ou rurale, expériences précédentes de voyages, etc. (Berry et al.,1987: 505-507) sont, en réalité, autant «d'outils» qui faciliteront ou non l'insertion de l'immigrant et du réfugié dans la société d'accueil. Plutôt que de parler de variables influant sur le «stress d'acculturation», il semble plus adéquat de parler, plus globalement, de variables influant sur le processus d'insertion. D'ailleurs, les résultats obtenus par Berry et al. ne leur permettent pas d'affirmer que les changements confrontant l'immigrant ou le réfugié provoquent systématiquement un phénomène de stress. Ce qui mène à penser que lorsque stress il y a, il faut en chercher les causes à un autre niveau, dans ce qui facilite ou non l'insertion de l'immigrant.

Ceci rejoint, en définitive, les conclusions de Dressler et Bernal (1982: 34) pour qui la réorganisation face à de nouvelles conditions de vie est un facteur possible de stress, ce dernier n'apparaissant cependant que lorsque les ressources d'insertion de l'individu, autant personnelles (acquis et expériences) qu'externes (conditions de l'accueil) sont insuffisantes. Un peu plus catégorique est le point de vue de M. Wood; à partir d'une vaste revue de littérature, elle conclut que «l'expérience de la migration (c'est-à-dire de la mise en situation d'adaptation à un contexte nouveau), en tant que telle, n'a pas une incidence déterminante sur l'état de santé mentale de ceux et celles qui la vivent» (1988: 43); la vraie question à se poser, à son avis, demeure celle de la causalité des difficultés vécues par les immigrants et les réfugiés (M. Wood, 1988: 43).

À ce sujet, au-delà des nuances entre les approches de chacun, quand on examine les variables identifiées comme influant le «stress d'adaptation», ou le processus d'insertion comme tel, on voit que les résultats se recoupent très bien. Ces résultats se rapportent à diverses grandes catégories de variables qu'il est utile de regrouper en les identifiant clairement, d'autant plus qu'elles sont contingentes et que, dans ce cas, les risques d'erreurs en cours d'analyse sont élevés. Pour sa part, M. Wood (1988) a effectué un classement qui mérite d'être repris parce que clair, rigoureux et mettant aussi bien en évidence l'incidence particulière de chaque variable que les résultats de leur combinaison.

Le contexte prémigratoire

Une première constatation s'impose quand on analyse les résultats obtenus dans notre recherche lors des diverses études: le processus d'insertion de l'immigrant et du réfugié ne peut se comprendre sans tenir compte d'un certain nombre de variables relevant du contexte prémigratoire, telles certaines données socio-démographiques et les conditions de départ.

- Les données socio-démographiques

Au niveau des données socio-démographiques, trois d'entre elles s'avèrent être, sans contredit, déterminantes pour l'insertion des immigrants et des réfugiés: l'âge, la langue et le niveau de scolarité.

Une corrélation étroite a été établie entre l'âge des individus et les difficultés d'insertion. Les enfants entre six et onze ans vivent, quelques années après la migration, des difficultés reliées aux conflits entre les valeurs de leurs parents et celles du pays d'accueil (B.K. Kim, 1978; Kurian, 1986). Les adolescents et jeunes adultes, déjà aux prises avec une crise de formation de leur identité, sont particulièrement exposés aux risques de crise d'identité au plan culturel et au plan psychologique (Léger et al., 1983; Miller, Chambers et Coleman, 1981; Naditch et Morrissey, 1976). Et à l'autre extrémité de la pyramide d'âges, les «aînés» suivent un processus d'insertion beaucoup plus lent, pour des raisons évidentes (état de santé, perte de capacité, etc.), ce qui les met en décalage avec les plus jeunes et renforce leurs difficultés (Ikels, 1983; Naidoo, 1985; Smither, Rodriguez et Giegling, 1979; Spitzer, 1984; Miller, Chambers et Coleman, 1981; K.B. Chan, 1983).

La langue, quant à elle, est certainement l'élément qui s'impose avec le plus d'évidence comme déterminant fondamental: Maingot (1985), S. D. Nguyen (1982), Dejean (1978), pour n'en citer que quelques-uns, ont bien montré que la connaissance de la langue du pays d'accueil facilite le processus d'insertion. Elle est, en effet, non seulement le «commencement», la clé qui ouvre la porte à la communication interculturelle, comme le dit Howard Lee Nostrand (1966; cité par Mauviel, 1987: 57); mais elle est aussi la clé d'une autre porte essentielle, celle du marché du travail. Bland et Orh (1981), Williams et Carmichael (1985), Berry et al. (1987) établissent une corrélation entre incapacité de parler la langue en usage dans le pays d'accueil et les difficultés d'insertion chez les immigrants et réfugiés; Westermeyer, Neider et Vang (1984) identifient un cercle vicieux entre problèmes psychologiques, incapacité d'apprendre la langue et incapacité de trouver un emploi, l'un aggravant l'autre à tour de rôle, sans que l'on puisse distinguer la cause de l'effet (quoique la langue se trouve au point de départ dans la chaîne de réactions).

Quant au niveau de scolarité, les résultats obtenus tendent à montrer qu'il a effectivement une incidence sur l'insertion de l'immigrant ou du réfugié; mais contrairement aux présupposés populaires, il s'avère que plus le niveau de scolarité est élevé, plus les difficultés d'insertion sont grandes au niveau émotif. C'est ce que confirment, entre autres, les études de Nguyen et Henkin (1982), Fantino et Kennedy (1983), Starr et

Roberts (1982). Ce phénomène s'explique par les difficultés que rencontrent la plupart des immigrants et des réfugiés pour obtenir la reconnaissance de leurs études, de leur formation professionnelle et, par conséquent, la difficulté à se trouver un emploi correspondant à leurs attentes. Liées à ces conditions d'emploi se jouent les questions de revenu et de statut social. Pour les immigrants et les réfugiés ayant un haut niveau de scolarité, la non reconnaissance de leurs qualifications et la difficulté à se trouver un emploi correspondant à ces dernières signifient baisse de statut social et dévalorisation. L'incidence du niveau de scolarité au départ est donc largement influencée elle-même par les conditions rencontrées dans le pays d'accueil.

- Les conditions de départ

En ce qui concerne les conditions de départ, elles s'avèrent d'une incidence très marquante sur le processus d'insertion. Plusieurs dimensions entrent en jeu à ce niveau mais la première à prendre en considération, parce que particulièrement déterminante, est le motif du départ.

En effet, si pour différentes raisons décrites plus bas, la personne qui émigre peut être soumise à un stress prémigratoire plus ou moins fort, il a été largement démontré que les individus obligés de quitter leur pays sont beaucoup plus affectés par le stress que ceux émigrant par choix. En termes clairs, cela signifie, comme le confirment Berry et al. (1987), que les réfugiés font partie de la catégorie d'émigrants les plus affectés par le stress. L'immigration n'est autre chose pour eux qu'un exil forcé, seul moyen, pour beaucoup, d'échapper à la mort ou à de graves sévices. Selon Disman (1983), Fantino (1982), Munoz (1980), les effets psychologiques de l'exil sont comparables à ceux qui surviennent dans le cas du décès d'un proche. Il faut ajouter à cela les traumatismes qu'ils ont pu subir soit par le fait d'avoir vécu dans un pays en guerre, parfois depuis des années; soit par l'expérience d'une répression militaire particulièrement violente; ces expériences étant, dans certains cas, doublées de la perte de membres de leur famille ou d'amis, disparus ou tués dans «la bataille»; et enfin, parmi ces réfugiés particulièrement soumis aux risques de troubles psychologiques, il faut encore distinguer trois sous-groupes: les victimes de torture, les conjoints et les enfants des victimes de torture et les femmes violées. Si les études menées jusqu'à présent ne permettent pas encore d'évaluer précisément les conséquences psychologiques de la torture et du viol, tant sur les victimes que sur leur famille immédiate, il n'en reste pas moins que l'existence de troubles psychologiques et émotifs graves chez ces

45

personnes a déjà été mise en évidence par des études comme celles de Allodi (1980), Allodi et Rojas (1983), Duran (1980), Allodi et Cowgill (1982), Hutchinson (1985) ou Van Drunen (1982).

Au-delà des vécus particuliers qui ont une incidence spécifique sur la santé mentale des réfugiés, ces derniers sont soumis aux mêmes conditions de stress prémigratoire que tout immigrant: l'attitude des pairs et du gouvernement; l'attitude de l'individu même qui immigre; la composition de la famille, les attentes et les projets de vie.

L'acceptation ou non, par sa famille et son entourage, de son projet d'émigration, le soutien psycho-affectif et parfois financier qui lui est apporté ou, au contraire, la désapprobation, l'absence de soutien, la tristesse ou l'anxiété qui lui sont opposées, ont une incidence sur le degré de stress vécu par l'émigrant ou le réfugié. De la même façon, les facilités ou difficultés qui se présentent à lui dans ses démarches administratives, selon l'ouverture ou non des instances gouvernementales, du pays d'origine et du pays de destination, aux mouvements migratoires, ont aussi un impact sur son degré de stress. Les études de Hull (1979), Labelle et al. (1987), Murphy (1977), Shuval (1982), confirment l'importance de cette dimension. Quant à l'attitude de l'émigrant et du réfugié face aux contraintes de départ, son incidence a été particulièrement relevée par Sell (1983), Shuval (1982) et Sluzky (1979). Ces contraintes peuvent relever de questions matérielles (départ plus ou moins précipité, endettement pour les frais de voyage et d'installation, contraintes matérielles à l'origine des motifs d'émigration, telles que l'insuffisance de ressources pour survivre ou le manque de débouchés sur le marché du travail); elles peuvent aussi être liées à des considérations personnelles et familiales (essentiellement, la séparation d'avec les pairs, la famille, le pays). La décision d'émigrer s'accompagne donc d'obstacles qui génèrent fréquemment une ambivalence chez l'individu, le soumettant ainsi à des risques de stress plus ou moins élevés selon son degré d'ambivalence.

Cependant, les personnes mariées qui peuvent émigrer avec leur conjoint et les parents qui émigrent avec leurs enfants sont moins soumis au stress prémigratoire que les célibataires et les personnes obligées de laisser derrière elles conjoint et enfants (ou parents quand ce sont les enfants qui émigrent). Des auteurs comme Burke (1980) ou Miller, Chambers et Coleman (1981) ont montré que les personnes âgées constituent une catégorie particulièrement «à risques», en termes de santé mentale.

Enfin, autre dimension rattachée au contexte prémigratoire, les attentes et projets de vie s'avèrent eux aussi avoir une incidence sur la santé mentale de l'émigrant et du réfugié, donc sur leurs facilités d'insertion. David (1969) et Murphy (1977) confirment l'hypothèse selon laquelle l'individu dont les attentes et projets sont réalistes a plus de chances de bien s'adapter que celui dont les projets sont bâtis sur des illusions. Ceci fait ressortir toute l'importance, pour l'émigrant ou le réfugié, d'être bien renseigné sur le pays de destination et sur les situations qu'il doit s'attendre à rencontrer. Dans ce sens, précise Beiser, l'individu qui a déjà vécu en pays étranger pourra être avantagé pour avoir déjà confronté ses rêves et la réalité; il en va de même pour ceux qui ne partent pas précipitamment et ont pu recueillir des informations justes sur ce qui les attend. Par contre, le réfugié fait partie du groupe le plus désavantagé dans la mesure où, bien souvent, il effectue un départ «d'urgence», sans préparation adéquate, c'est-à-dire sans informations pertinentes, (Cohon, 1981) outil primordial de prévention pour la santé mentale des immigrants et réfugiés.

Finalement, les résultats des diverses études montrent que d'autres dimensions ont elles aussi une incidence sur l'insertion, peut-être moins déterminante que celles déjà décrites mais néanmoins significative. Par exemple, l'étude de Berry et al. fait ressortir qu'en contexte américain, des immigrants parrainés, chrétiens, dont quelques amis originaires du même pays qu'eux sont déjà installés dans le pays d'accueil, vivent beaucoup moins de stress que les immigrants non parrainés, non chrétiens et sans compatriotes pour les accueillir. Le parrainage, expliquent-ils, garantit un réseau minimal de support social; le fait d'être chrétien permet de retrouver un minimum de correspondance au niveau institutionnel et les amis garantissent un support affectif et moral. (Berry et al., 1987: 506). En somme, ces conclusions tendent à démontrer que plus il y a de points de convergence au plan idéologique et structurel entre le pays d'origine et la société d'accueil, moins pénible est la «transplantation». Ce qui permet aussi de constater que des dimensions telles que le statut légal de l'immigrant et du réfugié et la religion ne sont pas à négliger. En même temps, la question des points de convergence entre pays d'origine et pays d'accueil ou l'importance de la présence d'amis et compatriotes montrent que l'incidence des éléments du contexte prémigratoire sur l'insertion des individus peut être modifiée par le contexte existant dans la société d'accueil (contexte postmigratoire).

Le contexte postmigratoire

Au niveau du contexte postmigratoire, notre recherche révèle que cinq grandes variables semblent avoir une incidence déterminante sur le processus d'insertion de l'immigrant ou du réfugié: l'accueil par la société hôtesse; la situation socio-économique; la composition de la collectivité d'accueil; la durée du séjour; les attitudes et les perceptions du réfugié. Il faut cependant ne pas perdre de vue que ces variables sont étroitement reliées, interagissent les unes sur les autres et que, par conséquent, des recroisements doivent être effectués pour des fins d'analyse.

- L'accueil par la «société hôtesse»

Des auteurs comme Berry (1987) ont souligné que tous les aspects relevant des politiques d'accueil par la société hôtesse ont une incidence sur le processus d'insertion sociale de l'immigrant et du réfugié. Toutefois, remarque M. Wood, peu d'études ont cherché à établir une corrélation entre chacun de ces aspects et l'insertion, certainement parce qu'une telle corrélation est évidente: «il va sans dire que les services d'orientation, tout comme l'attitude bienveillante de la collectivité d'accueil, favorisent l'intégration et le bien-être des migrants» (1988: 53). Il y a pourtant lieu de se demander jusqu'à quel point tel ou tel aspect influe effectivement sur le processus d'insertion, s'il n'est pas étroitement dépendant d'autres facteurs et par quels biais il exerce son influence. Pour cela, une première étape nécessaire consiste à préciser quels sont les «aspects» recouverts par la notion d'accueil dans la société hôtesse.

Une première série de sous-dimensions relève de ce que l'on peut appeler les politiques nationales relatives à l'immigration; c'est-à-dire les politiques de sélection et d'acceptation des immigrants et des réfugiés; les procédures administratives; les services et programmes d'accueil, d'apprentissage des langues officielles, d'orientation et de formation professionnelle; les règlements concernant les accréditations d'études et/ou professionnelles, etc. On se rappelera à ce propos les conclusions de Berry et al. (1987) et Michalowski (1987) quant à la présence d'un plus haut niveau de stress chez les individus non parrainés que chez les parrainés. Plus évidentes encore sont les conséquences des lacunes dans les programmes d'apprentissage linguistique, dont l'accès est limité à certaines catégories d'immigrants et de réfugiés . Que dire, entre autres, du contentieux particulier des femmes domestiques qui, par la loi de l'immigration, sont placées dans des conditions de surexploitation, parfois tenues en captivité chez leurs employeurs, soumises à leurs caprices et à leurs menaces, sans avoir quelque moyen de défense que ce soit à leur portée. Qu'en est-il également des effets, sur la santé mentale et le processus d'insertion de cet immigrant ou réfugié qui, sa compétence professionnelle d'ingénieur électricien n'étant pas reconnue à l'entrée, sert de balle de ping-pong entre un éventuel employeur qui lui réclame une carte de compétence pour l'embaucher et l'organisme responsable qui refuse de la lui délivrer sans un certain nombre d'heures d'expérice de travail au Canada pour la lui donner? (Michalowski, 1987:28). Certes, toutes les études n'ont pas été effectuées pour mesurer l'incidence, sur la santé mentale et l'insertion des immigrants et réfugiés, de ces diverses données liées directement aux politiques d'immigration. Mais l'existence, que l'on peut tout au moins établir comme étant très probable, d'une telle incidence, commande de retenir ces éléments pour analyser les dimensions du processus d'insertion sociale.

Une deuxième série de sous-dimensions à prendre en compte au chapitre de l'accueil par la société hôtesse est celle des attitudes de la population en général envers les réfugiés et les immigrants. Au nombre des attitudes qui peuvent rendre difficile le processus d'insertion, il faut noter tout particulièrement la méfiance, la discrimination et le racisme. Encore là, compte tenu d'une évidente incidence sur la santé mentale des migrants, peu d'études traitent de cette question. Malgré tout, des auteurs comme Goffman (1963) et Sagarin (1975) concluent que le processus d'insertion en soi, constitue un facteur de stress. D'après leurs conclusions l'attitude de la société d'accueil est une des variables qui influe sur ce stress; Goffman insiste sur l'effet négatif de la faible estime de soi reçue par les nouveaux arrivants, Sagarin sur le «stigma tribal» (de race, de nation et de religion). Les autres recherches traitent plutôt des effets négatifs de phénomènes comme la discrimination raciale, sur l'accès au logement ou à l'emploi (Head, 1979; Ubale, 1977); ceci recroisé avec les résultats d'études portant spécifiquement sur la situation professionnelle, socio-économique, ou encore sur le statut social de l'immigrant et du réfugié, permet également d'établir une corrélation certaine entre les attitudes de la société d'accueil et le processus d'insertion.

- La situation socio-économique

Nombre d'études ont largement démontré l'incidence, sur le processus d'insertion de l'immigrant et du réfugié, de sa situation au niveau de l'emploi. Et ce, tel que le confirme M. Wood, que cette variable soit prise au sens absolu (situation de fait, par exemple chômage ou insuffisance de revenus) ou au sens relatif (par rapport à la situation antérieure). Pour plusieurs, cette situation est plus déterminante pour la santé mentale et les facilités d'insertion de l'immigrant et du réfugié que la séparation d'avec la famille par exemple; ceci s'explique déjà par le fait que l'immigrant ou réfugié détenant un emploi peut minimalement économiser pour soutenir sa famille demeurée dans le pays d'origine et même envisager de la faire venir. Parce que ses économies pourront lui permettre de payer leur déplacement et aussi parce que, ayant un emploi, il peut alors être considéré en vertu de la loi d'immigration comme un «parrain acceptable». Les conclusions de Minde et Minde (1976), Starr et Roberts (1982), Westermeyer, Vang et Neider (1983), Yamamoto et al. (1976) confirment cette incidence de l'emploi sur la santé mentale de l'individu. Ces études peuvent aussi être mises en relation avec les analyses de Labelle et al. (1987) ou Dejean (1978) qui montrent bien l'importance primordiale, pour les immigrants et les réfugiés, d'être capables de soutenir les membres de leur famille dont ils se sont séparés, et d'envisager de les faire venir à plus ou moins long terme. De plus, les écrits de ces deux derniers montrent que l'estime de soi, liée à l'image projetée à distance sur la famille, dépend dramatiquement (et le mot n'est pas exagéré à en lire les témoignages des femmes immigrées en particulier) de la capacité d'envoyer de l'argent à leur proche parenté, donc de leurs revenus d'emploi.

Enfin, bien sûr, pour l'immigrant et le réfugié tout comme pour n'importe quel individu qui n'appartient pas à la très petite minorité de gens n'ayant pas besoin de travailler pour vivre, avoir un revenu d'emploi suffisant est une condition primordiale et nécessaire pour un bon état de santé mentale et physique. Quoique là encore, la simple loi du bon sens et l'expérience de vie de tout individu obligé de «gagner sa vie», c'est-à-dire de la très grande majorité, soit amplement suffisante pour établir une corrélation certaine entre revenus d'emploi suffisants et bien-être personnel, des analyses telles que celles de Cheung et Dobkin de Rios (1982), Neuwirth et al. (1985) ou Richmond (1982) apportent une confirmation scientifique à ces conclusions empiriques.

Quant à la situation socio-économique dans le pays d'accueil par rapport à celle existant antérieurement, elle s'avère encore plus déterminante pour le processus d'insertion de l'immigrant et du réfugié que la situation absolue. La plupart des études à ce sujet ont porté sur les conséquences sérieuses engendrées par le fait de ne pas trouver un emploi comparable à celui occupé dans le pays d'origine. Guidote et Baba (1980), S. D. Nguyen (1982), K. B. Chan et Lam (1983), font clairement ressortir combien la «réussite professionnelle» est un facteur clé au niveau psychologique; ils précisent que les conséquences, en cas «d'échec», vont de sérieux troubles psychiques jusqu'au suicide, en particulier chez les hommes. Pour interpréter ces conclusions, il faut tenir compte du fait que la majorité des immigrants et réfugiés proviennent souvent de pays où le modèle patriarcal est fortement valorisé, où donc les rôles majeurs socio-économiques sont imputés aux hommes. La perte d'estime de soi, la baisse de statut social et, éventuellement, de salaire, reliées à une emploi «inférieur» à celui occupé antérieurement, peuvent affecter aussi, directement ou indirectement, l'épouse du chef de famille immigré ou réfugié (Hirayama, 1982) et ses enfants (Minde et Minde, 1976).

Par contre, la situation inverse, c'est-à-dire l'obtention d'un emploi pour ceux (et surtout celles) qui n'étaient pas officiellement sur le marché du travail auparavant ou dont l'emploi était considéré comme inférieur à celui obtenu dans le pays d'accueil, n'a pas fait l'objet d'études spécifiques quant à son effet sur la santé mentale et le processus d'insertion de l'immigrant et du réfugié. Cependant, une recherche comme celle de Labelle et al. (1987), basée sur les récits de vie de femmes immigrées, sont très riches d'informations permettant de conclure à un effet positif, surtout en ce qui concerne l'estime de soi des femmes. C'est donc un élément à considérer, tout en se rappelant que bien d'autres facteurs peuvent venir transformer cet effet (conditions de travail, relations avec l'employeur et les autres employés, relations conjugales et familiales, attitude de la communauté, du conjoint, de la famille, face au travail et à «l'émancipation» de la femme, etc.).

- La composition de la collectivité d'accueil

L'effet positif, pour le nouvel arrivant, d'être entouré d'un groupe de pairs parmi lesquels il peut se réinstaller dans sa nouvelle vie, a été discuté dans les points précédents. Globalement, les conclusions tendent à montrer que l'existence d'un groupe ou d'une communauté ethnique auxquels s'identifie le nouvel arrivant est un autre facteur important pour l'insertion, autant pour les enfants que pour les adultes. Une étude comme celle de Murphy (1973) établit de plus que chez les immigrants et les réfugiés, plus le groupe d'appartenance ethnique est grand, plus faible est le taux d'hospitalisation pour troubles mentaux.

Cependant, s'il demeure vrai en tout temps que l'immigrant ou le réfugié socialement isolé risque plus de vivre des difficultés d'insertion dans son nouveau milieu, il faut se rappeler que les caractéristiques inhérentes au «groupe d'accueil» sont elles-mêmes déterminantes de la qualité de l'apport de ce groupe. Hitch et Rack entre autres (1980), tout comme Myers et Neal (1978), ont mis en évidence l'importance de la variable cohésion sociale des groupes ou communautés ethniques.

La cohésion sociale du groupe est le degré de sentiment d'appartenance de ses membres, la qualité des interrelations générées par ce sentiment et la solidarité issue de la qualité des interrelations entre les membres du groupe.

Les auteurs soulignent que les cas de troubles mentaux sont plus fréquents dans les groupes et communautés ethniques où la cohésion sociale est déficiente que dans les groupes ou communautés où règnent l'harmonie sociale et la solidarité.

La notion de solidarité, même s'il s'agit d'un concept flou, est en soi un autre élément déterminant. Elle fait référence à l'appui cherché par le nouvel arrivant (ou dont il a besoin), au niveau psycho-affectif, financier, matériel ou bien en termes d'informations et, dans le cas des communautés, en termes d'institutions (services de santé, de soutien psycho-social, d'informations, d'accompagnement, d'aide au placement sur le marché du travail, etc.). À plusieurs reprises, divers auteurs ont souligné la même corrélation, entre les troubles de santé mentale et la qualité de l'appui offert à l'immigrant ou au réfugié, et entre leur santé mentale et la cohésion sociale du groupe.

Cohésion et solidarité, affirme entre autres Gordon (1978), sont sujettes elles aussi à certaines conditions. La principale, à son avis, est la composition du groupe en termes de classes sociales. On se rappellera à ce sujet que Gordon (1973), Aronson (1976) ou Martin et Martin (1985) concluent que l'élément classe sociale est un facteur d'identification non négligeable. En effet, même à l'intérieur d'un groupe ou d'une communauté ethnique donnés, les membres issus de classes sociales différentes, au-delà de traits communs, véhiculent certaines valeurs, développent certaines attentes et présentent des comportements propres au milieu, à la classe sociale dont ils proviennent. Le sentiment d'appartenance se trouve par conséquent renforcé avec, au sein d'une ethnie à laquelle l'immigrant ou le réfugié s'identifie, les membres de même appartenance de classe que lui. Son identité et son intégrité profonde, en tant qu'«être social» aussi bien que comme «être psychologique, biologique et historique» s'en trouve confirmée, ce qui ajoute un élément de plus aux conditions propices à une réduction du stress postmigratoire et, par conséquent, à une facilitation de son insertion. De même, une solidarité particulière, qui peut aller de la simple solidarité interpersonnelle due aux affinités, jusqu'à la «solidarité de classe» (plus formelle) dans le cas de sous-groupes organisés, peut se développer entre membres de la même classe sociale.

Si l'on accepte toutes les conclusions précédentes sur la nature de la composition du «groupe d'accueil» comme facteur déterminant du processus d'insertion, on peut conclure à une forte probabilité que l'appartenance de classe sociale, au sein d'une même ethnie, soit elle aussi un facteur influençant l'insertion. En résumé, le degré de correspondance entre l'identité, les valeurs, la culture et l'histoire d'un individu et celles de son milieu d'insertion, est un déterminant majeur. Ces conclusions demandent probablement à être plus amplement vérifiées pour établir un niveau de corrélation précis entre ce que Gordon appelle «l'ethclass» et le processus d'insertion des immigrants et des réfugiés. Néanmoins, elles sont suffisamment développées pour identifier avec précision les composantes de la société d'accueil qui influencent positivement ou négativement l'insertion des nouveaux arrivants.

Identifier la «cohésion sociale» et la «capacité d'appui» comme étant des facteurs déterminants de l'insertion des immigrants et des réfugiés a une autre portée. Cela signifie aussi qu'un groupe d'accueil comportant ces caractéristiques, même s'il est d'une autre ethnie, pourrait leur être tout aussi bénéfique. Là encore il serait bien hasardeux de rejeter une telle hypothèse. Cependant il existe assez d'études significatives pour affirmer qu'au cours des premiers mois, la réinsertion dans un groupe d'appartenance ethnique est particulièrement bénéfique pour le nouvel arrivant, grâce à son effet réducteur de stress. Et ceci, bien que des auteurs comme Murphy (1955) ou Starr et Roberts (1982) aient simplement souligné l'importance de l'insertion dans un groupe «accueillant», sans attribuer de prédominance particulière au groupe de même ethnie ou à un groupe de gens originaires d'autres pays, y compris du pays d'accueil.

Néanmoins, pour les personnes qui ne bénéficient pas à leur arrivée de la présence d'un groupe ou d'une communauté de compatriotes, le soutien psychologique, technique et matériel d'individus ou groupes «parrains» est déjà une condition importante pour faciliter le processus d'insertion. Remarquons bien que ce n'est pas l'existence en soi de «parrains» qui est déterminante mais bien la qualité du soutien apporté. Westermeyer, Vang et Neider (1983) ont montré d'ailleurs qu'une corrélation existait entre la santé mentale de réfugiés récents et la fréquence des visites de leurs répondants ou la disponibilité d'interprètes.

Les considérations qui précèdent, sur les conditions prévalant à l'accueil, incitent inévitablement à se demander si le facteur temps ne jouerait pas un rôle essentiel dans l'insertion des immigrants et des réfugiés, rôle qui pourrait venir modifier significativement le degré de détermination de certaines autres dimension rattachées au contexte postmigratoire. Plusieurs études ont tenté de répondre à cette question et leurs conclusions méritent d'être examinées.

- La durée du séjour

L'ensemble des études tend à montrer que les immigrants ou les réfugiés nouvellement arrivés sont plus vulnérables aux effets du stress postmigratoire que ceux installés depuis plusieurs années. C'est ce que confirment entre autres, parmi les études les plus récentes, celles de Alley (1982), Guidote et Baba (1980) ou Lasry et Sigal (1980). Ce niveau de consensus ne doit cependant pas être interprété comme permettant de conclure que la durée du séjour, en termes absolus, constitue un déterminant de l'insertion; ce qui reviendrait à dire par exemple que plus longue est la durée du séjour et plus les effets du stress postmigratoire diminuent, facilitant ainsi le processus d'insertion. Comme l'ont démontré plusieurs auteurs, ce serait une erreur. La réalité est en effet beaucoup plus complexe. D'une part, la durée du séjour doit être considérée en termes relatifs et d'autre part, il est indispensable d'analyser à quels phénomènes sont reliées les fluctuations observées dans le processus d'insertion des immigrants et réfugiés, à certaines périodes de leur séjour dans le pays d'accueil.

En premier lieu, la notion de durée du séjour doit être abordée dans une perspective non linéaire. En effet, ce que nombre d'études ont spécifiquement démontré, c'est que le processus d'insertion de tout immigrant et réfugié est marqué par plusieurs phases, dont certaines sont particulièrement critiques (Gringberg et Grinberg, 1984; Sluzki, 1979; Tyhurst, 1982) et correspondent à une durée de séjour particulière.

La première phase critique, selon Boman et Edwards (1984), ou S.D. Nguyen (1982), entre autres, se situe dans les trois à dix-huit mois suivant l'arrivée.

La seconde phase, indiquent Barwick (1986) et Sluzki (1979), survient après quelques années de séjour. Quant à la troisième phase particulièrement critique, elle apparaîtrait après plusieurs années elle aussi (Kurian, 1986; Skhiri, Annabi et Allani, 1982; Wakil, Siddique et Wakil, 1981).

On remarquera que pour les deuxième et troisième phases, le temps écoulé depuis l'arrivée n'est indiqué que de façon très vague. Justement parce que ce n'est pas en soi le facteur temps mais les évènements qui sont à l'origine des phases critiques. Et l'impact même de ces évènements est conditionné par de multiples dimensions.

Au cours des premiers dix-huit mois qui suivent l'arrivée de l'immigrant ou du réfugié, c'est la dimension «isolement social» qui semble être l'élément déclencheur de problèmes psychologiques affectant le processus d'insertion. Rumbaut (1985), par exemple, a constaté un taux plus élevé de dépression, au bout d'un an, chez des réfugiés qui sont séparés de leur famille et n'ont pas d'amis de même origine auprès d'eux. L'étude de Westermeyer et al. a montré le même phénomène de dépression chez les personnes arrivées dans le pays d'accueil depuis moins de deux ans et qui sont délaissées par leurs parrains.

Que la «crise» n'apparaisse pas avant deux ou trois mois de séjour n'a rien de surprenant. Le nouvel arrivant est encore en processus de migration, interpellé et «psychologiquement occupé» par sa démarche migratoire, avec tout ce que cela implique de démarches administratives, recherche de logement, prise de contact avec le nouveau milieu de vie. Qu'il soit immigrant ou réfugié, et malgré son anxiété face à l'inconnu, ses frustrations ou expériences stressantes causées entre autres par la méconnaissance de la langue du pays d'accueil, il est en quelque sorte «mobilisé» mentalement et affectivement par la nécessité de réorganiser minimalement sa vie. De plus, les effets psychologiques de son déracinement peuvent être momentanément voilés par ses attentes et espoirs par rapport à une société de consommation où semble régner l'abondance pour tous, et vers laquelle il est venu avec la conviction de pouvoir y améliorer sa situation, sur le plan économique ou sur le plan de sa sécurité physique.

Cependant, ces effets sont de courte durée et le stress, dû autant à son déracinement qu'aux différences entre lui et son nouveau milieu de vie, revient brutalement le confronter. Il est important de noter à ce sujet que la «lune de miel» du nouvel arrivant avec le pays d'accueil est particulièrement courte chez les réfugiés qui sentent continuellement planer l'ombre de la persécution sur leur vie, plus spécifiquement dans le cas des prisonniers politiques et des victimes de torture (Guendelman,1981).

Lorsque survient la confrontation directe avec la signification réelle de leur réinstallation dans un nouveau pays, en termes d'obstacles et handicaps multiples, c'est alors qu'apparaît la première phase critique, au cours de laquelle immigrants et réfugiés récents sont particulièrement vulnérables psychologiquement. C'est alors aussi que le rôle de leur entourage est très important, pour les multiples raisons déjà longuement exposées. Celui qui se retrouve seul, sans réseau de soutien, est exposé à des risques très élevés de dépression. En somme, l'isolement social est l'élément-clé qui détermine l'intensité et la durée de cette phase.

Les deux autres phases critiques concernent spécifiquement les familles et trouvent leurs origines dans les différences d'insertion de leurs membres au nouveau contexte de vie.

Après quelques années de séjour, il se peut que des conflits conjugaux apparaissent (avec un impact possible sur l'ensemble de la famille, pour se traduire alors en conflits familiaux). Pour Barwick (1986) et Sluzki (1979), cette période est aussi particulièrement critique pour la santé mentale des immigrants et réfugiés. Elle est déclenchée lorsque les deux époux n'assimilent pas au même rythme les valeurs véhiculées par la société d'accueil. On peut penser aux mythes de «la femme blanche voleuse de maris» ou des «Américaines aux mœurs très libres» qui hantent certaines femmes immigrées et que renotent quelques témoignages recueillis par M. Labelle et al. (1987); ou, à l'inverse, aux nombreux cas de femmes qui adhèrent trop vite, au goût de leur mari, aux valeurs nord-américaines, et s'emploient à affirmer leur droit à l'autonomie et à l'égalité. Au delà des changements de valeurs, il y a aussi les exigences de la survie qui imposent au couple des changements de rôle dont les conséquences psychologiques peuvent être graves, chez les hommes en particulier et, par ricochet, sur les femmes et enfants.

Il ne faut pas perdre de vue que la très grande majorité des réfugiés et un bon nombre d'immigrants proviennent de pays où le modèle patriarcal se manifeste encore dans toute son intensité et où les rôles des hommes et des femmes sont bien délimités. Or, pour beaucoup de familles immigrantes, la réalité vécue dans le pays d'accueil est que la femme trouve bien souvent plus rapidement un emploi que l'homme. L'ordre des choses est alors profondément bouleversé pour lui. Il perd son statut de «pilier» de la famille qui justifiait son pouvoir et son droit de contrôle sur ses membres; il est humilié à ses propres yeux et craint l'humiliation devant ses pairs et sa parenté demeurée dans le pays d'origine; dépouvu de son identité sociale et familiale, il peut sombrer dans une dépression profonde qui peut aller jusqu'à se traduire par l'alcoolisme, la violence, l'éclatement du couple et même le suicide. Encore là, les témoignages recueillis par M. Labelle et al. (1987) montrent bien la gravité des difficultés vécues par les couples dans leurs interrelations et le niveau de stress élevé qui en découle. Les femmes vivant ces situations expriment des sentiments d'épuisement (ajouté à l'épuisement physique de celles qui sont surexploitées dans leur milieu de travail et assurent des doubles tâches), des sentiments de découragement, d'impuissance, d'isolement dans un pays où la vie s'avère difficile; ces sentiments, mêlés de rancœur vis-à-vis le conjoint, d'anxiété face à l'avenir, font de ces personnes des candidates particulièrement vulnérables à la dépression.

Enfin, une période particulièrement difficile guette les immigrants et réfugiés; elle correspond au moment où ceux qui ont des enfants voient ces derniers adopter des valeurs et comportements propres à la société d'accueil et que les parents rejettent, fidèles à leurs valeurs traditionnelles. Ce sont ces «conflits de générations» que des auteurs comme Kurian (1986), Skhiri et al. (1982), Wakil et al. (1981) ont mis en évidence en parlant d'une troisième phase critique pour la santé mentale des immigrants et des réfugiés.

Plus que le facteur temps, c'est donc la concordance entre le rythme et le degré d'assimilation des valeurs véhiculées dans la société d'accueil qui, dans le cas des conflits conjugaux ou des conflits de générations, joue un rôle déterminant sur l'apparition de ces phases critiques et sur leur impact pour la santé mentale des personnes concernées. On pourrait supposer éventuellement que si les conditions génératrices de ces conflits n'apparaissaient qu'au terme de nombreuses années pendant lesquelles l'immigrant, baigné dans son nouveau contexte, aurait eu le temps de «s'habituer» aux mœurs et normes proposées par la société d'accueil, les conflits seraient moins violents et les conséquences moins graves. Mais rien n'est moins sûr. D'une part, on rencontre couramment des immigrants vivant depuis plus de quinze ans dans le nouveau pays et qui restent toujours imperméables aux valeurs qui y sont véhiculées; d'autre part, un regard sur le nombre de problèmes sociaux vécus par les couples nord-américains d'origine, tout comme l'éternelle et universelle plainte des parents sur ce que les psychologues ont depuis fort longtemps identifié sous le vocable de «conflits de générations», laisse bien voir qu'il est des problématiques sur lesquelles le temps a peu d'emprise mais qui dépendent de bien d'autres facteurs.

Une autre question à se poser par rapport aux phases des conflits conjugaux et conflits de générations est de savoir si, comme pour la première phase, l'isolement est un facteur influent majeur. Il est possible d'avancer en toute certitude que dans ces cas comme dans n'importe quelle autre situation difficile, les personnes qui bénéficient d'un réseau de soutien ont des chances accrues de pouvoir confronter les problèmes avec plus de sérénité, de les résoudre plus facilement et de voir s'atténuer l'intensité des conséquences sur leur état psychologique.

Par contre, c'est précisément le genre de situation où le rôle joué par le groupe ou la communauté ethnique pourrait avoir un impact négatif. Le groupe ou la communauté ont en effet plutôt tendance à se faire les «gardiens et protecteurs» des valeurs traditionnelles et, ce faisant, risquent de renforcer les conflits et de faire subir à ceux qui se distancent de ces normes et valeurs, des jugements négatifs pouvant aller jusqu'à des attitudes d'exclusion. Il va sans dire que les effets sur la santé mentale de la personne visée comme de sa famille ne sont pas des plus constructifs.

En résumé, les études menées jusqu'à présent permettent de conclure que l'immigrant ou le réfugié est susceptible de se retrouver confronté à trois phases critiques au cours du processus d'insertion; mais non que la durée du séjour est, en elle-même, un facteur déterminant de ces phases critiques.

En fait, les éléments qui jouent le plus sur l'insertion de l'individu, en contexte postmigratoire, sont reliés à l'accueil qui leur est réservé par la société-hôtesse (politiques nationales, attitudes de la population face aux immigrants et réfugiés), à sa situation socio-économique (type d'emploi, niveau de revenu, statut social), à la composition de la société d'accueil et à la qualité de son support, à son isolement social éventuel, au rythme auquel lui et les membres de sa famille adoptent les valeurs du pays hôte; et enfin, dimension omniprésente et condition première de l'insertion, à la capacité d'apprendre la langue du pays d'accueil. Sans elle, la communication avec la société large, l'acquisition d'une bonne autonomie, l'amélioration de la situation socio-économique, la diminution des risques de troubles psychiques sont des objectifs difficiles à atteindre.

Une fois les éléments du contexte prémigratoire et postmigratoire bien cernés, il reste encore un coin de voile à soulever, qui a peut-être été moins étudié mais demande pourtant à être clarifié. Il s'agit des perceptions du réfugié.

Les attitudes et perceptions du réfugié

Dans les pages précédentes, il est fait mention à plusieurs reprises d'éléments qui relèvent de situations objectives (niveau de revenu par exemple) ou d'attitudes extérieures (méfiance, discrimination de la part de la population hôtesse) mais aussi d'attitudes (défensives ou réceptives) et de perceptions (positives ou négatives) relevant de l'individu lui-même. L'attachement à ses traditions, le rejet des valeurs du pays d'accueil, le sentiment perpétuel de persécution obsédant le réfugié, sont des exemples d'attitudes et de perceptions qui affectent, autant qu'elles les reflètent, ses difficultés d'insertion, notamment sur le plan psychologique. De même seront significatives ses perceptions à propos de son statut, de son rôle et de son pouvoir dans la société. Prenons par exemple le cas d'un Haïtien qui, partant de la réalité qu'un degré certain de racisme a cours dans la société québécoise, en viendrait à considérer qu'il est condamné à une vie de misère et de réclusion parce qu'il sera toujours méprisé en tout temps et en tout lieu, sans pouvoir changer la situation. Cet individu rencontrera certes de plus grandes difficultés à se frayer un chemin dans la nouvelle société que son compatriote qui, confronté au racisme, regarde avec lucidité la situation, prenant compte de ses alliés et des moyens existant pour faire respecter ses droits.

Néanmoins, si l'on pousse l'analyse sur la question du rôle joué par les perceptions de l'immigrant ou du réfugié au cours de son processus d'insertion, on se rendra compte que malgré un effet certain, tel qu'illustré par l'exemple cité plus haut, ces perceptions ne peuvent être taxées de «déterminantes»: c'est bien son expérience vécue et la précarité de son statut qui font du réfugié un être obsédé par la crainte et la méfiance; de même, c'est bien la manifestation d'attitudes racistes qui affectera la perception que l'Haïtien peut avoir de sa place dans la société. Par contre, perceptions, sentiments et attitudes de l'individu sont d'excellents indicateurs des effets psychologiques de sa situation. C'est notamment ce que l'étude de H. K. Schwarzweller et Y. Brown

(1970) démontre, en précisant les dimensions qui reflètent plus particulièrement le degré d'insertion du réfugié ou de l'immigrant. En examinant ces dimensions, on remarquera qu'elles recoupent les variables déjà identifiées comme déterminantes pour le processus d'insertion, ce qui est fort heureux d'ailleurs parce que cela démontre une convergence des résultats principaux découlant des diverses études menées sur la problématique en question. L'autre mérite de cette étude, aussi peu récente soit-elle, est d'attirer l'attention (par l'identification des dimensions de «l'adaptation psychologique») sur des données importantes à recueillir pour compléter et préciser les difficultés vécues par les individus en processus d'insertion, en tenant compte aussi bien des données subjectives qu'objectives qui entrent en interaction au cours de ce processus.

Le degré d'identification de l'individu avec le milieu est l'un des premiers éléments révélateurs de son insertion. Des données telles que ses préférences par rapport au pays de résidence dans le présent et dans le futur, le lieu d'identification du «vrai» foyer, le lieu où finir ses «vieux jours», sont autant d'indices qui permettront d'évaluer ce degré. De même sont révélateurs les sources et objets d'anxiété ou de chagrin, l'ampleur de ces sentiments, ainsi que le bien-être exprimé: sentiments par rapport à l'ensemble de la vie personnelle, conception des moyens et conditions pour être heureux, évaluation personnelle du «bonheur» ou «bien-être» éprouvé, tous comptes faits. À ces indices s'ajoutent l'état d'esprit de l'individu par rapport à son insertion personnelle dans une structure sociale: on notera des symptômes d'apathie, parfois même de pessimisme allant jusqu'au désespoir, en cas d'absence de confiance en l'avenir ou en la capacité personnelle à influencer le cours des événements et la société. Est reliée à l'apathie l'anxiété de l'individu face à son devenir, à la perception que les autres ont de lui, à sa sécurité d'emploi, etc. Enfin, un dernier indice à surveiller est le niveau et les lieux de contact. À ce sujet, les auteurs de l'étude précitée soulignent que l'origine de classe sociale de la personne est importante à considérer parce qu'elle semble affecter son insertion aussi bien sur le plan économique que social et psychologique (Schwarzweller et Brown, 1970). Globalement, les résultats obtenus par ces derniers tendent à montrer que les «migrants» de classe moyenne sont plus affectés par les obstacles à leur insertion que ceux des autres classes. Néanmoins, cette observation porte sur une population très spécifique et avant d'en arriver à émettre un postulat général, il est nécessaire de vérifier par plusieurs études l'incidence réelle de l'origine de classe sur la façon dont se vivent les difficultés d'insertion. Il est possible qu'une telle incidence existe, en termes absolus. Par contre, elle peut être largement modifiée par un bon nombre d'autres variables; et d'autre part, la facilité d'insertion d'une classe sociale donnée peut différer d'une ethnie à l'autre, à cause, encore là, de la détermination d'autres variables. C'est donc un élément qu'il ne faut pas négliger mais en se gardant de généralisations tant que les liens de détermination n'auront pas été plus amplement démontrés.

Pour en conclure avec ce chapitre sur les déterminants de l'insertion, il reste à attirer l'attention sur un point spécifique. Toutes les études corroborant l'incidence des variables énumérées au cours des pages précédentes font référence aussi bien aux réfugiés qu'aux immigrants. Il importe néanmoins de se souvenir que de par leur situation et leur vécu particuliers, les réfugiés constituent une population plus sensible au stress, donc plus exposée à un processus d'insertion difficile.

Quelques éléments-clé sont à la base de ces risques accrus de difficultés. D'abord, un passé traumatisant qui a déjà pu fortement les perturber émotivement; ensuite le fait d'être en exil (obligatoire), exil qui se vit comme une situation permanente de «transit», implique une perpétuelle attente du retour au pays et détermine tout le mode relationnel du réfugié: le présent ne l'intéresse pas parce qu'il est en attente, malgré une absence, généralement, de perspective de futur (Jesu,1983).

En quittant son pays, il vit plus qu'une séparation; c'est une disparition (de ses pairs, de sa famille) synonyme de mort ou d'abandon perpétuel, surtout pour ceux qui partent précipitamment, sans avoir eu le temps d'anticiper leur départ.

Arrivé dans le pays d'accueil, le sentiment de deuil par rapport à son pays, sa langue, sa culture, sa profession, ses amis, sa famille, son rôle social, peut engendrer un refus de s'intégrer allant jusqu'à l'isolement complet (Vasquez, 1983). De plus, le poids d'un passé traumatisant perpétue le sentiment de persécution, les angoisses, les cauchemars, qui ont tendance à plonger le réfugié dans une profonde dépression (Jesu,1983). Quant au réfugié qui rencontre des difficultés au niveau social (travail, attitudes des gens, etc.), son processus d'insertion est affecté par le mythe du «retour plus tard» qui l'incite à étirer ses efforts dans le temps (Vasquez, 1983), à les limiter à l'acquisition des seules connaissances, habiletés et valeurs qui lui semblent pouvoir être utiles lorsqu'il sera «rentré chez lui» (Guendelman, 1981), à se replier sur sa communauté d'origine et sur son passé (Guttierez, 1983), à se désintéresser profondément de la société qui l'entoure (Tyhurst, 1981), bref, à s'isoler sur tous les plans. Il est évident qu'en de telles circonstances, causées par le fait même d'être réfugié, l'impact des éléments générateurs de stress et de difficultés est amplifié. La tendance au repli sur soi du réfugié, conjuguée à un sentiment de solitude au sein de la société d'accueil, laisse entrevoir que cette dimension d'isolement pourrait bien constituer un élément de problématique particulièrement aigu chez les réfugiés. C'est une question d'ailleurs soulevée spécifiquement par des groupes tels que les Salvadoriens et les Iraniens. Des intervenants sociaux dont la clientèle est constituée d'un grand nombre de ces réfugiés rapportent en effet qu'un bon nombre d'entre eux disent se sentir seuls et y voient la cause d'une bonne partie de leurs difficultés dans leur processus d'insertion.

Bien sûr, il n'est pas suffisant que des personnes estiment que leurs difficultés proviennent de tel ou tel phénomène pour en conclure que là en est bien la cause. Ce serait une déduction simpliste qui garderait dans l'ombre bien d'autres facteurs importants. Par contre, et cela rejoint les résultats de l'étude de Schwarzweller et Brown (1970), il est indéniable que «l'état d'esprit de l'individu», ses perceptions face à ce qu'il vit, affectent ses réactions aux situations. De plus, l'expression de ces perceptions révèle clairement ce qui est particulièrement problématique pour lui et devrait faire l'objet d'interventions susceptibles de réduire les difficultés rencontrées et leur impact; enfin, et sans pour autant rejeter leur valeur, plutôt que de partir uniquement d'hypothèses savamment élaborées d'après un rationnel et des résultats scientifiques, souvent partiels parce que découlant d'études limitées à un groupe spécifique, sous un angle, particulier, etc., n'y a-t-il pas lieu d'écouter aussi ce que les gens qui vivent eux-mêmes les situations ont à dire à ce sujet, l'évaluation qu'ils en font, ce qu'ils identifient comme étant les problèmes majeurs et leurs causes?... Bien que leurs connaissances et leurs analyses ne puissent être auréolées du crédit de «savoir scientifique», ne contiennent-elles pas, néanmoins, des informations qui pourraient enrichir significativement ce savoir? Voici suffisamment de questions et d'arguments pour montrer l'importance, dans un effort d'identification des phénomènes affectant le processus d'insertion des immigrants et réfugiés, de prendre en compte les perceptions de ces derniers.

Enfin, dans la mesure où cette démarche d'identification n'a d'intérêt que si elle est utile aux personnes intervenant auprès des immigrants et des réfugiés, il est important de noter également l'évaluation que ces derniers font des services qui leur sont offerts.

L'utilisation des services sociaux

Au cours de leur étude sur le sujet, Doyle et Visano (1987) ont réalisé que les perceptions étaient déterminantes dans l'analyse de l'accessibilité aux services sociaux et de santé. Les perceptions des gens sont fondamentales puisqu'elles sont forgées dans la confrontation et dans les relations avec la communauté dominante (Doyle & Visano, 1987: 136). Ainsi, les auteurs expliquent qu'à priori les immigrants et les réfugiés ont une perception positive des institutions du pays d'accueil mais dès qu'ils développent des relations avec ces institutions, les choses se compliquent: des barrières physiques, géographiques, culturelles, linguistiques et autres ont pour résultat de transformer les perceptions, le plus souvent en perceptions négatives.

Les conclusions de différentes études synthétisées par G. Bibeau confirment que les «besoins objectifs» et la «disponibilité» (ou l'accessibilité) des services «ne constituent en fait qu'une partie des facteurs qui influencent la décision de recourir ou non aux services disponibles [...] il apparaît essentiel de prendre en considération deux autres catégories de facteurs: le domaine des besoins subjectivement et culturellement perçus et le domaine des croyances et attitudes (1987: 80). Là où l'étude de Bibeau s'avère intéressante, c'est qu'il établit clairement le lien entre origine ethnique, origine de classe et façon d'exprimer, identifier, interpréter les problèmes ainsi que les réactions à ces problèmes. Il n'y a qu'un pas à franchir, qui a peu de risques de s'avérer non pertinent, pour ajouter que ces origines jouent aussi sur l'interprétation des services à recevoir et reçus.

Ce point ne touche qu'indirectement à l'insertion des immigrants et à leur isolement mais, d'une part, il peut servir à des comparaisons ou croisements intéressants; d'autre part, à défaut d'étudier cet aspect, il serait difficile de prétendre proposer des perspectives d'intervention justifiées.

Selon les différentes recherches, trois séries de variables entrent en ligne de compte par rapport à l'utilisation des services (Bibeau, 1987: 79-80): les variables «facilitantes» (distance, facilité d'accès aux services, densité du réseau et du personnel, ressources à la clientèle); les variables «prédisposantes» (caractéristiques socio-démographiques, croyances, attitudes et attentes de la population); les besoins (besoins objectivement évalués, besoins perçus, donc subjectifs).

3. Le sentiment de solitude

A. Ses indicateurs

Une lecture logique des déterminants de l'insertion des immigrants et réfugiés et du rôle de support joué par le groupe d'accueil, permet de comprendre aisément maintenant les liens entre l'existence d'un groupe ou d'une communauté ethnique, le processus d'insertion sociale et le sentiment de solitude. Avec les variables utilisées pour l'insertion, il est possible d'identifier les caractéristiques du phénomène d'isolement, ses causes et ses conséquences sur le plan santé mentale et, par là même, sur la capacité des réfugiés d'apprivoiser leur environnement et de maîtriser les mécanismes qui leur permettraient d'agir sur lui pour assurer leurs besoins et leur bien-être personnel. Il ressort en effet que l'isolement est en définitive une des conséquences importantes de l'immigration et un des aspects importants des difficultés vécues dans le processus d'insertion. Certaines dimensions, qui peuvent être regroupées par grands thèmes, s'appliquent particulièrement à cette question.

Les premières dimensions à étudier, en ce qui concerne le sentiment de solitude, sont liées au thème de la séparation d'avec la famille et les amis, l'absence de contacts réguliers avec les personnes importantes affectivement pour l'individu et demeurées dans le pays d'origine; ce à quoi s'ajoutent l'ampleur et la composition du réseau de soutien dans le pays d'accueil, la fréquence et la qualité de soutien de ce réseau.

À un deuxième niveau, intimement lié au sentiment de solitude, nous retrouvons l'isolement social: rupture avec le milieu de vie «participative» (études, travail, voisinage, loisirs, vie socio-politique); barrières à l'insertion sociale et économique dans le pays d'accueil (politiques et programmes gouvernementaux, attitudes par rapport aux immigrants et réfugiés, discrimination, racisme, reconnaissance des qualifications, fréquence et qualité des liens avec la société d'accueil).

Une troisième forme d'isolement affectant le réfugié ou l'immigrant est l'isolement culturel: religion, langue; différences des normes et valeurs, différences dans les produits culturels (médias, arts, loisirs, habillement, nourriture, institutions).

Enfin, de façon peut-être moins évidente mais loin d'être négligeable, intervient l'isolement spatial: rupture avec l'environnement, point d'ancrage des «racines», différences dans l'aménagement urbain, l'aménagement de l'habitat.

De façon générale, les auteurs mettent l'emphase sur l'importance significative de la situation familiale de l'immigrant et du réfugié, l'existence ou non d'un groupe ou d'une communauté de même ethnie, l'accueil de la société d'insertion et la langue.

L'emphase est particulièrement mise sur l'importance d'un groupe ou d'une communauté ethnique de référence, sur lequel l'immigrant ou le réfugié puisse s'appuyer, avec lequel il soit en mesure de communiquer, qui lui apporte le soutien nécessaire dans son processus d'insertion sociale. Ceci lui permet de déjouer au moins partiellement les différents niveaux d'isolement qui le menacent: isolement culturel, socio-économique et psycho-social, quand ce n'est pas en plus l'isolement politique, comme dans le cas des réfugiés politiques de gauche, militants actifs dans des pays soumis à des dictatures militaires, confrontés à une orientation politique dominante très divergente, sinon opposée à la leur, dans le pays d'accueil.

L'identification des dimensions contenues dans le concept d'isolement montre donc que concevoir ce dernier uniquement comme un phénomène à caractère psycho-social, traduit en termes de réactions émotives (insécurité, sentiment d'inutilité sociale, ennui, etc...), procède d'une interprétation très restrictive qui ne reflète pas adéquatement les situations vécues.

Apport d'un groupe ou d'une communauté ethnoculturelle

Compte tenu de l'emphase mise par la plupart des auteurs sur l'importance significative d'un groupe ou d'une communauté de même ethnie dans le processus d'insertion sociale de l'immigrant ou du réfugié, surtout en ce qui concerne spécifiquement la réduction de l'isolement et de son impact, il est indispensable de revenir sur cette question en rappelant quelques nuances.

Il a déjà été signalé que certains auteurs (Hitch et Rack, 1980; Myers et Neal, 1978; Murphy, 1955; Starr et Roberts, 1982) sont d'avis que l'existence d'une collectivité accueillante, même si elle n'est pas de la même ethnie que l'immigrant ou le réfugié, a des effets bénéfiques sur sa santé mentale. Par collectivité accueillante, il faut entendre un groupe ou réseau d'individus (groupes de parrainage par exemple, réseau de voisins et/ou d'intervenants) qui apporte un soutien assidu sur le plan affectif, matériel et technique (accompagnement, interprétation, informations, etc.) au nouvel arrivant. Les conclusions de nombreuses autres études, exposées précédemment, tendent à confirmer le point de vue de ces auteurs.

Par contre, toutes les études démontrent également que le nouvel arrivant ressent un très grand besoin d'identification ethnique et culturelle face à la société étrangère, parfois conflictuelle à plusieurs niveaux et que les individus ne bénéficiant pas d'un tel milieu d'identification courent plus de risques sociaux et psycho-sociaux (Ross, 1975; Walsh, 1987; Chan, 1984; Giordano et Giordano, 1977; Yedid, 1982; et bien d'autres déjà cités). L'identification et le soutien que trouve l'immigrant ou le réfugié parmi ses pairs correspondent à un niveau de solidarité que des «étrangers» ne peuvent lui apporter. Sans minimiser la valeur certaine du soutien et de la solidarité exprimés par d'autres, il appert que la qualité de la solidarité et ses effets sont intimement liés à un partage commun de caractéristiques culturelles et sociales (de classe) (Aronson, 1976; Gordon, 1978; Martin et Martin, 1985). Mais il est des circonstances où le fait d'être inséré dans un groupe ou une communauté ethnique peut freiner le processus d'insertion et amplifier certaines formes de stress (M. Wood, 1988). Tel est le cas lorsque surviennent des conflits conjugaux ou des conflits de générations, généralement dûs à des décalages dans l'apprentissage de nouvelles valeurs.

Par ailleurs, Gilles Lavigne montre qu'à travers le processus de constitution du groupe ethnique, l'isolement spatial et social de l'individu par rapport à la société d'accueil est une condition nécessaire à l'existence du groupe. La ségrégation externe a pour fonction de favoriser la cohésion du groupe qui devra s'organiser rapidement en communauté pour jouer un rôle d'intermédiaire dans le processus d'accommodation, préliminaire à toute insertion (1987: 48-49). Ainsi, tout en procurant à l'immigrant ou au réfugié un lien d'identification et de support nécessaire, le groupe ou la communauté isole à un autre niveau l'individu face à la société d'accueil; d'autre part, du fait de la séparation sociale et spatiale qu'elle implique, «cette organisation communautaire renforce les points d'appui des préjugés et de la discrimination» (1987: 49).

Que conclure de l'ensemble de ces résultats? Tout en ne perdant pas de vue les implications paradoxales de l'insertion de l'immigrant ou du réfugié au sein d'un groupe ou d'une communauté ethnique, il ressort de façon majeure que, en ce qui concerne les nouveaux arrivants, la meilleure condition pour contrer leur isolement et ses effets est qu'ils puissent être accueillis au sein d'un groupe ou d'une communauté de même origine ethnique qu'eux. De la même façon, c'est la meilleure condition pour faciliter leur processus d'insertion.

Reste le danger de «ghettoïsation» dans lequel l'immigrant ou le réfugié peut se retrouver plus ou moins «prisonnier», psychologiquement et socialement parlant. Quelle est la mesure exacte de ces risques? De leur portée sur la santé mentale, l'insertion de celui qui n'est plus un nouvel arrivant mais toujours un immigré ou un réfugié? C'est un questionnement qui dépasse quelque peu le cadre du sujet traité ici mais qui doit demeurer présent à l'esprit et mériterait certainement de faire l'objet d'autres études.

CHAPITRE 2

BREF HISTORIQUE DE LA POLITIQUE SOCIALE QUÉBÉCOISE PAR RAPPORT AUX IMMIGRANTS ET AUX RÉFUGIÉS

INTRODUCTION

En 1982, il existait au Québec 197 associations et organismes subventionnés par le Ministère des Communautés Culturelles et de l'Immigration du Québec. Dix ans plus tard, leur nombre a doublé. Ces associations et organismes procurent soit des services divers aux immigrants (dépannage, logement,...) soit des activités de type socio-culturel.

Par ailleurs, il n'existe pas vraiment d'infrastructure des services sociaux destinés à cette population spécifique.

Les intervenants auprès des communautés ethniques sont donc en droit de percevoir leur action comme éclatée, comme du dépannage; on tente de résoudre les problèmes les plus urgents, on colmate les brèches; mais les conditions sont-elles réunies pour que l'intervention sociale apporte une véritable réponse aux diverses situations vécues par les nouveaux arrivants? Ces intervenants sont donc amenés régulièrement à se poser toute une série de questions quant à leur action et au contexte où elle se situe.

Le présent chapitre tente de réaliser à la fois une fresque globale et une analyse de la politique mise en place par le gouvernement du Québec en matière d'aide et d'accueil aux immigrants; il voudrait aussi identifier toute une série de points de repère pour mieux comprendre et caractériser la politique du M.C.C.I.Q. et le «partenariat» avec les O.N.G. (organismes non-gouvernementaux).

Quelle est donc l'histoire des politiques québécoises en matière d'immigration? Quels sont les enjeux que représente l'immigration pour le gouvernement du Québec? Quelle aide est et a été fournie aux immigrants? Par qui? Comment? Dans quelle perspective? À quoi servent les programmes de subvention?

Tel est l'ensemble de questions auxquelles nous tenterons d'apporter des éléments de réponses.

1. Évolution des services sociaux par rapport aux immigrants-es et aux réfugié-es

A. Jusqu'à la Conquête anglaise de 1760

L'histoire de l'intervention du Québec au niveau des politiques d'immigration est relativement récente puisque le Ministère de l'Immigration ne fut créé qu'en 1968.

En résumé, il est permis d'affirmer que cette longue période se caractérise par une collaboration étroite entre l'État et l'Église. En fait, le petit nombre d'habitants du pays, malgré des conditions de vie difficiles, semble avoir facilité une intégration relativement facile des nouveaux groupes qui arrivaient de France. Les personnes qui étaient dans le besoin trouvaient souvent des réponses immédiates auprès des communautés religieuses, des casernes militaires et des représentants du Roi de France dans la colonie.

B. De la Conquête à la Deuxième guerre mondiale

La Couronne britannique avait tout intérêt à développer rapidement la nouvelle colonie dont elle venait de prendre possession afin de dépasser en nombre les anciens conquérants français. À elle seule, cette politique suffisait pour prendre les mesures nécessaires propres à assurer l'implantation des Britanniques dans la nouvelle colonie. Par contre, les arrivants comme les Irlandais n'avaient pas toujours droit au même traitement que les sujets anglais et devaient souvent se réfugier dans les communautés religieuses pour obtenir l'aide dont ils pouvaient avoir besoin.

C'est seulement en 1820 que la Chambre des Communes de Londres créa un «Bureau d'accueil pour les Immigrants du Haut et du Bas Canada», Bureau dirigé par Monsieur Alexander Carlisle Buchanan. Le Bureau avait comme mandat de donner des informations aux nouveaux immigrants sur les possibilités d'obtention de terres et sur les emplois disponibles. De plus, à la même époque fut fondée la «Quebec Emigrant

Society» avec le mandat d'assurer la nourriture, les vêtements et l'assistance médicale aux immigrants dans le besoin.

De telles mesures avaient été rendues nécessaires en raison des conditions des immigrants à leur arrivée, dont le rapport de la Commission d'enquête de 1838 fait largement état. On souligne que la majorité des immigrants sont à l'époque en situation très précaire au niveau économique et social ainsi qu'au niveau de la santé.

Le système de placement sur les terres et l'aide par la «Quebec Emigrant Society» a duré jusqu'à la Confédération, soit en 1867. Par la suite, l'État fédéral a confié les questions du placement de la main-d'œuvre aux grandes entreprises privées de l'époque comme le Canadian Pacific Railway et le British American Land, et au ministère de l'agriculture et de la colonisation. Quant aux problèmes sociaux ils devaient trouver leurs solutions dans les cadres des œuvres de charité privée.

C. De 1940 à nos jours

Plusieurs services sociaux actuels sont nés aux lendemains de la Deuxième guerre mondiale, dans la foulée des nouvelles politiques d'immigration qui ont permis l'entrée massive de fortes vagues de travailleurs et de travailleuses immigrants, dans les années 50 et 60. C'est pourquoi nous accordons une grande place à la problématique de l'implantation de ces services au cours des quarante dernières années.

D. Aide privée avant l'implantation d'un ministère de l'immigration

Du côté catholique francophone, c'est surtout à partir de la fin des années 40 qu'ont vu le jour une série d'initiatives privées en matière d'aide et d'accueil aux immigrants. Il faut souligner qu'une partie importante de ces services était reliée étroitement à des institutions confessionnelles. Malgré le combat d'arrière-garde mené de longue date par l'Église catholique traditionnelle contre l'immigration, le cardinal Léger déclarera en 1952:

> « Nous n'avons pas à juger l'immigration au Canada, mais à constater que beaucoup de ces immigrants sont dans le besoin».

L'Église catholique aurait eu alors une influence importante sur la population québécoise, toujours ancrée dans une attitude de repli et de réticence face aux immigrants. D'abord par crainte de voir les immigrants aller vers les Églises protestantes, l'Église catholique prend lentement un nouveau virage vers une ouverture aux immigrants.

Finalement, dans les années 50, elle commence à jouer un rôle majeur par la création de services sociaux spécialisés.

En 1948, la C.E.C.M. créait une service d'accueil pour les néo-canadiens (service qu'elle supprimera en 1964); elle mit aussi sur pied des cours de langues française et anglaise (la priorité du français étant cependant reconnue). À partir de 1950, elle organisa également des classes du samedi pour les enfants des différentes ethnies.

En 1947, les Sœurs Notre-Dame-du-Bon-Conseil mirent sur pied le Centre Social d'Aide aux immigrants; elles furent également à l'origine du Camp Françoise Cabrini qu'elles fondèrent en 1954; là, en les installant dans une ferme, elles permirent d'abord aux nouveaux arrivés de jouir du plein air et de se reposer; le camp se transformera ensuite en centre d'initiation à la vie québécoise.

L'Accord sera fondé en 1948. Il s'agissait d'une association dont le souci premier était de réunir «dans une atmosphère de compréhension mutuelle, le Canadien et le nouvel arrivé.» (Commission Gendron, 1972: 512). C'est par une action socio-culturelle (conférences, théâtre, musique, films, cours de langues...) que cet organisme tentera d'initier l'immigrant à la vie canadienne.

Le Bien-Être des immigrants est incorporé en 1949 et se propose d'accueillir, d'aider, de renseigner les Néo-canadiens, «d'assurer leur développement moral, intellectuel, matériel et physique, de les initier à la vie religieuse, économique et sociale de la province de Québec.» (Commission Gendron,: 1972: 79).

En 1952, se développera une organisation internationale, la Commission internationale catholique pour les migrations (CICM), s'occupant surtout des immigrants de religion catholique et favorisant les réfugiés politiques. Les Services pour immigrants catholiques y seront affiliés. S'ils procurent surtout une aide sur les moyens et procédures que doit suivre le futur immigrant pour obtenir son admission au Canada, ils auront aussi un rôle d'accueil au Québec, coordonnant les services d'accueil, escortant les immigrants sur le territoire canadien et aidant l'immigrant pendant sa phase d'adaptation et d'intégration (logement, assistance matérielle).

En 1954, Le Conseil du civisme de Montréal est fondé dans le but de promouvoir un dialogue constructif et une meilleure compréhension entre les citoyens de toutes origines, d'encourager une «intégration harmonieuse» à la collectivité montréalaise et québécoise.

En 1962, la Société Saint-Jean-Baptiste mettra sur pied un comité d'immigration pour faciliter l'intégration des «Néo-canadiens.»

Ces associations privées ont finalement joué le rôle qu'aurait dû jouer le gouvernement, rôle que selon la Commission Gendron elles négligeaient ou abordaient avec beaucoup de timidité. Elles ont à la fois assumé des fonctions d'aide, d'accueil et d'intégration des immigrants. Leurs campagnes de souscription ont sensibilisé le milieu d'accueil au problème des immigrants et ont placé les services sociaux entre les mains de bénévoles. «Elles (les associations) mériteraient d'être encouragées davantage, autant par le public que par les autorités.» (Commission Gendron, 1972: 79).

Au niveau des syndicats ouvriers, on peut remarquer que tout comme la majorité des corps professionnels, ils ont eu, pendant des années, des attitudes négatives ou restrictives à l'égard de l'immigration. La Confédération des Syndicats Nationaux (CSN autrefois CTCC) aurait manifesté carrément son opposition de 1920 à 1949, date à partir de laquelle elle aurait quelque peu modifié son attitude. Un service d'accueil aux immigrants sera alors organisé. Ce n'est que depuis 1957 que la CSN ne prend plus de position officielle contre l'immigration.

De leur côté, la Fédération des Travailleurs du Québec (FTQ) et ses organisations antérieures à 1960 ont toujours été plus progressistes et cosmopolites, plus ouvertes et comptant souvent sur un membership varié (anglophones, immigrants, francophones).

E. Le réseau des Affaires sociales

Les Centres de Services Sociaux relèvent actuellement du ministère des services sociaux et de santé et sont au nombre de 14 au Québec; des changements profonds sont toutefois prévus à court terme. Ils offrent des services spécialisés comme les services d'adoption, des services sociaux en milieu hospitalier et en milieu scolaire, des services de probation, de protection de la jeunesse, des services familiaux ou individuels spécialisés.

Au niveau de la population immigrante, trois centres de services sociaux sont concernés: le Service d'Accueil aux Voyageurs et aux Immigrants (SAVI) dépendant du Centre de services sociaux du Montréal Métropolitain (CSSMM), le Ville-Marie Social Services Centre et le Centre de services sociaux Juif.

- Le Ville-Marie Social Services Centre dessert principalement une population anglophone dont 40% serait néo-québécoise. Il ne contient pas d'unités spécialisées en matière d'immigration, les immigrants étant servis par les services généraux au sein desquels travaille un personnel polyglotte.

- Le Centre Juif de services sociaux travaille en étroite collaboration avec un service d'Assistance aux immigrants juifs (JIAS), une agence nationale pour l'immigration et le bien-être de l'immigrant.

«Ses objectifs visent à faciliter l'entrée légale des immigrants juifs au Canada et de prévoir des services de réception à l'arrivée de tous les immigrants, les aider à passer les formalités liées à leur entrée au pays, leur offrir réconfort, les aider à régler leur transport et les guider vers leur destination. Cet organisme offre les services suivants: migration, réception et logement, aide aux immigrants, services sociaux et d'adaptation, naturalisation, documentation et traduction, localisation de parents ou d'amis, ré-établissement, services généraux.» (Lamotte et Prud'homme, 1978).

- Le Service Migrant-Immigrant (SMI) autrefois SAVI (Service d'aide aux voyageurs et aux immigrants) est une unité spécialisée du Centre de Services Sociaux du Montréal Métropolitain. Il fut fondé en 1955 afin d'offrir aux immigrants les ressources dont ils avaient besoin pour s'établir et s'adapter «selon les méthodes de service social professionnel»; le SMI aura également pour objectif de servir d'agent de liaison entre l'immigrant et la société d'accueil.

« Le CSSMM assure, à même son budget, l'administration générale de SAVI. Toutefois, un protocole d'entente avec le Ministère des Affaires Sociales accorde (...) un fonds de dépannage pour certains immigrants non éligibles à l'aide sociale; pour les rapatriements; pour les immigrants parrainés en attente d'une attestation de «bris de parrainage». Ce fonds ne dépasse pas 60 000 $ par année.» (Lamotte et Prud'homme, 1978).

« Les services fournis sont les suivants: information, référence, démarches, conseils psychosociaux, dépannage, interprétariat, (banque de 25 interprètes en 1978), rapatriement, intervention psychosociale et soutien à plus ou moins long terme à des individus, opérations sur le terrain avec des groupes ethniques...» «...entretien des liens avec un vaste réseau de ressources communautaires tant à l'intérieur qu'à l'extérieur du Québec. Il développe des méthodes d'intervention auprès des minorités néo-québécoises, de manière à pouvoir procéder à des évaluations psychosociales tout en tenant compte de leurs valeurs culturelles et croyances. Il cherche des solutions qui maintiennent un meilleur équilibre entre la culture d'origine du bénéficiaire et celle des québécois.» (Étude de service aux immigrants et migrants du CSSMM, 1972: 25).

Pour retrouver les premières traces d'une politique québécoise d'accueil aux immigrants, il nous faut remonter à 1868: «Dès la première conférence fédérale provinciale en 1868[...] le Québec s'engage à installer un réseau d'agences d'immigration sur son territoire et à adopter une politique favorable à l'établissement des immigrants». (Commission Gendron, 1972: 61). En effet, nous assisterons en 1870 à l'ouverture d'un bureau provincial d'immigration et de colonisation, et peu après, d'un autre à Lévis pour accueillir les immigrants. Dès cette époque, il existe donc une structure administrative de sélection, d'accueil et de placement des immigrants.

En 1875 cependant, suite à différentes difficultés entre le fédéral (qui a alors comme priorité la construction de la voie ferrée trans-canadienne) et les provinces, a lieu une «entente» avec le gouvernement fédéral; par cette dernière, les provinces reconnaissent au pouvoir central l'entière responsabilité de la sélection de l'immigration et de l'établissement des immigrants.

À cette période, le Québec avait démontré un net désintéressement; il faudra attendre les années 60 pour voir se dessiner à nouveau une tendance en faveur d'une politique d'immigration québécoise.

Cet intérêt renouvelé ne semble cependant pas modifier de manière fondamentale l'attitude traditionnelle des Québécois à l'égard de l'immigration. En effet, depuis la conquête anglaise en 1760, ils s'étaient repliés sur eux-mêmes, considérant l'immigration comme une manœuvre britannique pour noyer les francophones. De fait, cette opinion largement répandue, appuyée sur les déclarations de Lord Durham, était supportée par les gouvernements successifs et la hiérarchie de l'Église catholique. Rosaire Morin a bien synthétisé ce phénomène:

« Mais depuis le début du siècle, le ministre de l'immigration a introduit le cheval de Troie au Canada français. 7 089 823 immigrants se sont établis en terre canadienne, 2 740 031 sont des Britanniques et 112 740 sont des Français. Cette disposition ethnique des nouveaux venus a rompu l'équilibre entre les deux nations fondatrices. Les minorités françaises ont été noyées dans huit provinces». (Morin, 1966:IX).

Et Morin fournit la cause de cette stratégie:

« Ceux qui connaissent l'histoire canadienne n'oublient pas le rapport Durham (1839) qui devait provoquer la création du *Colonial Land and Emigration Department*. Le meilleur moyen de résoudre l'opposition des deux groupes français et anglais, c'est de noyer la population française sous le flot continu d'une immigration organisée, méthodiquement contrôlée au départ, accueil lié à l'arrivée, assurée d'une situation privilégiée dans la colonie. Les intentions cachées étaient dévoilées». (Morin, 1966:6).

Malgré tout, dans certains groupes, une prise de conscience des problèmes de l'immigrant et des dangers d'une immigration mal intégrée commence à naître; l'aristocratie québécoise (Église et gouvernement) établit alors des lignes directrices pour l'accueil des immigrants.

Le milieu canadien-français reste fermé aux immigrants et Montréal se caractérise par trois communautés sans grande perméabilité: la communauté francophone, la communauté anglophone et la communauté juive. La confessionnalité du système scolaire et de la plupart des institutions favorise la mise en place de structures figées et fermées. On le verra par les discours tenus dans les cadres de «Caritas Canada» dans les années 50 et par la Commission Tremblay en 1956. (Province de Québec, 1956).

De 1960 à 1968 le Québec vivra sa révolution tranquille et s'ouvrira à des perspectives nouvelles. En 1961, aura lieu l'ouverture de la Délégation Générale du Québec à Paris. En 1962, la Société Saint-Jean Baptiste met sur pied un comité d'immigration pour faciliter l'intégration des Néo-canadiens. En 1965, Gabriel Loubier, alors député de l'opposition à l'Assemblée Nationale du Québec, demande la création d'un ministère de l'immigration. Le gouvernement engage un conseiller technique chargé de lui faire des recommandations. Le premier août 1966, la Direction Générale de l'Immigration est mise sur pied au sein du Ministère des Affaires Culturelles. Le responsable en est René Gauthier, ancien directeur des Services des Néo-canadiens à la C.E.C.M. (Commission des Ecoles Catholiques de Montréal). Cette Direction Générale sera rattachée le 17 août 1967 au Secrétariat de la province. Elle comprend alors un service de planification et de recherche, un service d'accueil et d'orientation, un secrétariat administratif. Elle s'occupe de l'accueil, de l'information et du placement des immigrants.

En 1967, le rapport Gauthier (1967) soulignera l'échec de la politique fédérale de l'immigration à assurer le maintien de la composition bilingue de la population canadienne, et l'absence de politiques spécifiquement québécoises visant à favoriser l'intégration des immigrants à l'élément francophone.

Ce rapport se situe à l'origine des différents courants de pensée relatifs à l'intégration scolaire des immigrants et québécois d'autres origines.

Le Ministère de l'Immigration du Québec (M.I.Q.), nom de l'époque, est créé en vertu d'une loi (bill 75) votée par le Parlement de Québec en octobre 1968 et sanctionnée le 5 novembre de la même année. Conformément à cette loi, le Ministère de l'Immigration du Québec poursuivra les trois buts suivants:

1. l'établissement au Québec d'immigrants susceptibles de contribuer à son développement et de participer à son progrès.

2. l'adaptation des immigrants au milieu québécois.

3. la conservation des coutumes ethniques (1er août 1969) (Commission Gendron, 1972: 110)

Le M.I.Q. devra donc concrètement assurer:

- la sélection des immigrants en tenant compte de la capacité d'absorption économique et culturelle du Québec.

- la prospection et l'information des postulants sur la réalité du marché du travail.

- l'intégration dans les circuits économiques et sociaux.

Ce ministère a donc maintenant quinze ans d'existence. Il est devenu le 30 avril 1981 le Ministère des Communautés Culturelles et de l'immigration du Québec (M.C.C.I.Q.).

Nous assisterons progressivement à un élargissement de sa structure, à une complexification de ses services et réglementations. En février 1978 est signée l'entente Couture-Cullen, entente provinciale-fédérale couvrant toutes les questions en rapport avec le flux migratoire. Elle donne en effet au Québec le pouvoir de sélectionner les ressortissants étrangers qui s'établissent sur son territoire de façon permanente ou temporaire. Cette entente prévoit un mécanisme de présélection et de sélection après entrevue par lesquels les deux parties peuvent refuser ou accepter la candidature proposée. Le gouvernement fédéral accepte la demande d'établissement dans la mesure où les conditions statutaires fédérales sont respectées. L'accord préalable du Québec est cependant toujours requis dans ce dernier cas.

Le Québec pourra aussi intervenir quant à la sélection des candidats reconnus comme «réfugiés» et fixera les normes que doivent respecter les candidats «parrainés».

En avril 1981, le gouvernement transforme le nom du M.I.Q. en M.C.C.I. (Ministère des communautés culturelles et de l'immigration). Il élargit alors quelque peu la vocation du Ministère en lui demandant formellement d'établir avec les communautés ethnoculturelles, des relations qui lui permettront de devenir un lieu privilégié «où elles peuvent s'adresser en toute confiance». Le M.C.C.I. devient donc responsable de la planification, de la coordination et de la mise en œuvre des politiques gouvernementales relatives à «l'épanouissement des communautés culturelles et à leur entière participation à la vie nationale» (M.C.C.I. 1981-82: 1). Il est notamment chargé des programmes qui visent à maintenir et développer les cultures d'origine ainsi qu'à assurer les échanges et le rapprochement avec la communauté francophone.

2. Intérêt de l'immigration pour le Québec, dans le discours politique québécois

Si nous reprenons le rapport Gauthier (1967), nous y trouverons un discours qui sera repris à maintes fois:

«Il n'est point besoin d'un long examen des statistiques pour réaliser que dans le contexte canadien l'immigration défavorise nettement et effectivement la province de Québec, la seule de langue et de culture françaises dans la Confédération.

La situation est grave. Il est admis que 96% de deux millions et demi d'immigrants débarqués au Canada depuis la fin de la Deuxième guerre se sont intégrés ou sont en voie de l'être, au groupe anglophone du pays. Seule l'action gouvernementale du

Québec pourra atténuer la conséquence émanant d'une telle situation» (Rapport Gauthier, 1967: Introduction).

Les objectifs d'une politique provinciale d'immigration au Québec coïncident avec des enjeux économiques importants:

1. *La création de nouvelles richesses économiques*

« L'immigration s'identifie à l'importation d'hommes et de capitaux en vue de répondre à des besoins économiques et sociaux établis d'avance».

2. *L'intégration de l'immigrant à la communauté québécoise*

« allier l'apport *linguistique* et culturel à l'objectif économique» (Rapport Gauthier 1967: 43).

A. Enjeux économiques

Si on définit un enjeu comme l'objet ou les aspects de la réalité qui sont au cœur d'intérêts divergeants, on verra qu'en fait, l'enjeu fondamental de l'immigration est d'abord économique: l'importation d'hommes et de capitaux en vue de répondre à des besoins économiques et sociaux. C'est l'enjeu-clé pour plusieurs raisons.

En premier lieu, la classe dominante y trouve son intérêt parce que l'arrivée d'hommes et de capitaux génère plus de consommation, donc plus de production et plus de profits; on considère aussi que l'immigration comme mouvement de main-d'œuvre offre de meilleures conditions de travail et de vie que dans le pays d'origine. Ce discours est largement dominant et sert bien les intérêts du bloc au pouvoir, tant au plan économique que politique. Il faut cependant considérer que l'enjeu économique ne sert pas également l'investisseur et le travailleur. Le travailleur immigrant ne peut espérer le même profit que l'investisseur.

En second lieu, l'enjeu économique est doublé d'un enjeu idéologique parce que les investisseurs (immigrants) ont plutôt tendance à se joindre au monde des affaires du milieu anglophone. Les Québécois francophones se considèrent encore une fois lésés.

Troisièmement, il faut considérer l'apport économique comme une contribution importante à l'économie globale, mais aussi le Canada peut épargner ainsi plusieurs millions de dollars. Par exemple, de 1946 à 1969, le gain pour le Québec se situait «en termes de ressources épargnées à $2 316 495 218.00. Le montant comprend outre le gain au niveau des dépenses en éducation et au niveau des dépenses pour la formation, une estimation des fonds et des effets que les immigrants drainent avec eux qui serait de l'ordre de $340 516 000.00» (Malservici, 1973: 106).

On constatera que le Québec achèvera sa politique de recrutement d'entrepreneurs-investisseurs à partir de 1978-79.

B. Enjeux idéologiques

On note que les discours du gouvernement du Québec soulignent aussi l'intérêt démographique. Le ministre de l'immigration de l'époque, monsieur J. Bienvenue, le note de façon précise:

> « On peut en effet se demander ce qu'il adviendra du Québec et du groupe canadien-français dans la conjoncture présente. En premier lieu, le Québec comme les autres provinces canadiennes et sans doute davantage, affronte un grave problème de dénatalité, ce que les démographes appellent la «croissance zéro». En second lieu, au plan du développement économique, le Québec a tout avantage à voir sa population augmenter: plus de producteurs et plus de consommateurs, c'est aussi plus d'emplois et plus de contribuables. Accueillir des adultes déjà formés présente un double avantage: économie des coûts de formation et utilité immédiate des nouveaux arrivants, à condition toutefois que ceux-ci soient judicieusement choisis et qu'ils ne viennent pas renforcer le bataillon des sans-emplois. En d'autres termes, l'immigration au Québec se situe au cœur d'une triple contrainte: *démographique*; aujourd'hui on ferme des écoles élémentaires; demain ce seront des polyvalentes, des CEGEPS et des universités; après-demain, ce seront des usines et des magasins - *économique*; le Québec connaît à la fois un taux de chômage élevé et des pénuries inquiétantes de main-d'œuvre dans certains secteurs - *culturelle et linguistique*; tous s'entendent pour reconnaître la nécessité de préserver la langue et la culture françaises en Amérique du Nord et ainsi d'intégrer de nouveaux arrivants au groupe majoritaire» (M.I.Q., 1974: 12).

Le principe fondamental de la politique québécoise d'immigration apparaît alors plus clair: «... dans le respect des valeurs culturelles d'origine, inciter par des moyens variés - et non pas contraindre - les nouveaux arrivants à rejoindre le groupe majoritaire, c'est-à-dire la communauté francophone et à s'y intégrer harmonieusement» (M.I.Q., 1974: 12).

On peut donc affirmer que le deuxième enjeu majeur pour le Québec est l'intégration des immigrants à la communauté francophone.

Le Parti Québécois, en arrivant au pouvoir en 1976, ne fera au fond que poursuivre et renforcer une politique déjà élaborée. La francisation des immigrants apparaîtra tout au long des rapports annuels du ministère comme le leitmotiv, comme le principe de base de sa politique et la répartition de son budget la consacrera. Par exemple, dans le budget 1980-81, on constate que la formation linguistique (COFI, garderie etc...) accapare 65,3% des dépenses (M.I.Q., 1981: 87).

Peu à peu cependant, dans un esprit à la fois de cohésion et d'harmonie sociale et de renforcement d'une culture différente de la culture nord-américaine anglophone, s'affirmeront le souci et la volonté de permettre un épanouissement propre aux différentes communautés ethniques. Les grands thèmes des différentes politiques mises en place seront alors le rapprochement de ces communautés de la majorité francophone et l'enrichissement de la société québécoise. Ces principes avaient déjà été énoncés par la Commission Gendron.

« Le Québec étant perméable à tous les grands courants d'idées du monde, peut accepter, en contrepartie de l'influence nord-américaine, celle des autres cultures, en ce qu'elles ont d'enrichissant et par le fait même les intéresser à la culture majoritaire».

« La culture canadienne-française, tout en gardant ses particularités propres, pourrait ainsi bénéficier de l'apport des autres cultures ethniques et accroître son originalité. Les pressions dans le sens de l'assimilation nuisent à celui qui les subit, car elles détruisent sa créativité et lui rendent antipathique la culture qu'on veut lui imposer».

« En acceptant la cœxistence des autres cultures et en encourageant leur développement, le gouvernement québécois aidera indirectement au développement de la culture canadienne-française et facilitera ainsi, d'une manière positive et dynamique, l'épanouissement d'une véritable culture québécoise» (Commission Gendron, 1972: 365)

C'est ainsi qu'apparaîtra en 1975-76 le financement d'écoles ethniques procurant un enseignement de la langue maternelle des immigrants, et que sera progressivement renforcé le subventionnement des associations ethniques à caractère socio-culturel. Ce serait aussi dans cette même perspective que le ministère de l'Immigration du Québec deviendrait, en avril 1981, le ministère des Communautés Culturelles et de l'Immigration du Québec.

L'emphase sur les communautés culturelles et leur action apparaîtra nettement dans les discours:

« ... soutien et appui à l'action des communautés culturelles et de leurs organisations, celles-ci étant les premières responsables de l'épanouissement et du rayonnement de leur culture dans la société québécoise.» (...) «De plus, de nouveaux programmes d'aide financière servent à soutenir les initiatives de ces organisations pour le maintien, le développement et la promotion de leur culture» (M.C.C.I. 1982: 29).

Le financement des groupes ethniques concrétisera cette politique.

C. Enjeux politiques

On constate aussi qu'il y a des enjeux politiques importants pour le Québec. Depuis la Deuxième guerre mondiale, le gouvernement du Québec a tenté, dans les cadres constitutionnels existants, de se donner les moyens pour contrôler le processus de l'immigration au Québec, à partir du recrutement à l'étranger jusqu'à l'accueil. C'est un autre volet des querelles entre le gouvernement fédéral et le gouvernement provincial. Pour le Québec, l'enjeu politique est clair: le contrôle de la sélection des immigrants.

Nous pourrions, en guise de conclusion, souligner que l'intérêt majeur du Québec vis-à-vis de la population immigrante apparaît au cours des quinze dernières années de manière constante et évidente, peu importe le parti politique au pouvoir, comme étant le gonflement et le renforcement du groupe francophone par rapport au groupe anglophone. Les moyens utilisés changeront quelque peu, en se raffinant en quelque sorte, puisque du simple enseignement du français on passera au renforcement des cultures propres dans une perspective que l'on pourrait appeler de «séduction» ou au moins d'attrait.

3. Le développement des services

Au Québec, le développement des services sociaux pour les immigrants a toujours été marqué par l'intervention conjuguée de l'État et de l'Église, dans les perspectives du nationalisme et du catholicisme les plus conservateurs. Cette question a été débattue longtemps et dans tous les forums. Paul-André Linteau, dans un article sur les groupes ethniques à Montréal, le soulève:

«Pour comprendre les stratégies des groupes dominants, il faut remonter à l'origine même de la diversité ethnique au XIXième siècle. C'est dans le creuset des relations entre Français et Britanniques que se sont alors forgées les institutions qui marquèrent le siècle suivant.

Les élites montréalaises ont très tôt choisi la voie du cloisonnement institutionnel. Il s'agissait de réduire les points de contact collectifs et de minimiser les risques de frictions en encadrant étroitement les groupes. Dès la première moitié du XIXième siècle est mis en place un ensemble d'institutions définies à la fois en fonction de l'ethnie et de la religion: paroisse, écoles, collèges, sociétés charitables, organismes culturels, associations nationales.

Dans les institutions catholiques, on adopte très tôt la division selon l'ethnie. (...) Au début du XXième siècle, les élites montréalaises ont donc acquis une longue expérience de la gestion du cheminement ethnique» (Linteau, 1979: 49-50)

Ce constat de Linteau éclairera, à notre avis, la question du développement des services sociaux en milieu ethnique. Le cloisonnement perdure et on le constate surtout depuis la Deuxième guerre mondiale.

4. Évolution de la politique québécoise d'accueil et d'établissement

On pourrait rapidement tracer les grandes lignes de la politique d'aide et d'accueil à travers la récente histoire des organismes québécois mandatés à cet effet.

Dès 1967, un «plan d'intégration» est développé:

« Un service d'accueil est en voie d'organisation qui aura pour mission de recevoir les immigrants, de leur fournir toute l'aide et tous les renseignements dont ils ont besoin.

Des préposées à l'accueil polyglottes et facilement identifiables seront présentes aux ports, aux gares et aérogares de Québec et de Montréal très bientôt... Certains organismes bénévoles et privés seront invités à épauler l'action du gouvernement, de même que

des représentants des diverses dénominations religieuses»
(Rapport Gauthier, 1967: 51)

Un service d'accueil et d'orientation est donc mis en place à
l'intérieur de la Direction Générale de l'Immigration:

> « Ce service œuvrera à bien accueillir l'immigrant, à le bien
> renseigner et orienter, à lui trouver un emploi dans certains cas,
> suivant le partage des responsabilités établi après entente avec le
> gouvernement central» (Rapport Gauthier, 1967: 56)

En fait, dès la création du ministère de l'Immigration (ou un peu
avant) nous verrons la mise en place d'un service d'accueil aux
aéroports par des agents d'orientation. L'accueil du gouvernement du
Québec se limitera plutôt à des tentatives de contact opérées par les
hôtesses du ministère (le fédéral établissant les dossiers, recensement,
etc.).

Un travail d'accueil minimal et de dépannage existera dès cette
époque. À partir de 1970, le Service d'accueil disposera de bureaux à
Montréal, Québec et dans les COFI.

L'aide du Québec à ce stade consistera essentiellement en services
d'information et d'hébergement «mais le ministère accorde des
subventions à plusieurs organismes qui accomplissent un travail
efficace auprès des immigrants dans le domaine de l'accueil et de
l'intégration». (Commission Gendron 1972: 115).

Une aide financière, fond de dépannage, existera, tout en étant
limitée en raison de l'existence du ministère du Bien-Etre social
(Québec), aujourd'hui le ministère des services sociaux et de santé,
compétent en ce domaine.

Se dessine donc rapidement le profil de la politique québécoise:

- accueil aux aéroports et dépannage minimal à l'arrivée des
immigrants;

- on compte sur les institutions existantes comme le Bien-Etre et les
organismes bénévoles;

- on subventionne les organismes qui font un travail «efficace»;

- on met finalement l'emphase, à partir de l'année 77-78, sur le
renforcement de l'accessibilité aux institutions existantes:

« En ce qui concerne les services sociaux pour les immigrants, le ministère de l'Immigration désire faciliter l'utilisation du réseau du ministère des Affaires sociales par les immigrants. Il s'agit donc, d'une part, de mettre les immigrants au courant des possibilités offertes à tous les citoyens du Québec. Et d'autre part, de sensibiliser les organismes publics et para-publics aux problèmes inhérents à la condition d'immigrant» (M.I.Q., 1978: 39)

Ce discours sera repris dans tous les rapports annuels suivants.

Il s'agit là, bien sûr, des grandes lignes de cette politique. Nous essaierons maintenant d'examiner:

- les différents services offerts par le Ministère (il s'agira d'une description rapide destinée à situer le type d'aide apportée);

- l'évolution des programmes de renforcement de l'accessibilité aux services et institutions existants;

- l'évolution de la politique de financement des organismes avec l'élaboration progressive de critères de sélection des projets et de mesures de contrôle sur la réalisation des projets.

Description des divers services offerts aux immigrants par le MIQ

Le service des Relations avec les individus... «apporte une aide personnelle aux immigrants, allant de l'accueil en aéroport à l'orientation scolaire et professionnelle en passant par les attestations de scolarité et les services sociaux nécessaires». (M.C.C.I., 1982: 27).

Ce service reprend donc la division de l'accueil où l'on procure essentiellement de l'information aux immigrants fraîchement débarqués. Il s'agira «d'accueillir les immigrants, identifier leurs besoins et faciliter leurs premières démarches en terre canadienne» (M.I.Q., 1976: 60).

Il reprend aussi la division des services sociaux qui répond à des demandes diverses comme la suspension des parrainages, le dépannage financier, l'hébergement temporaire, une «aide particulière pour des problèmes psychosociaux» et une information générale.

L'accueil des réfugiés prendra une certaine importance à partir de 1979, année qui verra l'implantation d'un programme spécial d'aide aux réfugiés.

En 1980, le M.I.Q. met sur pied une caisse de dépannage, en plus toujours de services d'accueil, d'information et de parrainage collectif; cette année-là, le ministère effectue aussi un sondage téléphonique «afin d'obtenir des données sur le degré d'intégration et d'autonomie des réfugiés et de vérifier le degré de satisfaction des groupes parrains» (M.I.Q., 1981: 54).

En 1981, l'accueil aux réfugiés se définira par un objectif spécifique: les «informer immédiatement, dans leur langue, de leur statut et de leur destination, de faciliter leur premier établissement au Québec durant les douze premiers mois, en leur assurant l'accessibilité aux services publics et parapublics» (M.C.C.I., 1982: 27).

Le Service des équivalences sera mis en place en 1974. Il sera d'abord chargé d'assurer la traduction d'attestations d'études émises à l'étranger et d'étudier les documents en regard des critères académiques québécois.

Le service des Relations avec les groupes, en plus de subventionner les organismes et associations, québécois ou ethniques (dont nous traiterons plus loin), et de maintenir des contacts divers avec ces groupes (élaboration d'un fichier, tables de concertation, etc...) mettra lui-même sur pied deux programmes appelés VIVAQ (Vivre au Québec 74) et OVAL (Opération Vacances et Loisirs - 73) visant une intégration aussi harmonieuse que possible des immigrants adultes ou adolescents au milieu québécois francophone par des programmes de vacances. Il s'agira essentiellement de favoriser les échanges à travers des activités de loisirs.

En 1977, «Le Ministère (...) perçoit différemment son rôle à cet égard, abandonne ces deux projets et axe une large part de ses activités... sur quatre programmes (subventions) (...) qui (...) lui permettent d'apporter aux organismes une aide technique et financière judicieuse tout en leur laissant l'initiative de leurs activités» (Gingras, 1980: 62).

À cette époque, on assiste à une profonde remise en question de la politique d'immigration. En 1977, au sein d'une recommandation en vue de la rédaction d'un mémoire d'orientation (MIQ), René Marleau fait un constat de carence:

« Une structure manque, de toute évidence: celle des opérations d'immigration sur le territoire national, qui regrouperait l'accueil, l'aide à la frontière et l'hébergement; les réfugiés et autres mouvements spéciaux ou opérations particulières; les non-immigrants tels les travailleurs temporaires [....] étudiants étrangers [...]; les problèmes de «parrainage» de parents proches et nommément désignés, de statut, d'admission et ceux reliés aux aspects répressifs de l'immigration fédérale» [...] «Les problèmes d'adaptation des Néo-québécois dont la solution est une fonction fondamentale du Ministère - problèmes normaux, fonction normale et clients normaux - sont appelés cas spéciaux». (Marleau, 1977)

Dans ce même document, René Marleau estime que le Québec «s'use à parlementer avec le fédéral afin de récupérer des pouvoirs constitutionnels» alors que l'immigrant, lui, est abandonné à «quelques cours de langue, structures et programmes près, à son sort»; que donc, le Québec devrait d'abord utiliser ses «maigres ressources» de façon prioritaire pour l'intégration et l'adaptation des immigrants.

En juin 1977, a lieu un colloque réunissant un nombre important de représentants d'associations ethniques; il s'agit d'un colloque tenu par le Comité Consultatif de l'Immigration (4 et 5 juin 1977). Il y est dit notamment qu'il est «essentiel que toutes les catégories d'immigrants (...) aient droit à tous les services sociaux dès leur arrivée». (M.I.Q., 9 septembre 1977). L'intégration est considérée à partir d'une structure décentralisée, dans les «quartiers»: ce seraient en fait les Centres Locaux de Services Communautaires qui pourraient et devraient jouer un rôle important. La consultation des communautés ethniques au sein des institutions et organismes est vivement encouragée.

Le 9 septembre 1977, lors d'une réunion spéciale en présence du Ministre et de son cabinet, la dimension «quartier» est à nouveau à l'ordre du jour. Il faut déconcentrer les activités du ministère et ce serait à partir des Centres d'orientation et de formation des immigrants que cela semblerait pouvoir se réaliser:

« En vue de répondre davantage aux besoins d'adaptation des immigrants, les deux fonctions suivantes devraient être développées dans les COFI: une fonction d'aide sociale ainsi qu'une fonction de conseiller en adaptation et en intégration socio-culturelle. «La fonction d'aide sociale consisterait à aider les immigrants du quartier à solutionner leurs divers problèmes concrets, à les informer et les mettre en contact avec les ressources communautaires susceptibles de leur venir en aide» (M.I.Q., 1978: 39)

De façon générale, à partir de 1977, nous pourrons constater que sera présente dans presque tous les rapports annuels du MIQ la préoccupation de sensibiliser le réseau des affaires sociales à la réalité immigrante.

En 1978, un rapport préliminaire concernant les besoins des «Néo-québécois» en matière de services sociaux met l'accent sur différents aspects problématiques de l'intervention auprès des immigrants (M.I.Q., 1979)

Il souligne notamment le fait que les services et l'aide donnés par le Ministère sont essentiellement de l'information et de la référence; il critique le dédoublement des nombreuses interventions et le manque de coordination entre les organismes, qui provoquent confusion pour l'immigrant et gaspillage des ressources humaines et financières; il met enfin l'accent sur la sous-utilisation des ressources du réseau des Affaires Sociales:

> «... nous constatons que peu d'entre eux se préoccupent de la question des immigrants. Pourtant, de par leur vocation, les C.L.S.C. peuvent être d'un précieux apport dans l'insertion des immigrants dans leur milieu.

> « À notre connaissance, les conseils de santé et des services sociaux, du moins ceux de Montréal et de Québec, ne sont pas sensibilisés à la réalité néo-québécoise dans leur milieu. Il en va de même pour l'ensemble des C.L.S.C. qui comptent sur leur territoire un pourcentage significatif d'immigrants ainsi que des C.S.S. et des Départements de santé communautaire des centres hospitaliers. Il est indispensable que les personnels du réseau des Affaires Sociales ayant à servir des immigrants, soient sensibilisés...» (M.I.Q, 1979: 38)

Ce document soulignera enfin le rôle important que jouent les organismes privés: «Etant donné l'importance de leurs activités, les associations privées semblent constituer un élément déterminant pour l'avenir des néo-québécois. Le Ministère de l'Immigration relègue l'intervention sociale dans sa quasi-totalité à ces nombreuses associations privées et autonomes dont l'action apparaît dispersée» (M.I.Q., 1980: 10)

En 1978, le ministre Jacques Couture met de l'avant le rôle que pourraient exercer les COFI comme «centres de services polyvalents couvrant des domaines aussi variés que l'accueil, l'enseignement du français, l'emploi, le service social, les activités socio-culturelles...» Cet article fait suite au colloque de juin 1977 (M.I.Q., décembre 1980).

En décembre 80, le Comité Consultatif de l'Immigration reprend les conclusions du rapport préliminaire de 1978 sur les besoins des Néo-québécois en matière de services sociaux et souligne à nouveau la sous-utilisation du réseau des affaires sociales; il insiste sur la nécessité pour la société québécoise de s'adapter à sa réalité multi-ethnique.

Avant d'entamer une description plus détaillée des services offerts par le MIQ, des programmes mis en place afin de renforcer l'accessibilité aux services existants et des programmes de subvention, nous pouvons d'ores et déjà dégager quels seront les axes essentiels de la politique québécoise en matière d'aide aux immigrants:

1. Il s'agira tout d'abord d'assurer un accueil aux aéroports, un dépannage minimal à l'arrivée en plus de divers services précis comme les équivalences de diplômes, etc...;

2. Le MIQ ne s'estime pas seul dans cette affaire et compte sur les institutions existantes, sur les organismes privés si «efficaces» et favorise la référence aux organismes privés qu'il subventionne;

3. On subventionnera toujours davantage ces organismes «prolongement du Ministère»;

4. À partir de 1977, l'emphase sera finalement mise sur divers programmes de renforcement de l'accessibilité aux services et institutions existants, essentiellement ceux du réseau des Affaires Sociales.

Le Ministère cherchera aussi, par son service de l'emploi, à aider les immigrants nouvellement arrivés à entrer sur le marché du travail. C'est dans le cadre de ce service qu'il s'occupera plus particulièrement des entrepreneurs-investisseurs.

A. Moyens utilisés pour renforcer l'accessibilité des institutions existantes

Un programme est mis en marche en septembre 1977 afin de sensibiliser les services sociaux aux problèmes des immigrants. En moins de six mois, des liens opérationnels ont été établis avec des institutions du réseau du ministère des affaires sociales et certains organismes privés, «dédiés à l'assistance aux individus». Des rencontres ont eu lieu avec vingt et un Centres locaux de services communautaires, avec les responsables de six succursales du Centre de services sociaux de Montréal-Métropolitain et trente-cinq chefs des services sociaux hospitaliers. «En ce qui concerne les organismes privés des rencontres ont eu lieu avec les responsables... pour inciter ces organismes sociaux ou religieux à diriger les immigrants dans le besoin vers les services sociaux officiels» (M.I.Q., 1978: 39).

En 1978, un programme d'information est mis en place dans les COFI avec quatre professionnels du service aux migrants et immigrants (CSSMM) qui informent les stagiaires sur les services sociaux.

Un comité M.I.Q.-M.A.S. (Ministère de l'immigration et ministère des affaires sociales) est mis sur pied pour faciliter les rencontres interministérielles. Ce comité étudie les principales problématiques sociales reliées aux besoins de la clientèle immigrante (bris de parrainage, réfugiés, garderies, protection de la jeunesse, personnes âgées, etc.).

Un nouveau programme de subventions est créé, s'adressant aux associations ethniques. Ces dernières choisissent dans leur communauté une personne qui devient agent d'accueil auprès de certaines institutions du réseau public du MAS. Ses tâches consistent à:

« ...guider le client allophone dans ses démarches auprès du personnel de ces institutions et interpréter ses demandes tant sur le plan linguistique que culturel, expliquer les valeurs culturelles de sa communauté ethnique aux membres du personnel de ces organismes, faire connaître dans sa communauté tous les programmes, activités et services du réseau des affaires sociales». (M.I.Q., 1979: 35)

En 1979 est mis en route le programme de jumelage de six associations ethniques avec CSS, CLSC, CH, CA. Ce programme vise à «faciliter l'accessibilité des immigrants aux institutions parapubliques ne possédant pas les ressources humaines suffisantes pour répondre adéquatement aux allophones qui ont besoin de leurs services» (M.I.Q., 1980: 41)

En 1980, des jumelages effectifs se réalisent entre le Bureau de la communauté chrétienne des Haïtiens de Montréal et le CLSC de Montréal-Nord, les Services Communautaires italo-canadiens et le CLSC de Rivière-des-Prairies, l'Association portugaise de Laval et le CLSC Norman Béthune, la Maison d'Haïti et la succursale St-Hubert du CSSMM, l'Association des Boliviens de Montréal et le CLSC Côte-des-Neiges.

Ce jumelage, prévu à l'origine pour une période limitée, allait durer plusieurs années. Dix ans plus tard, en 1988, le programme comptait toujours sept postes d'agents d'accueil (Sirros, 1987: 23)

En 1980 toujours, le ministère de l'immigration du Québec met sur pied un nouveau programme d'information du personnel des institutions publiques et para-publiques, axé sur les lois et institutions sociales, et met en place un nouveau programme d'aide financière aux communautés culturelles, concernant l'accessibilité à des services sociaux.

Par la suite, on constate qu'en 1982 le ministère des Affaires sociales émet une directive aux organismes du réseau des Affaires sociales pour les inciter à embaucher du personnel apte à s'exprimer en d'autres langues que le français et l'anglais. Le MAS estime que le peu d'utilisation des services sociaux par les immigrants est dû au fait que peu d'employés des CLSC (Centre locaux de services communautaires) peuvent répondre aux demandes des gens dans leur langue. «Les principales causes de cette situation (estime le Ministère des Affaires sociales), sont une insuffisance d'un personnel familier avec le milieu, des valeurs culturelles différentes et certains problèmes linguistiques» (Deschênes, 10 août 1982: 1)

Cette nouvelle tactique, émise en catastrophe, n'allait pas régler la situation pour autant. Il fallut constater l'échec dans tout le réseau avant que le ministère des services sociaux et de santé mette sur pied une commission de travail chargée d'élaborer les lignes de force d'une nouvelle politique d'accessibilité aux services sociaux et de santé.Formée officiellement par la ministre de l'époque, madame Thérèse Lavoie-Roux, la commission présidée par le futur ministre des services sociaux et de santé, monsieur Christos Sirros, remettra son rapport en novembre 1987 (Sirros, 1987). Cette commission de travail donnait suite aux demandes répétées de nombreux organismes non-gouvernementaux, notamment l'ACCESSS (Alliance des communautés culturelles pour l'égalité dans les services sociaux et de santé) et le Conseil de la Santé et des services sociaux de la région de Montréal Métropolitain. Ce dernier avait élaboré les éléments pour un plan d'action dès 1984 et développé son propre plan d'action en 1987.

Le diagnostic général du comité se résume de façon assez simple: 1) «Difficulté d'accès persistante malgré l'affirmation d'une volonté ministérielle en 1984; 2) Difficulté de faire appliquer certaines mesures dans plusieurs établissements». (Sirros, 1987: 27).

De façon plus spécifique, le comité touche du doigt les aspects névralgiques du dossier:

1) «Une grande majorité de gestionnaires et administrateurs se disent préoccupés par le problème de l'accessibilité de leurs services aux communautés culturelles, cependant:

   • ce n'est pas une priorité du ministère;

   • ils n'ont pas de moyens financiers ou de ressources humaines suffisantes pour améliorer la situation;

   • il leur est difficile d'adapter les programmes, les normes ou l'organisation générale pour faire face à des cas apparemment isolés et uniques;

   • mais, étant donné le mandat de leurs établissements, ils sont officiellement responsables de desservir une clientèle soit francophone, soit anglophone.

b) Certains intervenants travaillant à répondre efficacement aux bénéficiaires issus des communautés culturelles se voient marginalisés parce qu'ils s'attardent trop dans des «cas d'espèce». Leur disponibilité pour cette clientèle se voit souvent interprétée comme un «intérêt personnel» et le suivi des cas doit se faire à même leur temps personnel.

c) Un autre groupe d'intervenants ne tient pas compte, sciemment ou non, des besoins des communautés culturelles parmi leur clientèle;

d) Un dernier groupe exclut volontairement les demandeurs de services issus des communautés culturelles en sélectionnant les «cas». (Sirros, 1987: 28-29)

Le rapport situe bien les difficultés à deux niveaux, le réseau et les intervenants:

> « *Les structures du réseau*, héritées du passé, le manque de sensibilité aux rapports interculturels dans la distribution des services provoquent une insatisfaction générale. Chacun se sent victime d'un système complexe qui rend difficile l'accès des services du réseau pour les communautés culturelles.
>
> Rien d'étonnant alors si la *majorité des intervenants* confrontés à des bénéficiaires de diverses cultures soulignent leur besoin de connaître davantage les cultures et les langues d'origine afin d'être

en mesure d'intervenir et d'évaluer correctement les situations dans le respect des valeurs et des habitudes de l'autre. La formation universitaire des intervenants ne les a pas préparés à répondre aux besoins sans imposer un modèle culturel.» (Sirros, 1987: 30).

Pour corriger la situation, le Comité met de l'avant une triple stratégie: information, communication, participation des communautés culturelles au système (Sirros, 1987: 36). La stratégie commandait un sérieux coup de barre de la part du M.S.S.S. tant au niveau des politiques et des structures que de la formation du personnel.

Le rapport allait donner naissance à un plan d'action mis de l'avant par le Ministère de la santé et des services sociaux en 1989 (M.S.S.S., mai 1989). Dans ses grandes lignes, le ministère fonde son orientation sur le respect des différences ethniques, linguistiques et religieuses: «il faut prévoir une plus grande sensibilité aux réalités culturelles de la personne en tenant compte de ses origines ethnoculturelle, linguistique et raciale «(M.S.S.S., mai 1989: 10). Le second pôle de la politique est la mise à contribution maximale des organismes non-gouvernementaux:

> « la collaboration des organismes communautaires est indispensable pour l'amélioration de l'accessibilité des services aux communautés culturelles. Il faut prévoir des mécanismes de collaboration et de partenariat pour s'assurer de mettre leurs expertises culturelles à contribution auprès de la clientèle immigrante et des communautés culturelles du Québec «(M.S.S.S., mai 1989: 11).

Le M.S.S.S. poursuit six objectifs stratégiques: 1) s'assurer que tous les programmes du ministère tiennent compte de la réalité multiethnique et multiraciale du Québec; 2) identifier et établir une base de services accessibles et adaptés aux besoins des communautés culturelles et s'assurer qu'elle soit implantée dans les territoires qui comptent une population multiethnique importante; 3) promouvoir la présence des communautés culturelles dans le réseau de la santé et des services sociaux pour favoriser une meilleure représentativité ethnoculturelle à tous les niveaux du système; 4) reconnaître le rôle de partenariat des organismes communautaires des communautés culturelles qui œuvrent dans le domaine de la santé et des services sociaux; 5) diffuser une information adéquate aux communautés culturelles sur le fonctionnement et les services du réseau; 6) promouvoir la recherche sur les différents aspects de la problématique de l'accessibilité des services aux communautés culturelles «(M.S.S.S., mai 1989: 13-17).

Le plan du M.S.S.S. est en phase d'implantation de façon générale et il est trop tôt pour en évaluer l'impact, surtout en ce qui a trait aux services aux réfugiés. L'utilisation de l'expression «communauté culturelle» englobe sûrement, de façon implicite, les réfugiés; cependant, une prise en compte de la situation spécifique des réfugiés aurait ajouté une précision judicieuse au plan d'action. Il est souhaitable que les services sociaux analysent la situation des réfugiés, développent des programmes d'intervention adaptés et forment du personnel en fonction de ces situations spécifiques.

Dans une étude sur l'accessibilité des services de santé aux réfugiés du Sud-Est asiatique, Jean-Louis Denis estime qu'un déterminant important de la recevabilité des services est le degré de coïncidence entre les attentes que l'utilisateur manifeste à l'égard du médecin et les comportements de ce dernier» (Denis, 1984: 84). Il ajoute «qu'une autre dimension importante de la recevabilité des services pour ce groupe est la qualité de la relation qu'établit le personnel soignant avec les membres de la famille du patient...» (Denis, 1984: 85). Par analogie, «mutadis mutandis», les mêmes hypothèses s'appliqueront aux services sociaux.

B. L'entente Couture-Cullen

Lors de l'entente Couture-Cullen de 1978, certaines responsabilités déjà assumées auparavant par le fédéral et le provincial sont reconfirmées. Parmi elles, on remarque des dédoublements un peu surprenants. En effet, alors que la loi 68 confère au Ministère de l'Immigration du Québec le mandat de veiller à «l'adaptation» des immigrants aux Québec, ce qui relevait auparavant du Ministère de la main-d'œuvre et de l'immigration du Canada, l'entente Couture-Cullen spécifie ceci:

« Le Canada continuera d'offrir les services suivants aux immigrants qui s'établissent en permanence au Québec:

a) l'aide à l'établissement et à l'adaptation, notamment les prêts aux immigrants et l'aide financière destinés à répondre aux besoins essentiels des immigrants démunis, nouvellement arrivés, jusqu'à ce qu'ils aient trouvé un emploi permanent;

b) l'aide spéciale à l'établissement, et autres formes d'aide ainsi que les services aux réfugiés;

c) la prestation par le truchement d'organismes bénévoles, en consultation avec le Québec, de services pour faciliter l'établissement des immigrants et leur adaptation à la collectivité dans laquelle ils souhaitent s'établir;

d) des services d'emploi, y compris le counselling, la formation linguistique et professionnelle, le placement, l'aide à la mobilité pour aider les immigrants qui comptent se joindre à la population active à trouver un emploi, et la reconnaissance de leur qualification professionnelle;

e) l'aide dispensée en vertu des ententes relatives aux cours de langue et de civisme et aux manuels d'enseignement des langues, dans le but de préparer les immigrants à obtenir la citoyenneté canadienne.

Le Québec s'engage à dispenser les services suivants aux immigrants qui s'établissent au Québec:

a) Accueil aux aéroports

Des préposés du MIQ aident, informent et conseillent les immigrants à leur arrivée. Les services rendus comprennent: le dédouanement, l'hébergement, le change, la localisation de parents ou d'amis, l'interprétation et les renseignements sur le Québec.

b) Recours au Secrétariat du MIQ

Le Secrétariat s'est vu confier le mandat de recevoir les griefs des immigrants et de les assister dans les difficultés particulières auxquelles ils se heurtent après leur arrivée au Québec.

c) Service de l'emploi du MIQ

L'objectif général du Service de l'emploi est de procurer aux immigrants dont les dossiers sont à l'étude dans les bureaux à l'étranger, et aux immigrants reçus, des emplois correspondant à leurs qualifications et à leurs aspirations en fonction des besoins du Québec.

d) Équivalences

Le service des équivalences du MIQ établit l'équivalence des diplômes étrangers afin de faciliter aux immigrants la poursuite de leurs études ou, le cas échéant, l'obtention d'un emploi.

e) Service des immigrants entrepreneurs/investisseurs du MIQ

Le rôle du Service des immigrants entrepreneurs/investisseurs consiste à encourager, favoriser l'implantation et conseiller les personnes et familles qui disposent de capitaux et des qualifications appropriées et qui sont à la recherche d'une nouvelle patrie d'adoption.

f) Fonds de secours du MIQ

Le MIQ, par son service des relations avec les individus, dispose d'un fonds de secours destiné à dépanner certains immigrants, privés momentanément de ressources (transport, vêtements, nourriture, etc...)

g) Subventions

Le MIQ subventionne de façon régulière les organismes d'aide aux immigrants.

h) Cours de langue

Les immigrants ne possédant pas les connaissances linguistiques nécessaires peuvent suivre des cours de langues dans un des Centres d'Orientation et de Formation des Immigrants (COFI).

i) Aide sociale

Les immigrants auront accès à l'aide sociale aussitôt qu'ils auront obtenu leur premier emploi.

On constate que l'aide donnée par les deux paliers de gouvernement se rejoint plus d'une fois et que les services se chevauchent.

En 1978, dans le dossier «Services sociaux et besoins des Néo-québécois» cet état de choses est critiqué: «Le résultat est que l'intervention du fédéral dans ce domaine complique l'application de certaines lois québécoises, multiplie les formalités administratives, diminue l'efficacité des programmes et suscite un gaspillage des ressources.» (Chamette et Prud'homme, 1978: 61).

On souhaite que le MIQ coordonne tous les projets fédéraux touchant l'immigration et que le fédéral transfère au Québec l'argent destiné aux programmes d'aide à l'adaptation et à l'établissement des Néo-québécois.

C. Aide aux immigrants et aux réfugiés

Évolution et dégagement de quatre axes de la politique québécoise

Le Ministère de l'immigration est donc né en 1968. Au cours des années précédant sa mise en place, un objectif important d'une politique québécoise en matière d'immigration était mis de l'avant: l'intégration de l'immigrant au milieu québécois «en lui offrant les services spécialisés nécessités par sa condition d'immigrant». (MIQ, 1974: 12).

Dès sa création, le MIQ mettra donc en place une infrastructure minimale d'accueil et d'aide aux immigrants, en continuité avec les services auparavant offerts par la Direction générale de l'immigration:

> « Un service d'accueil est en voie d'organisation qui aura pour mission de recevoir les immigrants, de leur fournir toute l'aide et tous les renseignements dont ils ont besoin.
>
> Des préposés à l'accueil polyglottes et facilement identifiables seront présents aux ports, aux gares et aérogares de Québec et de Montréal très bientôt... Certains organismes bénévoles et privés seront invités à épauler l'action du gouvernement, de même que des représentants des diverses dénominations religieuses.
>
> « Ce service œuvrera à bien accueillir l'immigrant, à le bien renseigner et orienter, à lui trouver un emploi dans certains cas, suivant le partage des responsabilités établi après entente avec le gouvernement central.» (MIQ, 1974: 12).

D. L'entente fédérale-provinciale de 1990

De nouvelles dimensions viennent consacrer une politique déjà adoptée par le gouvernement du Québec bien avant la signature de l'entente du 27 décembre 1990, laquelle rendait l'entente Couture-Cullen (20 février 1978) caduque. Le Québec souhaite: 1) un redressement démographique, 2) une mise à contribution systématique des immigrants pour garantir la prospérité économique, 3) la pérennité du fait français, 4) l'ouverture du Québec sur le monde (M.C.C.I., 1990: 1).

Cette visée globale s'articule autour d'une vaste stratégie d'intégration:

> « L'immigrant qui laisse son pays natal pour prendre racine dans un nouvel environnement cherche à améliorer son sort et celui des

siens. De son côté, la société qui l'accueille tient à ses caractéristiques et à son projet social. La rencontre de ces deux projets détermine le processus d'intégration et d'adaptation». (M.C.C.I., décembre 1990: 1-2).

Une brève comparaison des objectifs et des stratégies permet de constater que la rencontre des deux projets favorise d'abord les investisseurs indépendants; les réfugiés et surtout les revendicateurs du statut de réfugié ne reçoivent qu'une attention humanitaire. En quelque sorte, on les perçoit comme des exclus de la vie économique et sociale, des imposteurs:

« les revendicateurs du statut de réfugié *ne sont pas des réfugiés* mais des personnes qui, à leur arrivée à un port d'entrée, demandent à être traitées et admises comme des personnes réfugiées. [...] pour préserver sa capacité d'accueil et de *sélection des personnes vraiment en situation de détresse à l'étranger*, le Québec estime qu'il faut procéder à un réexamen attentif en vue d'identifier de façon précise les actions qui pourraient avoir un effet dissuasif sur les revendications non fondées» (M.C.C.I., décembre 1990: 3)

À cet égard, le discours gouvernemental est limpide:

« il (le gouvernement du Québec) considère que l'accroissement de ce mouvement (arrivée de revendicateurs du statut de réfugié) traduit, en partie, le changement du climat politique qui s'est produit en diverses régions de la planète depuis quelques années. De ce point de vue, le gouvernement reconnaît la légitimité de certaines de ces demandes et veut continuer à soutenir les personnes réellement en situation de détresse.

D'autre part, le Québec ne peut accepter que des personnes désireuses d'améliorer leur situation économique par l'immigration contournent la procédure régulière de sélection du Québec et du Canada, alors que d'autres candidats de ces mêmes pays d'origine acceptent de les respecter. En outre, la régularisation massive et fréquente du statut de personnes qui n'ont pas été sélectionnées, nuit à l'atteinte des objectifs de la politique d'immigration. Elle rend notamment difficile la planification des volumes et de la composition du flux migratoire en fonction des priorités québécoises. De plus, la présence de quelque 35,000 personnes en attente du statut de réfugié qui ont accès à divers services gouvernementaux - notamment dans les domaines de la santé et des services sociaux, de la sécurité du revenu et de l'éducation - exerce une pression croissante sur les finances publiques» (M.C.C.I., 1990: 28-39).

Le portrait est clair, le discours «économiste» l'est autant. On vise d'abord l'insertion économique et linguistique, y compris par des programmes de subvention aux organismes communautaires désireux de devenir «partenaires» dans le grand jeu économique. L'arrivée des réfugiés et surtout des revendicateurs semble moins que souhaitable. Ils nuisent à la planification. Au niveau des services d'accueil et d'adaptation, si l'entente Couture-Cullen leur accordait une place significative, dans l'entente de décembre 1990, l'économique devance le social par des lieues.

Cette politique ne contribuera pas à l'amélioration significative des services sociaux pour les réfugiés et les revendicateurs du statut de réfugié. L'immigrant-type devra être jeune, riche et en parfaite santé physique et mentale pour gagner pleinement droit de cité. Il entre dans les stratégies de planification sociale, économique et politique; le réfugié entre par la poterne et le revendicateur est exclu du château.

Si l'arrivée des réfugiés et des revendicateurs est devenu un phénomène social et démographique significatif (en moyenne, 800 nouveaux arrivants par mois), pourquoi ne pas leur avoir accordé une place importante, surtout en égard aux services sociaux et de santé? Au contraire, on leur souhaite la bienvenue tout en les qualifiant de sangsues du système socio-économique, pensé d'abord pour récompenser les élus, c'est-à-dire les investisseurs.

E. La politique en matière de financement

Avant d'aller plus loin au niveau de considérations sur cette politique qui vise à subventionner une quantité impressionnante d'associations diverses pour faire le travail social, voyons, année après année, son évolution quant aux critères mêmes de financement.

Déjà, avant la mise en place du MIQ, nous constatons que des subventions existaient:

« Depuis le 1er mars 1965, un service d'immigration existe dont les buts sont de découvrir et de coordonner tous les organismes s'intéressant aux Néo-Canadiens et d'élaborer une politique d'immigration pour la province de Québec (...). Le Service a aussi favorisé d'un subside de 6,000$ l'Accord, organisme d'accueil des immigrants. Le gouvernement vient d'annoncer un budget de dépenses de 325,000$ pour le service de l'immigration, pour l'année 1966-67» (Morin, 1966: 49)

C'est au cours de l'année 1969-70 qu'apparaîtront les premières subventions: «des subventions ont été accordées à quelques associations qui avaient prouvé leur efficacité dans le travail qu'elles accomplissent auprès des immigrants» (M.I.Q., 1970). Les organismes visés étaient l'Accord, le Comité d'accueil aux immigrants, le Centre social d'aide aux immigrants et le camp Françoise Cabrini.

En 1970-71, il sera question de «subventions à certaines activités jugées par nous prioritaires»; de plus, une «aide substantielle a été accordée à la communauté juive sépharade pour favoriser l'insertion de nombreux enfants au milieu québécois francophone» (M.I.Q., 1971: 42)

Au cours des années 1971, 1972, 1973, apparaît un responsable «en liaison permanente avec une vingtaine d'organismes spécialisés dans l'accueil et l'intégration des immigrants», qui a aussi la responsabilité de «recommander la répartition des subventions à ces organismes» (M.I.Q., 1973: 48).

En 1973-74, est mise en place la Direction Générale des Groupes Ethniques et des Communications (DGEC) qui octroie les subventions «en raison de ses contacts fréquents avec quatorze groupes et associations ethniques» (M.I.Q., 1973: 45). Elle fera donc des recommandations concernant l'octroi de ces subventions qui se diviseront alors en deux grandes catégories:

- groupes ethniques :   33 750$ soit 30.7%

- groupes du Québec :   76 250$ soit 69.3%

En 1974-75, «une quarantaine d'organismes ont présenté au ministère des demandes de subvention... Celles dont les activités rejoignaient le mieux les objectifs du ministère ont fait l'objet de recommandations favorables... vingt-trois organismes (treize québécois et dix ethniques) pour une somme de 64 975$. «Ces organismes travaillent avec les immigrants et les groupes ethniques en vue de favoriser l'entraide et les échanges socio-culturels» (M.I.Q., 75: 108).

En 1975-76, «en ce qui à trait à l'aide financière et aux subventions, une étude exhaustive et comparative a été entreprise...» elle visera un «raffinement des procédés administratifs et une rationnalisation plus poussée afin que la ventilation des sommes se fasse en fonction d'une allocation optimale» (M.I.Q., 1976: 56).

Des appuis financiers seront donnés à deux titres: soit des subventions, soit une contribution à des projets précis. Des subventions seront octroyées à trente-neuf organismes pour une somme de 300,000$ (entraide et échanges socio-culturels) en plus de neuf aides contractuelles pour une somme de 17 500$.

En 1976-77, une nouvelle politique comprenant deux volets est mise en place:

> Une aide financière à titre de subvention pour les organismes québécois qui sont le «prolongement des services du ministère dans leur secteur d'activité» (domaines de l'accueil, des services, et du socio-culturel).

> Une aide financière sous forme contractuelle pour les organismes québécois et les organismes dits ethniques qui veulent «réaliser des projets à contenu socio-culturel visant à favoriser une plus grande compréhension entre les groupes eux-mêmes et entre ces derniers et la communauté québécoise» (M.I.Q., 1977: 26)

Quarante et une demandes de subvention sur soixante-douze seront satisfaites pour un total de 174 310$ aux organismes québécois et 125 600$ aux organismes «dits ethniques»; dix-sept projets d'aide contractuelle pour une somme de 25 388$.

En 1977, la politique définie est de ne procurer aux groupes ethniques que l'aide contractuelle et de réserver les subventions aux organismes québécois «en raison de leur responsabilité d'accueil». Cette politique se trouvera modifiée en cours d'année suite aux pressions faites par les groupes et associations ethniques touchés. Des subventions de fonctionnement pour la somme de 281,087$ seront donc accordées à des «organismes représentatifs et dynamiques... ayant comme objectif de dispenser des services aux immigrants et de favoriser l'accès de ces derniers au réseau des services publics et para-publics. L'aide contractuelle sera accordée aux projets qui visent à «favoriser la jonction entre ressortissants des diverses communautés ethniques et la communauté francophone» (64,800$) et 80.00$ seront attribués aux cours de langues ethniques (M.I.Q., 1978: 45)

En 1978-79, l'aide financière sera divisée en quatre programmes:

Aide à la création au fonctionnement des organismes d'accueil et d'adaptation: «le Ministère veut ainsi faire assumer par le milieu les responsabilités d'accueil et d'adaptation des immigrants».

Programme d'activités d'adaptation: «soutien technique et financier aux organismes qui, par la mise en place de programmes d'activités aident à développer dans les milieux de vie, de travail ou de loisirs, des interrelations et à créer des liens de solidarité entre québécois de toutes origines».

Programme d'activités ethniques... «veut offrir aux groupes ethniques l'occasion de faire connaître à la communauté québécoise leurs traditions et leurs richesses culturelles en leur apportant une aide technique et financière lors d'événements significatifs».

Programme de langues ethniques: «cours de langue maternelle». (M.I.Q., 1979: 32)

En 1979, l'attribution de l'aide financière apparaît alors mentionnée comme une «opération délicate» nécessitant à la fois des critères de sélection de plus en plus précis et une véritable grille d'analyse. La discussion porte sur les fonctions et les clientèles. Les organismes d'accueil s'adressent à la «clientèle spécifique du Ministère, les immigrants»; ils offrent un ensemble de services pour leur installation et leur établissement comme l'hébergement, la référence, le counselling, l'accompagnement... «Le Ministère a une responsabilité directe et prioritaire à l'endroit de ces organismes».

Les organismes d'adaptation s'adressent eux, à des «Québécois d'arrivée récente» et veulent principalement assurer «une meilleure jonction entre les besoins de ces personnes et les ressources du milieu». Il s'agira d'aider ceux qui rencontrent diverses difficultés (pour des raisons linguistiques, psychologiques et socio-culturelles) et de les «inciter à mieux utiliser l'ensemble des ressources communautaires».

Les organismes d'intégration... «agissent sur l'ensemble de la société québécoise pour faire évoluer les mentalités, les attitudes, les comportements et ainsi assurer l'harmonie et la cohésion sociale (M.I.Q., 1980: 46).

L'aide financière entend soutenir prioritairement trois catégories de personnes connaissant des problèmes particuliers: les réfugiés, les travailleurs et les femmes. Définition donc d'une population-cible à l'intérieur même des groupes ethniques.

Enfin, la grille d'analyse veut assurer une distribution équitable du budget entre les différentes communautés en tenant compte, notamment, du mouvement migratoire des dernières années; du statut économiquement faible et des problèmes d'adaptation de certains groupes ethniques.

Cette même année, le MIQ procède à l'élaboration d'un protocole d'entente qui définit les responsabilités et obligations réciproques du Ministère et des organismes. Ce protocole fait état des rapports d'étape, du rapport annuel et du rapport financier devant être transmis au Ministère par les organismes... «de même que de certains autres documents faisant foi de la vitalité de l'organisme et de sa vie démocratique...» (M.I.Q., 1980: 43)

En 1980-81, les critères se précisent encore davantage:

- le MIQ accordera une priorité aux organismes d'accueil et d'établissement, aux organismes d'adaptation et aux organismes d'intégration.

- il privilégiera les organismes à clientèle multi-ethniques. La clientèle-cible sera composée des réfugiés, des femmes des travailleurs, etc.

- l'implication du milieu et le bénévolat seront des éléments importants.

- le mouvement migratoire, enfin, déterminera l'importance des clientèles.

Deux programmes sont mis en place: un programme d'aide aux centres communautaires (lieux physiques), et un programme d'aide aux activités des communautés culturelles telles que des projets ponctuels qui permettent à une communauté de vivre sa culture et de partager celle-ci avec la communauté francophone».

Trois autres programmes suivent en 1982-83 concernant le regroupement de locaux et de services; fonctionnement des organismes pour le développement de la culture d'origine, la promotion et le rayonnement de celle-ci dans le milieu québécois; enfin, des projets à caractère novateur, expérimental.

Plusieurs programmes existants sont maintenus: aide aux médias des communautés culturelles, aide aux langues ethniques, aide financière pour l'accueil, l'adaptation et l'intégration, assistance à un programme de services, accessibilité à des services sociaux.

5. Conclusion

À travers ces différentes étapes, nous pouvons observer qu'il y a eu très tôt (la deuxième année de fonctionnement) financement d'organismes existants, sans élaboration claire de critères de sélection; on se base sur des formulations laissant largement place à l'arbitraire, telles que: «associations qui ont prouvé leur efficacité, activités jugées par nous prioritaires», recommandations à partir de «contacts fréquents» etc..., jusqu'à ce que, au cours de l'année 1976-77, une étude soit entreprise afin de «raffiner les procédés administratifs et de rationnaliser pour une ventilation optimale». Le financement de certains groupes et associations a en effet poussé d'autres groupes à demander également ces subventions et c'est face à ce nombre croissant (grandissant plus vite que le budget alloué) que le MIQ devra bien essayer de rationaliser quelque peu l'octroi de son aide financière.

La distribution première sera faite tout d'abord selon l'appartenance ethnique des groupes: groupes québécois ou ethniques, ces derniers obtenant toujours moins de subventions que les organismes québécois, excepté au cours de deux années: 1970-71 et 1981-82.

C'est seulement au cours de l'année 1979-80, première année du mandat de Gérald Godin, que sera élaboré un protocole d'entente entre les organismes subventionnés et le ministère avec rapports d'étapes, rapports annuels, rapports financiers de même que certains autres documents faisant foi de la vitalité de l'organisme et de sa vie démocratique.

Cette même année, on définit une population-cible, composée de réfugiés en nombre particulièrement important (7669, soit un peu plus de 39% de l'apport de nouveaux immigrants au cours de cette année), de femmes (préoccupation reliée à l'impact du mouvement des femmes) et de travailleurs. Le ministère met sur pied des programmes de financement des organismes voués à l'accueil et à l'adaptation en fonction de ces populations-cibles.

Historiquement, les dispositions prises par le gouvernement du Québec en matière d'accueil et d'aide aux immigrants, ont été élaborées et mises en place bien après que des groupes bénévoles, confessionnels ou ethniques aient commencé à assumer cette responsabilité avec les moyens dont ils disposaient.

En 1981-82, on assiste clairement à un changement de politique, l'emphase étant mise sur les communautés culturelles. Les activités subventionnées deviennent essentiellement des activités de services... que devrait assumer lui-même le MIQ comme l'hébergement, la référence, le counselling, l'aide financière, etc... ou encore des activités socio-culturelles visant à la fois l'expression et l'épanouissement propre des différentes communautés culturelles et le rapprochement de ces communautés avec la communauté québécoise francophone, dans un but de «cohésion et d'harmonie sociale».

Le MIQ, créé en 1968, prendra en charge le strict minimum soit l'aide à l'arrivée: présence aux aéroports, un peu d'aide financière, quelques hébergements, un peu d'aide pour trouver un emploi, etc... Il encouragera plutôt les organismes existants à continuer leur travail.

On peut se demander quelles sont les raisons qui ont poussé le ministère à faire de tels choix; il aurait pu, en effet, décider de mettre lui-même en place une infrastructure d'aide et d'accueil. Les hypothèses que nous pouvons avancer sont de deux ordres.

Au niveau économique, il est beaucoup moins coûteux de soutenir des associations privées qui possédaient déjà une certaine expertise. L'immigration peut aussi varier d'année en année en fonction de la conjoncture économique et politique internationale, ce qui peut inciter l'État à ne pas mettre en place des structures permanentes mais plutôt subventionner les associations qui font ce travail: ce financement peut toujours diminuer d'une année à l'autre et même s'achever sans grands risques politiques. Dans ce domaine, le désengagement de l'État est manifeste.

Au niveau politique, les associations n'ont pas attendu l'existence du Ministère pour se créer et mettre en place divers services dont elles ne veulent peut-être pas se décharger. Les responsabilités qu'elles assument ainsi peuvent en effet leur conférer une certaine influence (idéologique ou autre) et donc un certain pouvoir dans la société québécoise. Si cette dimension est moins évidente aujourd'hui, elle était assez claire dans le discours des Églises dans les années 1950.

Enfin, encourager de multiples groupes par une aide financière renvoie l'image d'une certaine générosité même si elle s'assortit en même temps de contrôles devenant de plus en plus bureaucratiques; ceci peut faire partie d'une sorte de stratégie visant à se rendre plus «sympathique» et à gagner un certain capital politique, non-négligeable en particulier auprès de communautés ethniques traditionnellement plus attirées par le côté anglophone que francophone.

Il faut aussi garder en tête que le Ministère de l'Immigration du Québec n'est pas né dans la volonté «d'aider et d'accueillir» les immigrants mais bien dans le but de renforcer le groupe francophone dans une Amérique du Nord anglophone. Si nous jetons un rapide coup d'œil sur la répartition du budget du Ministère au cours des dernières années, nous constaterons en effet que la formation linguistique est bien l'objectif prioritaire:

Années	Total	Formation linguistique		Adaptation-accueil	
1977-78	11 357,700	5 830,000	51.3%	1 656,400	14.6%
1978-79	13 501,500	7 103,500	52.6%	1 680,000	12.4%
1979-80	20 003,100	11 247,500	56.2%	2 251,000	11.2%
1980-81	26 808,400	17 501,900	65.3%	2 291,000	8.5%
1981-82	21 270,400	10 205,300	48.0%	2 147,100	10.0%
1982-83	23 801,300	10 461,300	43.9%	3 464,200	14.5%
1983-84	24 143,000	9 644,300	39.9%	3 986,400	16.51%
1984-85	27 704,900	9 952,000	35.9%	2 759,200	9.95%
1985-86	28 249,800	9 403,900	33.28%	2 789,500	9.87%
1986-87	27 853,300	9 283,700	33.33%	2 926,800	10.5%
1987-88	32 369,200	13 533,700	41.81%	2 380,100	7.35%

La formation linguistique consistera essentiellement en cours de français donnés dans les COFI (Centres d'orientation et de formation des immigrants) «instrument privilégié de cette intégration sociale et professionnelle des immigrants». La direction de la Formation a le mandat «d'assurer la francisation de deux clientèles: les nouveaux venus et les plus anciennement arrivés» (MCCIQ, 1982: 31)

Que peut-on dégager de telles politiques? En premier lieu, il apparaît clair que la «charité» privée joue encore un rôle important dans les services aux immigrants. Au premier coup d'œil, on est porté à croire qu'il s'agit là d'une situation souhaitable pour répondre de façon efficace aux demandes des immigrants et des réfugiés. Par contre, à l'analyse, on réalise que les immigrants sont réduits à un secteur à part, défavorisé. En fait, le système de subventions est économique pour l'État. L'apport économique et démographique de la main-d'œuvre immigrante justifierait une politique égalitaire, c'est-à-dire publique, accessible à tous, citoyens canadiens et immigrants. En principe, tous les services sont accessibles à tous, mais dans les faits le MSS et le MCCIQ reconnaissent l'inadéquation entre les services publics et les besoins. Il est évident aussi que l'État ne veut pas développer des services permanents pour les immigrants en raison du fait que l'immigration est un phénomène évolutif, changeant selon les conjonctures économiques et politiques.

Enfin, le système de subventions permet à l'État de garder un bon contrôle sur l'ensemble des communautés. On constate, par exemple, que la plus grande partie des subventions va aux services de dépannage et que les organismes qui voudraient faire davantage un travail communautaire (défense de droits, organisation coopérative, syndicale, populaire, etc...) se voient souvent refuser leur subvention. Ce constat ne veut pas dire que nous devons fermer tous les centres de services subventionnés, mais il faut réaliser que les possibilités d'action sont limitées parce que soumises aux critères de l'État. Par ailleurs, l'intervention sociale réalisée dans ces centres laisse flotter une question, à savoir si elle répond vraiment aux problèmes fondamentaux vécus par les immigrants et les réfugiés. Certes, elle répond aux problèmes urgents et immédiats que rencontre tout immigrant, mais l'intervention sociale est assez impuissante à agir sur les conditions de vie et de travail, sur l'application de la loi de l'immigration, sur l'application des politiques sociales, sur la planification même des services aux immigrants et sur les conditions faites aux réfugiés.

De plus, les services publics tels que conçus actuellement ne peuvent répondre adéquatement aux besoins des immigrants et des réfugiés en raison de leur structure, de leurs objectifs, de leur organisation du travail et de leur orientation même. De fait, les centres de services sociaux et les centres locaux de services communautaires ne peuvent pas, dans le contexte actuel, s'impliquer dans un véritable travail à long terme avec les immigrants et les réfugiés (travail communautaire, pressions sur les divers paliers de gouvernement quand il y a lieu).

CHAPITRE 3

LES RÉFUGIÉS ET
LES SERVICES SOCIAUX

Les réfugiés et les services sociaux

Tout au long de leur processus d'insertion, les réfugiés rencontrent un certain nombre de difficultés et ils font souvent appel aux services sociaux pour trouver des solutions à leurs problèmes. Notre étude des perceptions des réfugiés salvadoriens et iraniens révèle leurs perceptions, leurs attentes à l'égard des services sociaux. Toutes les personnes interrogées n'ont pas eu besoin des services sociaux publics mais la majorité ont demandé assistance dans les organismes non-gouvernementaux (O.N.G.). Il ne s'agit pas d'une évaluation systématique et exhaustive des services sociaux mais d'un portrait, d'une exploration du petit monde des services sociaux avec le regard neuf d'usagers qui correspondent à des caractéristiques précises, les réfugiés.

1. Les réfugiés salvadoriens face aux services sociaux

A. Les services gouvernementaux

Les services gouvernementaux sont peu connus. Les réfugiés Salvadoriens ont tendance à utiliser les services sociaux dispensés par des organismes non-gouvernementaux spécialisés dans les relations interethniques. En général, ils sont d'abord référés par le ministère des communautés culturelles et de l'immigration ou par des amis. Les principaux organismes consultés sont L'Hirondelle, La Maisonnée, L'Alliance Pan-américaine, SOS Guatemala, le Service d'Aide aux Néo-Québécois et Immigrants (SANQUI), le Service d'Aide aux Réfugiés et Immigrants (SERDARI) et le Carrefour Latino-Américain (CLAM).

113

On connaît peu les services publics comme les Centres locaux de Services Communautaires (CLSC) et les Centres de Services Sociaux (CSS) et encore moins la nature des services qui y sont offerts. Les quelques personnes qui se sont adressées à ces organismes gouvernementaux n'en sont pas ressorties très satisfaites.

« Dernièrement, j'ai connu un CLSC. Nous les Salvadoriens, nous avons très peu d'information sur les CLSC. Nous ne les connaissons pas. Quand j'étais enceinte, j'y suis allée pour les cours prénatals. Au CLSC, la communication était en français. J'aurais pu aller à un autre endroit où on parlait espagnol mais je voulais aller à un endroit où on parlait français pour établir des contacts avec des gens d'ici.» (Minerva)

« Je ne connais pas les CLSC. Je n'y suis jamais allée. Quand j'ai un problème, je vais voir un médecin chilien qu'une amie m'a fait connaître. On m'a dit que les CLSC ne sont pas très bons. Je connais une dame qui y est allée et personne ne la comprenait parce que personne ne parlait espagnol.» (Laura)

« Les immigrants ont une mauvaise perception des CLSC. Ils ne sont pas bien informés sur leurs services. Les CLSC devraient peut-être travailler plus en étroite collaboration avec les services d'aide aux immigrants, par exemple, travailler avec quelques organismes qui travaillent avec les Latino-américains ou les organismes multiethniques. Moi, j'en ai parlé à quelques immigrants et ils ont la perception que les CLSC sont comme des centres communautaires où tu vas si tu as des problèmes avec la drogue ou l'alcool ou des choses comme ça... En d'autres mots, c'est comme un service pour les marginaux...» (Matilde)

« Non, je ne connais pas les CLSC. Je suis allé à une rencontre là où travaille madame «X»... je ne sais pas le nom... À SANQUI et au Centre sur Plamondon...» (Manuel Antonio)

« Les CLSC... Je ne les connais pas du tout et j'ai une idée très superficielle de ce qu'ils sont et de ce à quoi ils servent. Cette information, je l'ai obtenue en demandant par-ci par là mais je ne me suis jamais présentée dans un CLSC...» (Rosa)

B. Les services non gouvernementaux

Si le réfugié s'adresse à un organisme communautaire, l'orientation que l'organisme lui donne a une incidence directe sur la solution ou l'absence de solution à ses problèmes. Le réfugié arrive souvent tellement désemparé qu'il veut une réponse immédiate, claire et précise à sa demande. Il n'est pas intéressé à recevoir des conseils trop compliqués et encore moins qu'on lui dépeigne la réalité d'ici telle qu'elle est. Ceux qui ont trouvé des réponses à leurs problèmes sont satisfaits de la qualité des services reçus et ont développé une opinion positive des organismes communautaires comme Centro Hispanico, Centro Latinoamericano, Sanqui, Serdari, La Maisonnée et d'autres.

Dans ces centres, le réfugié cherche d'abord une assistance immédiate (aide matérielle, de l'aide pour la traduction de différents documents, la recherche d'un logement ou d'un emploi, des renseignements divers, des cours de français, un lieu où rencontrer des gens, etc..).

« La première semaine, nous sommes d'abord allés rencontrer la responsable une fois. Là, on nous a donné certaines explications sur le processus que suit l'immigration avec les réfugiés qui viennent d'arriver. À La Maisonnée, ma femme est allée prendre des cours de français... Nous y sommes allés quatre ou cinq fois... chercher de la nourriture une fois par semaine... ce qu'ils font encore maintenant. Depuis que j'ai commencé à travailler, je n'ai plus besoin d'y aller.» (Romeo)

« Tu arrives dans un organisme d'aide parce qu'on t'a donné des références. Selon tes besoins, tu vas à un organisme. Quand je suis venu, il y avait encore un réseau d'assistance pour les réfugiés; maintenant, il y en a un peu mais c'est comme si tout était en voie de démantèlement.» (Manuel Antonio)

La demande de services est un processus difficile pour le réfugié qui se sent placé en situation d'incapacité, de faiblesse. Il réagit parfois mal aux réalités contre lesquelles l'organisme ne peut pas grand chose.

« Quand quelqu'un s'adresse à un centre, c'est comme si la personne se sentait invalide et voulait que le centre règle ses problèmes. C'est comme quand tu as ta carte d'assurance-maladie, tu vas chez le médecin et tu espères sortir avec ton médicament.» (Matilde)

« Je suis d'abord allé à La Maisonnée mais cela ne m'a pas tellement plu. Je suis allé là, surtout avec l'idée d'étudier; mais là on a commencé à me parler de la réalité: que tout était difficile... que je devais être résident et tout le reste, alors, je me suis déséquilibré un peu et je n'ai plus rien voulu savoir de La Maisonnée...» (Ricardo)

Au-delà des critiques, certaines personnes ont réfléchi à ce que les organismes communautaires pourraient développer pour mieux les soutenir dans les difficultés créées par leur nouvelle situation.

> « Moi, je crois qu'il serait mieux que les organismes donnent un service très spécialisé aux heures de travail et qu'après ils organisent des activités où les immigrants qui sont seuls pourraient aller pour rencontrer d'autres gens.» (Rosa)

> « Les organismes pourraient aussi faire quelque chose pour les adolescents. Ici, il y a beaucoup d'adolescents qui sont seuls. Ils arrivent sans famille et ne parlent pas français et c'est difficile pour eux de se faire des amis. Les organismes pourraient aussi s'occuper des femmes, trouver des bénévoles s'il le faut pour faire des ateliers d'apprentissage avec elles. Je pense que ce serait bon. À mon avis, il y a aussi beaucoup de femmes seules qui en profiteraient mais il n'y a pas de projets d'action communautaire.» (Carolina)

Certains réfugiés «s'attachent» en quelque sorte à un organisme pour toutes leurs demandes. Lorsqu'ils sont satisfaits des services, ils sont très reconnaissants à l'égard de l'organisme et le font un peu leur.

> « Ces organismes sont très bons parce qu'ils nous aident beaucoup. Moi, SANQUI m'a aidé beaucoup. Quelqu'un m'a accompagné à l'immigration et on m'a fourni un interprète.» (Oscar)

> « À la Maisonnée, on m'a beaucoup aidé. On m'a aidé à remplir des papiers». (Fredis)

> « Moi, j'ai rencontré un pasteur protestant qui m'a beaucoup aidé. Il m'a trouvé un endroit où dormir et il nous a donné toutes sortes d'informations: où nous devions aller, ce que nous devions faire et tous les droits et les devoirs que nous avons. Maintenant, j'ai adhéré à cette religion...»(Benjamin)

> « Moi, le centre d'aide Hispano-américain m'a aidé beaucoup. Quand j'ai un problème, je vais toujours là.» (Benjamin)

> « À La Maisonnée, j'ai obtenu un appui important. J'ai beaucoup confiance en ce centre.» (Margarita)

« J'ai vérifié avec quelques amis s'il y avait un organisme plus près. Ils me parlèrent alors de La Maisonnée et c'est à côté de chez moi.» (Romeo)

Certains services privés (O.N.G.) naissent d'initiatives de réfugiés. Conscients du phénomène de consommation de drogues ou d'alcool qui affecte un certain nombre de leurs compatriotes, ils acceptent de travailler à la mise en place de ressources alternatives. Ils estiment que ces ressources aident surtout les jeunes à moins ressentir la solitude et à trouver des solutions à leurs problèmes. Il est clair que les individus les plus engagés dans le groupe salvadorien essaient d'aider les individus aux prises avec des problèmes urgents; ils se sentent un peu responsables de leurs compatriotes.

« Dans cet organisme d'aide, nous nous sommes attaqués au secteur le plus affecté, c'est-à-dire les personnes seules et les jeunes qui ont des problèmes, les alcooliques et les drogués. Jusqu'à un certain point, nous avons réussi. Nous avons huit personnes qui travaillent dans ce projet. Tous sont Salvadoriens. Nous avons formé une équipe de football, des groupes de théâtre,etc. Ce travail permet à l'individu de se sentir bien et de se sentir moins seul. Cette entrevue-ci, par exemple, me donne l'impression que je peux être utile; ce que je dis et ce que d'autres compatriotes ont dit peut servir...» (Carlos)

« Nous, dans quelques organismes, nous tentons de former un groupe de femmes afin qu'elles puissent se réunir. Il y a beaucoup de «Latinas» (sic)... Ces personnes sont ici depuis peu de temps et elles souffrent beaucoup de la solitude. Elles n'ont pas d'activités, ne font rien, alors, cela leur nuit beaucoup.» (Minerva)

La perception des services par le réfugié est conditionnée par le fait qu'il se trouve souvent complètement désarmé face aux situations difficiles qu'il vit à tous les niveaux. La personne a beaucoup d'attentes par rapport aux organismes, souvent elle attend même des services que ces derniers ne peuvent offrir. On leur reproche un manque d'efficacité, une attitude paternaliste, une bonne volonté mais trop souvent une absence d'informations précises sur les problèmes et solutions à apporter. On considère que les organismes semblent vouloir tout faire alors qu'ils auraient besoin de se spécialiser un peu afin de pouvoir répondre de façon adéquate à toutes les demandes. On a pu entendre plusieurs critiques au cours des entrevues.

« Les services ne sont pas parfaits. C'est très peu ce qu'ils peuvent faire mais ils sont nécessaires. C'est une bouée pour le réfugié... C'est un appui. Je pense que les organismes sont complémentaires et que plusieurs organismes qui disent offrir de l'aide aux réfugiés doivent se spécialiser. Ce qui arrive c'est qu'il existe une sorte de compétition faisant que tous les organismes restent à un certain niveau de généralité. Le gouvernement qui subventionne doit comprendre qu'il faudrait une sorte de spécialisation pour pouvoir offrir un meilleur service dans une société moderne comme celle-ci. Si j'ai un problème de santé, je vais aller voir le médecin; si j'ai un problème d'angoisse, de dépression, je vais aller voir le psychologue; si j'ai un problème de comptabilité, je vais aller voir le comptable; si j'ai un problème juridique, je vais aller voir l'avocat mais dire que les organismes vont tout entreprendre, c'est comme dire «apprenez de tout mais rien d'officiel». (Matilde)

« Ils ont tous de la bonne volonté, de l'enthousiasme, un désir de faire les choses bien mais d'une certaine manière, ils ont une certaine inefficacité pour la simple raison qu'ils en prennent trop. Je voyais par exemple qu'ils cherchaient des logements pour les réfugiés, faisaient des traductions, accompagnaient des gens dans leurs démarches, tout cela en même temps . Moi, par exemple, je me suis offerte un jour par semaine pour travailler avec eux; j'arrivais là-bas et à plusieurs reprises, on n'avait pas de travail à me donner, d'autres fois quand j'arrivais ils commençaient à se demander ce qu'ils pouvaient bien me donner et réellement, cela me déconcertait un peu.» (Rosa)

« À L'Hirondelle, on ne m'a pas aidé beaucoup. On ne m'a rien appris. Ils me disaient: «tu dois attendre ton permis de travail et après tu vas travailler... Que s'est-il passé? J'ai attendu mon permis de travail pendant trois mois...» (Carlos)

« Là, pratiquement, on ne m'a pas aidé. On m'a seulement dit comment les choses sont ici... comment je pourrais vivre... que tout était cher... que c'est difficile de trouver du travail, etc...» (Manuel Antonio)

Cette généralité qu'on reproche aux services crée de la confusion chez la personne qui vient d'arriver. Elle s'attend à des réponses précises et ne les obtient pas toujours. Le témoignage de Carolina synthétise bien ce que plusieurs personnes ont rapporté. Il traduit des problèmes de perception inadéquate de la situation du réfugié de la part de l'organisme et de distorsion un peu caricaturale des services reçus, en raison de l'insécurité et de l'insatisfaction vécues dans les démarches.

> « À L'Hirondelle, quelqu'un m'a expliqué le processus des enquêtes et tout cela et on m'a dit que j'avais droit à un avocat. Ils m'ont donné l'information toute croche et j'étais mêlée par rapport à ce qu'ils me disaient et ce que l'immigration et les gens me disaient. En discutant, on me présenta un feuillet qui disait de faire attention aux maladies vénériennes, de faire attention au sida, qu'il faut utiliser le condom... Moi, jamais je ne vais pouvoir oublier cela. Ca me fait rire parce que les procédures de l'immigration n'avaient aucun sens... aucun lien avec les maladies vénériennes...» (Carolina)

Quant au travail professionnel des avocats qui œuvrent pour les différents centres d'aide aux immigrants et réfugiés, les réfugiés le perçoivent aussi comme déficient. La majorité ont l'impression que les avocats ne sont pas véritablement intéressés à les aider. Dans une situation difficile qui génère beaucoup d'anxiété, le réfugié a tendance à se considérer comme «le cas» et, en conséquence, il exige une attention particulière. Quand il reçoit cette attention, il se sent plus en sécurité. Mais quand il rencontre un avocat, ce dernier est souvent débordé de travail, doit faire vite et aller à l'essentiel; il n'a pas toujours le temps d'écouter avec attention, avec calme, et faire une étude approfondie du cas. Ce constat augmente l'anxiété et donne au réfugié l'impression que l'avocat ne se préoccupe pas sérieusement de son dossier. Roberto, malgré un témoignage un peu confus, voire exagéré, présente bien une perception généralisée:

> « Je crois qu'il ne savait même pas quel était mon problème. «Je sais, me dit-il, je l'ai lu»... Je suis arrivé un jour avant l'entrevue. Il me dit: «C'est bien! Tu as seulement à insister sur les dates.» Ce fut toute ma préparation pour l'entrevue. Il y a des choses que... quand je les lui ai dites... il ne savait pas qu'elles étaient écrites dans mon dossier et que je n'aurais peut-être pas dû dire. Parfois, je devrais dire souvent, c'est difficile de comprendre ce qui se passe ici... Tout cela il me le dit après... Ce fut le seul qui écouta mon témoignage parce qu'il savait qu'il y en avait quatre autres qui l'attendaient et lorsqu'il a plus de clients qui arrivent, il gagne plus d'argent étant donné que l'aide juridique le paie...Souvent, les avocats ne savent même pas faire la différence entre un réfugié qui vient du Chili et un autre du Salvador. (Roberto)

Dans l'accès aux services sociaux publics, l'individu est un peu invalide face aux services; il ne peut faire ses démarches lui-même et ne peut aller aux mêmes endroits que la plupart des gens, ce qui bloque ses possibilités d'insertion dans son nouveau milieu de vie. La méconnaissance du français semble l'obstacle majeur. On croit généralement que les réfugiés utiliseraient davantage les services publics s'ils pouvaient les obtenir dans leur langue. La fréquentation des services sociaux privés est justement plus importante en raison de la langue d'accès. Les répondants ne semblaient pas savoir que plusieurs services publics peuvent offrir des services en espagnol. Plusieurs témoignages expriment une demande de services dans cette langue.

« C'est un gouvernement qui gaspille beaucoup en propagande, beaucoup en papier. La demande d'aide sociale, on te la donne en français et en anglais; il y a tellement de ressources ici, qu'est-ce que ça leur coûterait de présenter les demandes en quatre langues importantes? À l'ambassade des État-Unis, on te demande dans quelle langue tu veux les formulaires, en français, en anglais ou en espagnol... Ceci au consulat nord-américain à Montréal. Pour l' amour de Dieu! Ils peuvent te donner ta demande en espagnol et te parler espagnol si c'est la troisième langue... Il faudrait employer les principales langues utilisées selon les groupes d'immigrants ou de réfugiés...» (Matilde)

« Quand je suis arrivée ici, je me suis rendu compte que je ne pouvais pas trouver une personne avec qui parler espagnol. C'était au CLSC de Rosemont. Pour moi, le CLSC, ce fut complètement inutile...» (Carolina)

« Je me suis rendue compte après que ce CLSC voulait aider les Latinos; ils demandèrent à ma sœur si elle voulait travailler ou collaborer avec eux parce qu'il y avait beaucoup de Latinos qui avaient des problèmes et il fallait leur donner des services; et eux, ils ne connaissaient pas la langue. Il y avait ce vide dans l'aide aux Latinos» (Minerva)

C. Évaluation globale

En conclusion, plusieurs remarques importantes peuvent être faites à propos des services aux réfugiés.

En ce qui concerne le réseau gouvernemental de services sociaux, deux obstacles majeurs en limitent l'accès aux réfugiés. Tout d'abord, ces derniers ne sont pas informés de l'existence et de la véritable nature des services. Deuxièmement, trop peu de services sont disponibles en espagnol. La perception des CSS et CLSC par les réfugiés repose essentiellement sur des ouï-dire qui ne sont guère encourageants, le résultat étant une perception plutôt négative en général.

Les suggestions de quelques réfugiés à ce sujet pourraient être utiles à considérer: bien sûr, et cette question est au cœur des préoccupations ministérielles depuis fort longtemps, il faudrait assurer dans l'ensemble du réseau des services en d'autres langues que le français et l'anglais. Et par ailleurs, une bonne information sur les services privés d'aide aux immigrants et réfugiés serait à développer.

En ce qui concerne les organismes privés (communautaires), malgré des appréciations partagées, les avis généraux se rejoignent pour faire consensus sur certains points: les répondants notent une relative inefficacité due à une trop grande dispersion du travail. Une grande variété de services est requise mais les commentaires vont dans le sens d'une spécialisation des interventions afin que le réfugié puisse obtenir un service de qualité par rapport au problème spécifique pour lequel il vient consulter.

Enfin, il semble qu'un retour sérieux sur le travail des professionnels tel que celui des avocats et des travailleurs sociaux s'impose, assorti d'une démarche de sensibilisation de ces derniers aux caractéristiques psychologiques, sociales et politiques des réfugiés en général et de leur clientèle ethnique particulière. Cette remarque vaut pour tous les intervenants. Le premier principe de base à retenir semble bien être en effet, à la lumière des propos des répondants, que les réfugiés ont d'abord et avant tout besoin d'être sécurisés et assurés qu'on les traite avec attention et déférence. Cette exigence de leur part s'avère des plus naturelle quand on constate combien le réfugié est dérouté, perturbé psychologiquement, oppressé par des sentiments d'anxiété, de solitude, d'impuissance et de marginalisation dans une société inconnue.

Les expériences développées par certains réfugiés Salvadoriens eux-mêmes, pour répondre aux principaux problèmes sociaux vécus par leurs compatriotes, méritent aussi qu'on leur porte attention. Ces expériences semblent valoir la peine d'être encouragées et possiblement constituent-elles des pistes intéressantes pour les organismes soucieux d'améliorer leurs services et interventions afin de mieux répondre aux besoins et situations de groupes particuliers.

En plus des recommandations précédentes, apportées par les répondants eux-mêmes, l'analyse des propos recueillis amène à conclure également qu'en terme de services ou programmes visant à faciliter l'insertion des réfugiés et immigrants, il pourrait être très utile d'informer les nouveaux arrivants, tout comme les intervenants et les Québécois en général, sur les modes d'entrée en communication et les particularités relationnelles des uns et des autres, afin d'éviter des mésinterprétations qui peuvent avoir de lourdes conséquences. Les réfugiés Salvadoriens somme toute, ont un vécu tel qu'ils s'ajustent assez bien à des situations socio-économiques pourtant difficiles, arrivent également à composer avec leur situation globale d'exilé, surtout dans le cas des réfugiés politiques et même si ces derniers ont comme objectif de retourner vivre chez eux; tenant compte de leurs expériences collectives, mettre sur pied des programmes d'action communautaire orientés vers le développement de la participation à des activités sportives et artistiques, à la vie des syndicats et des groupes populaires, à la vie de quartier, etc... pourrait accorder un support supplémentaire très important.

2. Les réfugiés iraniens et les services sociaux

A. Les services gouvernementaux

Nous n'apprendrons pas grand chose sur les services publics, pour la bonne raison qu'aucun des répondants ne les connaît. Si l'on cherche une réponse à la sous-utilisation de ces services et au problème de leur accessibilité, tout commence avec la méconnaissance des services.

> « À part la Maisonnée (O.N.G.) et Monsieur X (travailleur social de la Maisonnée), je ne connais pas d'autre service social». (Kermansh)

> « À par la secrétaire de mon avocat, je ne connais pas d'assistance sociale». (Reza)

> « Je ne connais aucun endroit qui peut m'aider, aider les réfugiés ou les nouveaux arrivants qui ont beaucoup de difficultés et ont besoin d'information. Si j'avais connu quelqu'un pour me renseigner à propos de ma demande de statut, j'aurais peut-être ma réponse aujourd'hui (sa deuxième enquête a été retardée de plusieurs mois parce qu'elle ne connaissait pas les procédures à suivre) (Jamileh)

Quelques rares personnes (deux) ont vaguement entendu parler qu'il existait des services sociaux publics mais elles ne désirent pas s'y

adresser. Elles sont très méfiantes par rapport à tout ce qui est
«gouvernemental».

«Je suis un peu méfiante des bureaux gouvernementaux (Fariba)

«Je n'ai pas confiance aux services sociaux». (Kobra)

Cette méfiance par rapport aux services publics vient du fait qu'ils
sont liés aux autorités gouvernementales, craintes par les réfugiés
iraniens à cause de leur statut précaire; mais un autre facteur, à caractère
culturel, entre aussi en ligne de compte.

Nous avons vu à plusieurs reprises que les Iraniens sont très pudiques
en ce qui concerne leur vie privée. S'adresser à un service social est une
démarche inhabituelle, gênante, à laquelle beaucoup essaient de ne pas
recourir. S'ils ont des amis, de la famille autour d'eux, c'est la voie
qu'ils privilégieront pour obtenir des informations et des conseils
techniques. Les autres sources d'information sont des individus qu'ils
voient plus comme des contacts particuliers que comme des «agents de
services sociaux», tels les travailleurs sociaux (employés d'O.N.G. en
général) affectés à l'accueil des réfugiés à l'Hôtel Europe (point
d'hébergement temporaire à l'arrivée). Les secrétaires des avocats
jouent également un rôle clé d'informatrices; ou encore, une aide
«providentielle» peut leur être apportée au hasard des rencontres:

« En cherchant un logement, j'ai rencontré une famille qui m'a
donné quelques téléphones et quelques adresses... C'est ainsi que
j'ai eu le téléphone de la Maisonnée et l'adresse d'un avocat dont
la secrétaire est iranienne. Mes papiers d'immigration, je les ai
réglés avec l'aide d'un Iranien». (Karami)

« Je n'ai jamais contacté un service social ou un organisme d'aide...
La majorité de mes problèmes, j'en parle avec les membres de ma
famille. Ce sont eux, par exemple, qui m'ont donné les
informations pour me rendre à l'immigration». (Manoucheher)

« Tous les Iraniens que je connais essaient de résoudre leurs
problèmes par eux-mêmes; c'est-à-dire que si quelqu'un a une
difficulté, il s'adresse à une autre personne qui a eu la même
difficulté et l'a résolue. On ne s'adresse pas à un organisme ou à
des services sociaux qui aident les réfugiés... Moi par exemple,
j'ai eu l'adresse de mon avocat par mon cousin qui vit ici».
(Jamileh)

On notera à travers ces témoignages que l'aide recherchée par les répondants est de nature strictement technique: adresse d'un avocat, d'un bureau d'immigration, d'un organisme d'information et de référence, soutien pour remplir des documents, etc. Les difficultés psycho-sociales reliées au processus d'insertion, par exemple, ne font l'objet d'aucune demande. Pourtant, les problèmes de cette nature sont nombreux et profonds. Cette grande difficulté chez les Iraniens à solliciter un appui mérite d'être retenue pour une réflexion sur les modèles et programmes d'intervention à leur égard.

B. Les services non-gouvernementaux

Presque tous les répondants (sauf Keyvan) ont été en contact au moins une fois avec un travailleur social ou un organisme d'assistance aux réfugiés.

Le contact avec le travailleur social a presque toujours eu lieu à l'Hôtel Europe, tel que souligné plus haut. L'organisme d'assistance utilisé a été la Maisonnée, sauf dans un cas: Tavana a été dirigé vers la Maison internationale de la Rive-Sud. Enfin, une femme ne s'est pas adressée à un O.N.G. parce qu'elle a été mise en contact dès son arrivée avec un service paroissial auquel elle recourt exclusivement.

Pour ce qui est des services paroissiaux, Kobra en semble enchantée:

« Maintenant, quand j'ai un problème je m'adresse à la paroisse près de chez moi. Cette solution m'a été suggérée par ma famille... Par exemple, à Noël, ils nous ont apporté des cadeaux. Madame X est comme une amie pour moi. Elle me téléphone régulièrement, elle me demande de lui raconter toutes mes difficultés. De temps en temps, elle nous donne des tickets pour acheter des choses. Quand nous sommes arrivés, mes enfants avaient des problèmes en français. Elle m'a présenté une enseignante qui vient chez nous une fois par semaine pour aider les enfants gratuitement. Et Madame X vient aussi une fois par semaine chez nous pour parler avec nous». (Kobra)

C'est un type de service que les intervenants des O.N.G. peuvent difficilement offrir aux réfugiés, à cause de la très grande disponibilité qu'un tel suivi exige. Il est néanmoins très intéressant de noter la satisfaction que retire Kobra d'avoir accès à un éventail de services divers sans avoir besoin de s'adresser à plusieurs personnes; et surtout l'importance qu'elle accorde à la chaleur et à la gentillesse de Madame X. Contrairement aux autres répondants, nulle part dans son témoignage on ne retrouve la sensation d'être humiliée par sa situation ou d'être marginalisée dans la société canadienne. La qualité de la relation d'aide que lui offre Madame X apparaît comme la clé ayant facilité le processus d'insertion de cette répondante. Bien sûr, Kobra n'a pas de grands problèmes de communication parce qu'elle parle très bien anglais et un peu français. Sa famille peut la soutenir financièrement aussi en cas de grandes difficultés. Mais il n'en reste pas moins que la chaleur de cette relation permet à Kobra de se sentir bien accueillie au Canada et d'avoir une perception positive, autant des Canadiens que de son avenir dans ce pays.

En dehors des services paroissiaux les choses se gâtent quelque peu . Pour ce qui est des intervenants d'O.N.G. affectés au Centre d'hébergement temporaire, notamment à l'Hôtel Europe, les répondants semblent ne pas oser s'en plaindre. Est-ce parce qu'il s'agit de compatriotes? Ou parce qu'ils ont été sensibles à leur attitude respectueuse, attentive et chaleureuse? Toujours est-il qu'ils ne leur font aucun reproche direct mais que le mécontentement par rapport aux services rendus transparaît nettement dans leurs propos:

> « Quand nous étions à l'Hôtel Europe, nous avons connu un assistant social iranien qui nous a aidés. Mais en général je pense que les assistants sociaux n'ont pas beaucoup de moyens à leur disposition». (Hamid)

> « Pour l'avocat, j'ai demandé à un assistant social de l'Hôtel Europe qui m'a donné une adresse. C'était un avocat gouvernemental. Quand nous avons eu notre premier rendez-vous pour la première enquête, il nous a laissés au métro Crémazie. Je l'ai attendu une heure et demie. À l'aéroport, on m'a dit que cet avocat avait déjà fait la même chose avec d'autres personnes». (Kobra)

> « En arrivant, nous sommes allés à l'Hôtel Europe. C'est là que nous avons fait la connaissance de M. X, interprète iranien qui travaille à la Maisonnée. C'est lui qui nous a présenté un avocat. Je dois dire que ce premier avocat n'était pas très normal... nous avons compris. Nous avons changé d'avocat». (Rezvan)

Est-ce toujours au même avocat, dont la secrétaire était iranienne, que l'assistant-interprète de l'Hôtel Europe référait ses compatriotes? Est-ce que les personnes ayant eu à se plaindre des agissements de l'avocat en question en ont avisé l'intervenant? Peut-être pas. Ce qui expliquerait qu'il continue de donner le même nom et que les problèmes continuent de se multiplier. Vu que les services des avocats sont requis essentiellement pour les procédures d'enquête relatives à l'obtention du statut de réfugié et que cette question est vitale pour les demandeurs de statut, il serait indispensable de vérifier le professionnalisme de ceux conseillés aux nouveaux arrivants. C'est l'avenir de ces derniers qui se joue lors des enquêtes; cette question ne peut être traitée à la légère. De plus, le réfugié qui ressort insatisfait d'une première demande de services risque fort de ne plus vouloir s'adresser à des services sociaux, par manque de confiance.

La même insatisfaction transparaît dans les services demandés par Zohreh aux travailleurs sociaux affectés à un autre hôtel:

« Il y avait deux Iraniens qui travaillaient comme assistants sociaux. Ils nous ont beaucoup parlé. Ils étaient très gentils... Mais il a fallu que je me dispute avec eux pour avoir quelques adresses. Je leur ai expliqué que j'avais besoin de renseignements parce que dans cette société je suis perdue, j'ai besoin d'informations pour me guider, trouver des solutions. Finalement, ils m'ont donné l'adresse d'un avocat en me promettant de m'accompagner pour la traduction le jour de l'enquête. Mais ils m'ont oubliée; aucun n'est venu». (Zohreh)

Peut-être les travailleurs sociaux sont-ils débordés. Intervenir auprès de réfugiés qui sont extrêmement tendus, anxieux, irritables n'est pas chose facile non plus. Il faut parfois des ressources de patience phénoménales d'autant plus que bien souvent, aucune «solution» satisfaisante ne peut être proposée face aux attentes des nouveaux arrivants. Par exemple, ces derniers ont tendance à imaginer que les intervenants peuvent les aider à trouver rapidement un logement, des meubles, des vêtements, un emploi répondant à leurs critères, qu'ils connaissent des moyens pour accélérer les procédures d'enquête, leur trouver des endroits où ils pourront suivre des cours de langue adéquats, etc. Ne connaissant ni la société, ni les lois canadiennes et québécoises, ils n'ont pas conscience des limites de l'intervention. De plus, aux prises avec des problèmes pratiques vitaux, ils attendent en général de l'intervenant qu'il se concentre sur leur cas et leur accorde toute la disponibilité dont ils sentent le besoin. Mais la réalité quotidienne des intervenants, c'est aussi des dizaines de cas à suivre tous aussi urgents les uns que les autres.

Comment faire face aux attentes légitimes de réfugiés tout nouvellement arrivés, qui se sentent complètement perdus dans leur nouvel environnement, donc totalement dépendants des informations et du support qu'ils trouveront, et qui sont de plus en état de choc? La réponse n'est pas facile à trouver mais les témoignages nous donnent malgré tout quelques pistes: tout d'abord une attitude respectueuse, attentive et chaleureuse; deuxièmement des informations et des références pertinentes (un avocat sérieux par exemple); troisièmement, respecter les promesses et engagements; enfin assurer un suivi auprès des personnes ayant requis un service.

Évidemment, la quantité de personnel est une condition première à la qualité des services que chaque intervenant peut assurer. C'est un problème de base qui interpelle les différents paliers de gouvernement puisque des subventions accordées aux organismes dépend le nombre d'employés qu'ils peuvent se permettre. Il n'en reste pas moins que certains aspects de l'intervention relèvent du travailleur social lui-même. La question du non respect des engagements ou de la négligeance par exemple, revient très souvent. Les exemples déjà cités ne sont pas uniques. Tavana et Zohreh, entre autres, nous exposent d'autres faits concrets qui les ont détournés des services sociaux:

> « À l'hôtel, il y avait aussi une femme... je lui ai demandé quelques petites affaires. Trois mois plus tard, ils nous ont envoyé des choses... Quand nous sommes arrivés, c'était l'hiver, il faisait vraiment froid... j'ai demandé une aide d'urgence. Au bout d'un mois il nous ont donné l'adresse d'une église qui nous a donné quelques vêtements usagés». (Zohreh)

> « Pour ma deuxième enquête, j'ai perdu mon tour à cause d'un organisme d'aide aux réfugiés. Ils se sont trompés dans la date de comparution. Quand ils ont contacté mon avocat, ils lui ont donné une mauvaise date. Ils n'ont pas bien fait attention à mon dossier... Je leur ai demandé aussi un petit service, de me donner quelques petites choses. J'y suis allé et j'ai téléphoné plusieurs fois. Ils ne m'ont même pas donné une petite cuillère ou une fourchette. Quand je suis arrivé, il faisait froid. Je leur ai demandé quelques vêtements chauds. Mais je n'ai jamais reçu quoi que ce soit de cet organisme». (Tavana)

C'est ce genre d'expérience qui vient renforcer chez le réfugié le sentiment qu'il n'est pas respecté, que la société d'accueil lui est fermée, que les Québécois le discriminent ou le rejettent. Evidemment, l'impact sur son processus d'insertion n'est pas des plus positifs.

De façon générale, qu'en est-il des réactions aux services rendus par les O.N.G. auxquels ont eu recours les répondants? Nous allons laisser les réfugiés parler eux-mêmes. Leurs propos sont des plus explicites. Mais auparavant, il est important de préciser deux choses: en dehors des services d'information, les demandes adressées aux O.N.G., à la Maisonnée dans le cas présent, concernent presqu'exclusivement du dépannage (meubles, vêtements, nourriture). L'organisme a donné suite rapidement à ces demandes mais le service fut très mal reçu par tous, excepté une femme. Le contenu des témoignages montre clairement que les référents culturels et de classe sont à la base de cette perception négative.

En effet, pour comprendre les propos acerbes des réfugiés iraniens, il faut se rappeler que la pauvreté est un stigmate insupportable pour eux; qu'ils proviennent pour la plupart de la classe moyenne intellectuelle; et que la majorité avait un niveau de vie relativement élevé. De leur situation de classe et de leur condition économique ils tiraient une respectabilité et un statut social particulier qu'ils s'attendent à voir reconnu dans le pays d'accueil; ils vivaient également dans un confort qu'ils s'estiment en droit de leur être accordé, en respect de leurs antécédents; enfin, la richesse de leur civilisation et leurs origines aryennes, par lesquelles ils se distinguent des autres peuples orientaux, leur confère un sentiment de dignité et de fierté particulier, les portant à attendre une attitude de respect d'autant plus marquée à leur égard.

Compte tenu de tous ces éléments, les réfugiés iraniens pensent généralement qu'ils devraient être traités différemment des autres, surtout des réfugiés provenant de pays pauvres. Recevoir le même type de services qu'eux est une insulte et une humiliation qui les blesse très profondément. Ajoutons que leur aisance antérieure leur donne des critères particulièrement sévères vis-à-vis du dépannage que les O.N.G. sont en mesure de leur offrir. Par exemple, tout ce qui n'est pas neuf est pour eux tout juste bon à jeter à la poubelle. Il y a donc une espèce d'énorme quiproquo entre ce que les O.N.G. peuvent donner à titre de dépannage et les attentes des réfugiés iraniens. Malheureusement, les déceptions générées par ces attentes irréalistes provoquent une perception très négative de l'attitude des intervenants vis-à-vis de ces réfugiés:

> « Nous avons demandé quelques meubles à cet assistant. Ils nous ont apporté des choses inutiles, tout juste bonnes à jeter. Comme s'ils avaient pensé que nous ne sommes pas des êtres humains». (Hamid)

« J'ai demandé des meubles. Ils m'en ont apporté. Mais franchement, en majorité ils sont inutilisables, très sales, cassés. Si vous parlez avec un responsable de cet organisme dites-leur qu'ils se renseignent sur la vie en Iran. Pourquoi nous font-ils des choses pareilles? C'est vraiment choquant! Ils m'on traité comme un clochard!» (Karami)

« Je connais quelqu'un qui travaille dans un organisme qui donne des chaises et des tables cassées. Je préfère ne rien leur demander. Je préfère ne rien avoir plutôt qu'avoir des choses pareilles. Un jour, peut-être, je pourrai m'en acheter, des choses propres et neuves». (Reza)

« Nous avons demandé quelques meubles. Ils nous ont donné des choses qu'ils voulaient jeter. Vous savez, ils pensent que nous ne comprenons pas. Quand ils veulent jeter quelque chose, il nous le donnent. Ils pensent que ça va nous rendre heureux». (Rezvan)

Une autre partie du témoignage de Reza met en évidence d'autres raisons pour lesquelles les réfugiés iraniens ressentent tant d'humiliation face aux services de dépannage. Certains Iraniens en viennent à se persuader être victimes de discrimination de la part des intervenants. L'impression qu'il y a discrimination les insulte d'autant plus qu'elle serait en faveur de réfugiés provenant de pays pauvres, donc des réfugiés que les Iraniens appellent «économiques», sans égard aux motifs de leur venue. On notera, dans le soulignement de «différences culturelles» (puisque telle est l'expression qu'il emploie) et l'insistance à ne pas vouloir côtoyer les Latino-américains, une pointe de mépris propice à renforcer le sentiment d'humiliation de Reza:

« Pour nous, c'est honteux d'être pauvre et de demander de la nourriture ou d'autres choses. Parce que nous n'avons jamais été des pauvres. C'est la première fois que ça arrive dans la vie des Iraniens. Je connais une dame qui habite à côté de chez nous. Chaque fois que je la rencontre là-bas, elle essaie de se cacher...

« Avant-hier, c'était le jour de distribution de la nourriture. J'ai vu de mes propres yeux toute la différence qu'ils font entre les Iraniens et les hispanophones. Mais malheureusement, Monsieur X (intervenant iranien) ne peut rien faire. S'il dit quelque chose, il va perdre son travail. Il doit fermer les yeux. Là-bas, les Latino-américains nous insultent. Ils nous donnent par exemple des pommes de terre moisies. Comment peut-on manger des choses pareilles! Nous avons une culture différente. Si vous avez remarqué, les Iraniens ne veulent pas les rencontrer (les Latino-américains)» (Reza)

Certains ressortissants iraniens prennent les choses avec un grain de sel, conscients qu'ils ne peuvent demander aux O.N.G. de faire des miracles et contents d'obtenir un minimum leur permettant de pallier à certains besoins primaires. Dans l'échantillon, une femme émet ainsi une évaluation différente de ses compatriotes par rapport aux services obtenus. Rien pourtant dans son origine sociale ou dans son vécu ne la diffère des autres.

« Nous avons débuté notre vie à Montréal dans un appartement vide. La Maisonnée nous a donné des moyens: deux lits, un pour ma fille et un pour nous, quelques meubles, une lampe... Ce n'est pas extraordinaire mais c'est bien pour commencer». (Monfared)

Ainsi, dans l'ensemble les réfugiés iraniens font une évaluation négative des services dont ils ont bénéficié. Parfois, le comportement des intervenants peut être mis en cause: négligence par rapport à une demande, mauvaise grâce pour trouver les informations demandées, références douteuses, engagements non respectés. La plupart du temps toutefois, les insatisfactions proviennent d'attentes irréalistes, soit à cause de la méconnaissance de la société, des lois et des limites des intervenants et organismes (ressources humaines et matérielles; cadre législatif; ressources disponibles extérieures à l'organisme), soit à cause des caractéristiques culturelles et de classe des réfugiés eux-mêmes.

La conséquence est évidente: consolidation de la méfiance envers les services sociaux, renforcement du sentiment de ne pas être «bienvenus» au pays, d'un non-respect envers les Iraniens et d'une atmosphère générale «anti-iranienne». Les humiliations vécues accentuent pour leur part le stress provoqué par la perte des biens, du statut social et de la reconnaissance de valeur. Ce qui généralement aboutit au repli sur soi et sur le groupe d'appartenance, bouclier spontané contre l'hostilité perçue.

Vu sa forte dominante culturelle et de classe, le défi que pose la satisfaction des réfugiés iraniens face aux services sociaux n'est pas des plus facile à relever. Le seul moyen est peut-être de mettre beaucoup plus l'accent sur la qualité de la relation. Des différents témoignages, y compris celui de Kobra relatif aux services paroissiaux, il se dégage en effet qu'écoute chaleureuse, patience et respect amical comptent beaucoup pour les réfugiés iraniens. Leur besoin de se sentir traités avec déférence confirme l'impact positif qu'un premier contact de qualité peut avoir sur eux. Deuxièmement, il s'agit de corriger les erreurs ou défauts soulignés au niveau des intervenants et qui relèvent de leur propres attitudes professionnelles. Enfin, il s'avère indispensable de prendre le temps d'expliquer aux Iraniens demandeurs de services que l'on connaît leur situation antérieure et présente, leurs attentes, mais que les moyens pour y répondre sont limités. Les informer, leur exposer quelles sont concrètement les limites, leur offrir le choix d'en disposer tout en les rassurant qu'aucune discrimination n'est pratiquée, ni envers eux ni envers les autres; rectifier aussi leur perception des autres réfugiés, en leur montrant que beaucoup proviennent de classes sociales similaires à la leur et vivent les mêmes traumatismes, voilà quelques éléments d'approche qu'il semble nécessaire de développer à leur égard. Là encore, il ne faut pas s'attendre à des miracles. Mais une meilleure compréhension ne peut que servir à travers les difficultés complexes de l'insertion.

C. Un centre iranien: la solution?

Après avoir exposé les différentes difficultés qu'elles vivent dans leur processus d'insertion, depuis la recherche d'un avocat ou d'un logement jusqu'aux services rendus par les organismes d'aide aux réfugiés, en passant par la langue, la culture, les relations sociales, etc., la plupart des personnes interrogées ont avancé comme solution la création d'un centre communautaire iranien. Ce centre, à leur avis, pourrait jouer plusieurs rôles: un rôle de soutien technique (orientation, information, traduction, référence, accompagnement dans les démarches, recherche de logement et d'emploi); un rôle d'intégration linguistique (cours de français notamment); un rôle de dépannage (meubles, vêtements, garderie); et une fonction d'assistance psycho-sociale (lieu de rencontre et d'échanges entre Iraniens, nécessaire surtout pour ceux qui n'ont ni famille ni amis à Montréal). Enfin, un rôle de représentation des Iraniens auprès de diverses institutions.

> « Je pense que les Iraniens, comme les autres d'ailleurs, ont besoin d'un centre, surtout pour les gens qui ont beaucoup de difficultés ici». (Kermansh)

> « S'il y avait un centre iranien qui peut donner des renseignements, par exemple pour l'avocat, les hôpitaux, où trouver un logement, ce serait formidable». (Fariba)

> « Si les Iraniens pouvaient avoir un centre pour eux-mêmes, ce serait très bien. Les compatriotes sont bien à l'écoute, ils peuvent

comprendre nos problèmes, nos chagrins, nos difficultés, nos soucis. Si nous parlons dans la même langue, c'est très efficace. Je pense que nous en avons besoin. Il nous le faut. Chaque pays a un centre pour ses ressortissants, un centre qui donne beaucoup de services, pour les questions administratives, les médecins, les assistants sociaux, tout. S'il y avait la même chose pour les Iraniens, ce serait très bien». (Kobra)

Le témoignage de Reza est particulièrement intéressant parce qu'il pointe les besoins spécifiques des minorités.

« En réalité, s'il y avait un centre pour nous donner une possibilité de se rencontrer entre compatriotes, ce serait l'idéal. À mon avis, ça pourrait diminuer notre nostalgie, nos chagrins. Nous sommes ici une minorité. À part les Afghans et les Pakistanais, nous sommes les seuls à parler persan. Nous avons besoin de parler avec quelqu'un dans notre langue...

« Ce centre serait bon aussi au point de vue émotif, moral et spirituel. Parce que ça compte aussi pour nous le côté spirituel... avec un centre pareil, on pourrait faire beaucoup de choses. Surtout pour l'isolement des Iraniens. Ça nous permettrait de ne pas rester isolés dans cette société». (Reza)

Voilà un très lourd programme pour un centre. Mais les répondants ne se trompent certainement pas sur sa nécessité et son utilité. Ce qui surprend un peu, c'est qu'il existe à Montréal un centre culturel communautaire iranien. Mais cinq personnes interrogées seulement le connaissent. Il y a déjà un manque d'information évident. Mais aussi, ce centre est strictement culturel, comme son nom l'indique. On y trouve des cours de langue persane, on y organise des fêtes mais aucun service social n'y a été développé. C'est peut-être à partir de cette structure déjà existante que des solutions complémentaires aux services publics et des O.N.G. pourraient être mises sur pied.

3. Les perceptions des intervenants

Introduction

Pour les fins de la recherche, les 26 intervenants interrogés (10 hommes et 16 femmes) d'institutions impliquées au niveau de l'accueil et de l'insertion des réfugiés, soit 14 du secteur public (8 du CSSMM, 6 de CLSC) et 12 du secteur privé (organismes non-gouvernementaux) ont bien voulu donner leur opinion sur les services offerts aux réfugiés. Deux sont noirs et trois basanés; les autres sont blancs. Les intervenants représentent quatorze pays différents par leur origine ethnique:

Arménie:	1
Burundi:	1
Canada:	12
Chili:	2
Chine:	2
Colombie:	1
Haïti:	1
Italie:	1
Jamaïque:	1
Pérou:	1
Roumanie:	1
Salvador:	1
Viet-Nâm:	1

De cet échantillon, quinze parlent au moins trois langues. Les autres sont tous bilingues, soit français - anglais ou français et langue maternelle. Six parlent trois langues, six en parlent quatre, deux en parlent cinq et une en parle sept.

Au niveau de leur formation professionnelle, le niveau moyen d'années de scolarité est de quinze ans. Seize ont une formation en travail social de niveau universitaire et une de niveau collégial. Les autres ont des formations très diverses: journalisme, administration, secrétariat, théologie, sociologie, informatique, cinéma, intervention psycho-sociale, psychologie. La majorité des intervenants des O.N.G. n'ont pas de formation en travail social. Alors que quinze intervenants sur seize dans le secteur public ont eu une telle formation.

À l'exception de ceux et celles nés au Canada, les autres y résident en moyenne depuis douze ans et demi. Six sont venus comme immigrants indépendants, un parrainé et cinq comme réfugiés.

A. Les contextes de vie des réfugiés

La recherche vise à analyser les perceptions qu'ont les intervenants sociaux du secteur public et du secteur privé (organismes non-gouvernementaux) de la situation des réfugiés avec lesquels ils travaillent dans le quotidien. La première étape de l'entrevue, à l'aide de questions ouvertes, privilégiait la perception de trois volets généraux permettant de comprendre le vécu et la situation des réfugiés: le contexte prémigratoire (le vécu dans le pays d'origine), le contexte migratoire (la migration comme telle) et le contexte postmigratoire (le vécu après l'arrivée au Canada).

Le contexte prémigratoire et les motifs de départ

Les intervenants devaient identifier ce qu'ils considèrent comme des événements, des moment clé qui prennent beaucoup d'importance dans le contexte prémigratoire du réfugié avant son départ. Les intervenants ont été divisés en deux groupes distincts, ceux des services publics (Centre de services sociaux, Centres Locaux de Services Communautaires) et ceux des organismes non-gouvernementaux. Cette distinction visait à comparer à grands traits les perceptions des deux groupes.

• Contexte de violence

Tous les intervenants des deux groupes perçoivent le climat de violence en général et les situations particulières vécues comme les facteurs les plus déterminants dans le contexte prémigratoire et dans la décision de quitter le pays.

De façon générale, la guerre comme principal générateur de traumatismes multiples amène des individus à fuir leur pays (tortures, menaces de mort, assassinats de proches, obligation de participer au service militaire, etc...). Quelques témoignages d'intervenants illustrent bien la perception de la situation:

«La violence psychologique et physique exercée par le gouvernement fait vivre les gens dans la terreur. Certains souffrent beaucoup parce qu'ils ont vu trop de violence, par exemple l'assassinat de proches...»(Violaine, organisme public)

« Toute la situation de violence, par exemple la guerre au Liban, force l'individu à prendre des décisions rapides comme celle de quitter son pays s'il est menacé de mort. À mon avis, certains individus développent une certaine paranoïa à cause des menaces directes et indirectes qu'ils subissent...» (Jocelyne, organisme public)

« Certains réfugiés salvadoriens ont fui leur pays afin d'éviter le service militaire parce que sous les drapeaux, ils seront peut-être appelés à tirer sur les gens du peuple, leurs amis, leurs parents. Par exemple, un jeune salvadorien à fui vers les États-Unis quand il a vu son frère se faire arrêter pour aller faire son service militaire; comme il était le prochain sur la liste, il s'est sauvé...»(Marcel, organisme public)

« L'individu choisit souvent de quitter dans un moment de panique quand il est menacé directement ou indirectement...» (Raùl, ONG)

Quelques intervenants d'ONG ont souligné tout particulièrement le fait que devant la menace réelle ou appréhendée, l'individu se sent très seul. Ciblé, il ne voit pas clairement comment il peut compter sur son entourage. Dans plusieurs situations, les individus savent, à cause de leur vécu antérieur, qu'en fuyant vers la ville, en changeant de village, en se cachant chez des amis, des parents ou dans la forêt, un jour ou l'autre ils risquent d'être arrêtés, peut-être torturés et assassinés; devant une telle situation, au lieu de vivre traqués comme des bêtes, ils choisissent de fuir vers un autre pays, la plupart du temps sans trop savoir où ils finiront par s'installer.

« Les gens se sauvent quand la menace existe et qu'il n'y a aucun autre choix. Au Salvador, par exemple, le règlement de compte politique est souvent rapide, silencieux... Ce me semble la même chose dans plusieurs pays comme la Somalie, le Ghana, le Bengladesh, le Guatemala, le Liban, etc. Les gens savent que chaque menace est sérieuse parce que plusieurs personnes arrêtées sont disparues, d'autres ont été torturées ou subissent des pressions. Dans une telle situation, l'individu se sent seul et il cherche à s'en sortir du mieux qu'il peut.» (Marta, ONG)

« La plupart du temps, l'individu prend une décision très rapidement parce qu'il se sent en danger. Il réalise vite qu'il n'a pas beaucoup de choix et il se retrouve seulement avec quelques pays en face de lui susceptibles de l'accueillir.» (Hélène, ONG)

« Dans certains cas, ce n'est pas tellement la violence à cause de la guerre; mais à cause de la situation économique et politique. La famine et les mauvaises conditions de vie créent des conditions de violence qui poussent les gens à partir. Il me semble que c'est le cas au Viet-Nâm. En Ethiopie, au Soudan, il y a la guerre mais aussi des conditions de vie extrêmement difficiles. Certains réfugiés m'ont même parlé de massacres dans des villages déjà très pauvres. Je pense qu'il y a plusieurs situations violentes réunies par la guerre et la misère...» (Constantin, ONG)

Ces conclusions et commentaires correspondent aux affirmations des réfugiés salvadoriens. Les menaces directes ou indirectes, le climat de terreur et de violence quotidienne, le départ précipité et peu planifié, fuite clandestine et insécurité permanente traduisent bien les principaux motifs de départ et les conditions dans lesquelles ce départ s'effectue.

Chez les réfugiés iraniens, les motifs sont parfois les mêmes que ceux des Salvadoriens mais dans plusieurs cas, ils réfèrent surtout à l'instabilité politique ambiante et à une situation sociale et économique détériorée.

• Situation économique difficile

La détérioration de la situation économique du pays et de l'individu, le peu d'espoir de s'en sortir sont les principaux éléments regroupés sous l'expression «situation économique». La moitié des intervenants, autant dans les ONG que dans les services publics, identifient la mauvaise situation économique conjuguée à la violence comme deuxième facteur déterminant la décision de quitter le pays d'origine. Quelques témoignages résument bien leur position.

« Vivre dans la misère et dans la peur devient souvent insupportable...» (Gilberte, organisme public)

« La dégradation constante des conditions de vie à cause de la guerre amène souvent les parents à convaincre leur fils de quitter le pays pour se faire une vie meilleure ailleurs. Par exemple, j'ai rencontré des réfugiés issus de la petite bourgeoisie iranienne, la plupart fortement influencés par des valeurs occidentales, qui devaient subir une détérioration de leurs conditions de vie, vivre dans l'insécurité et sous des contraintes idéologiques qu'ils jugeaient inacceptables. Dans une telle situation, plusieurs prennent la décision de partir faire leur vie ailleurs...» (Marcel, organisme public)

« Dans la plupart des pays qui forcent les gens à demander le refuge ailleurs, c'est l'injustice sociale institutionnalisée qui entretient la misère. Les gens veulent un avenir meilleur, une réussite personnelle.» (Arturo, ONG)

« Dans les camps pour les réfugiés, les gens cherchent à fuir la misère. La seule raison de vivre dans un camp, c'est sortir. La misère dans les camps, ce doit être quelque chose d'intolérable...» (Constantin, ONG)

La misère ne signifie pas nécessairement la privation de toute ressource matérielle. Dans les témoignages recueillis, on lui donne aussi le sens de la déqualification professionnelle conduisant à l'impossibilité d'améliorer sa situation personnelle ou tout au moins l'empêchant de se détériorer. Au fond, la misère à laquelle on réfère tient autant de l'injustice sociale et de la répression politique structurelle que de la mauvaise situation financière de l'individu. Le réfugié dit économique se situe donc plus près du réfugié politique que de l'immigrant venu au Canada d'abord pour améliorer ses conditions matérielles et professionnelles.

• Rupture avec le pays d'origine

La rupture avec le pays d'origine constitue un événement traumatisant relié au départ. Les deux groupes d'intervenants estiment qu'il s'agit là d'une dimension importante à considérer dans l'analyse du contexte prémigratoire. La plupart basent leur perception sur les témoignages entendus dans leurs relations d'aide avec des réfugiés ou des demandeurs du statut de réfugié.

« La rupture avec les proches et le pays est un événement traumatisant en soi. C'est pire qu'un divorce. Comme la séparation se fait souvent de façon précipitée et imprévue, l'individu reste parfois marqué par ce départ plus ou moins accepté. Il se demande souvent s'il va revoir les siens et il est constamment tiraillé entre le désir de retourner et la sécurité qu'il a ici...» (Jocelyne, organisme public)

« Le réfugié veut sauver sa vie et trouve souvent injuste de devoir effectuer une coupure radicale et rapide avec sa famille et son pays. Certains n'arrivent pas à accepter une telle injustice...» (Maria, ONG)

« Si l'individu a une famille et qu'il doit partir seul, c'est un grand drame. Il sait qu'il restera loin de sa famille pendant longtemps...» (Hélène, ONG)

La moitié des intervenants reconnaissent le traumatisme du départ rapide comme une dimension fondamentale à reconnaître dans leur intervention professionnelle. Dans plusieurs cas, le réfugié absorbe le choc de cette coupure radicale comme un mal nécessaire et temporaire. Par contre une majorité d'intervenants croient que le traumatisme prend une signification déterminante chez les individus dépressifs soumis à d'autres situations dramatiques comme la torture, les menaces de mort, etc. En d'autres termes, la sortie forcée du pays s'ajoute à la chaîne des atteintes à la liberté et à l'intégrité. Cette goutte de trop blesse le plus profond de l'être puisqu'elle signifie la rupture avec l'objet même de son identité soit sa famille, ses amis, son travail, son village et sa patrie. Son idiosyncrasie même souffre d'une remise en question fondamentale.

Toutes les formes d'intervention sociale et psycho-sociale doivent prendre la mesure des conséquences de cette rupture à multiples facettes. Elles logent souvent dans les profondes anfractuosités du silence d'individus blessés jusqu'au plus profond de leur être. Découvrir la complexité de ces situations pose un défi à l'intervenant et les quelques-uns qui ont pris conscience de la signification fondamentale de la rupture le révèlent avec clarté.

« Ce n'est pas facile de comprendre un individu brisé au plus profond de son être. Plus souvent qu'autrement, j'en suis réduite à interpréter les larmes et le silence. Je crois que même le psychiatre le plus astucieux risque de s'y briser les dents. J'écoute. Je fais parler. Je partage l'angoisse du passé et l'insécurité face à l'avenir. J'ai parfois l'impression de comprendre ce que veut dire être chassé de son pays...» (Gilberte, organisme public)

• Engagement politique

La plupart des intervenants des organismes public n'ont pas fait référence à l'engagement politique de l'individu comme facteur pouvant influencer le départ. Par contre, 50 % des intervenants d'ONG ont signalé que cet engagement amène l'individu à avoir des problèmes et à prendre la décision de quitter son pays.

« L'engagement politique fait en sorte que des individus sont pointés du doigt, menacés et ils doivent partir. En général, ce sont des gens avec une conscience sociale et politique critique par rapport au régime dans lequel ils vivaient...» (Martine, ONG)

« Être dans l'opposition, c'est toujours un risque sous une dictature comme celles qui existent au Chili, en Haïti, au Salvador ou en Iran» (Maria, ONG)

Pourquoi y a-t-il une différence de perception entre intervenants du secteur public et privé? Aucune réponse n'apparaît de façon explicite dans les témoignages recueillis. Mais on peut avancer une hypothèse: le cadre institutionnel auquel se réfèrent les intervenants diffère dans des aspects fondamentaux. Les intervenants du secteur public développent leur pratique selon des normes assez précises; ils doivent s'inscrire dans les mandats institutionnels de protection sociale, et dans un programme d'intervention modelé selon des exigences bureaucratiques et professionnelles; enfin chaque intervenant baigne dans une culture «professionnaliste» aseptique au plan politique. Les intervenants du secteur privé jouissent d'une plus grande marge de manœuvre et leur institution a habituellement un parti-pris pour la défense des droits et libertés des réfugiés; dans un tel contexte, ils peuvent développer une compréhension plus critique de tous les aspects de la situation du réfugié, y compris au plan politique. Par exemple tous les organismes qui offrent des services aux réfugiés sont membres de la Table de concertation des organismes au service des réfugiés, sorte de fédération ou de front commun formé pour défendre les droits et les intérêts des réfugiés et des O.N.G. Une telle appartenance fournit le soutien et la justification nécessaire à un compromis politique.

• Recherche de l'aventure

Deux personnes impliquées dans des ONG ont mentionné que le goût de l'aventure peut constituer un motif de départ chez certains jeunes ou chez des gens qui veulent profiter de la conjoncture pour quitter leur pays afin de se refaire une nouvelle vie.

« J'ai rencontré quelques personnes qui sont venues au Canada afin de chercher de nouvelles opportunités pour ouvrir un commerce. Ceux-là ne sont pas de véritables réfugiés politiques, ce sont plutôt des opportunistes. J'en connais quelques-uns qui ont quitté leur pays dans le but de vivre de nouvelles aventures. En général, il s'agit de jeunes...» (Arturo, ONG)

Cette perception minoritaire ne correspond pas à celle des réfugiés dans leur ensemble. Quelques-uns seulement ont souligné ce motif; qu'on se rappelle le témoignage de Ricardo:

> « Je ne sais pas exactement pourquoi je suis venu ici, un peu comme une aventure...» (Ricardo)

• Autres dimensions importantes

Plusieurs autres dimensions ont été mentionnées comme étant significatives mais elles ne sont le lot que de quelques individus.

Deux intervenants d'organismes publics ont souligné le passage entre le pays d'origine et le pays d'accueil comme étant un événement traumatisant à cause des nombreuses difficultés rencontrées par les réfugiés. Ils sont d'avis que les premières expériences dans le pays d'accueil jouent un rôle déterminant dans les perceptions et les attitudes des réfugiés, particulièrement les traumatismes prémigratoires et migratoires.

> « Le séjour dans un camp de réfugié me semble un événement important et traumatisant à plusieurs égards parce qu'il s'agit vraiment du dernier recours et l'espoir d'un avenir meilleur est souvent faible...» (Jocelyne, organisme public)

> « Passer d'un pays à l'autre, à la recherche d'un pays-hôte n'est jamais une expérience de tout repos...» (Georges, ONG)

En résumé, aux yeux des intervenants le contexte de violence en général et la mauvaise situation économique du pays d'origine s'avèrent les deux facteurs principaux qui amènent l'individu à prendre la décision de quitter son pays. Par ailleurs, la rupture brutale avec la famille et le pays natal marquent l'individu et constituent un traumatisme émotif et social important. Ce passage soudain de la sécurité familiale et communautaire à une responsabilité totale de son devenir face à l'inconnu devient un point de référence significatif dans la vie des réfugiés. En soi, l'événement amène l'individu à se redéfinir par rapport à sa société d'origine et à sa famille. Il peut continuer à vivre en lien ou en référence avec cet encadrement important, se sentir coupable de l'avoir quitté, se croire rejeté et parfois vivre une sorte de deuil avant d'effectuer le sevrage définitif quelques années après avoir fait la coupure physique.

Au cours des premières années de résidence dans un nouveau pays, plusieurs réfugiés se sentent responsables des membres de leur famille restés dans le pays d'origine; une majorité de réfugiés (tout particulièrement de l'Amérique latine) vont leur faire parvenir de l'argent, leur écrire régulièrement, entreprendre des démarches pour les faire venir alors que d'autres vont effectuer plus facilement une coupure assez radicale. Famille et milieu social immédiat forment donc le cadre de référence principal de plusieurs réfugiés durant les premières années de leur processus d'insertion.

Le contexte migratoire

• L'insécurité

La rupture avec le pays d'origine crée un choc d'autant plus profond que le passage à un pays nouveau présente de multiples difficultés. Les intervenants des deux groupes perçoivent l'insécurité générée par les procédures d'entrée et d'acceptation au Canada comme problème principal. On ne note aucune différence de perception entre les intervenants hommes et femmes, ni entre les Québécois francophones et ceux d'une origine autre. L'absence d'un statut clair après avoir demandé le refuge au Canada et le manque de connaissance des politiques canadiennes d'immigration et de ses procédures d'application deviennent rapidement de sérieux facteurs anxiogènes pour le réfugié. Les perspectives de la déportation et de la crainte de se voir refuser le droit de séjourner au Canada génèrent donc une insécurité permanente chez plusieurs.

Les intervenants voient aussi l'insécurité créée par l'attente d'un statut comme un mal nécessaire. Malgré les difficultés et la longue attente, la moitié d'entre eux estiment que les réfugiés se disent quand même heureux d'avoir réussi à échapper à un climat de violence, à des menaces et à une situation financière difficile dans leur pays d'origine. Cette dimension devrait faire l'objet d'une grande préoccupation chez les intervenants.

Une intervenante du Centre des Services Sociaux de Montréal Métropolitain affirme que l'insécurité lui paraît un problème commun à tous les réfugiés et résume bien les propos recueillis auprès de tous les intervenants.

« Tous les réfugiés vivent une grande insécurité. C'est l'insécurité du statut qui génère une angoisse permanente...» (Jocelyne, secteur public)

Dans les O.N.G., les intervenants se sont montrés encore plus volubiles sur la question. Dans leur travail quotidien auprès des réfugiés, ils insistent presque tous sur cette insécurité découlant de l'application de la loi sur l'immigration.

> « Face aux agents de l'immigration, il y a une peur normale chez plusieurs réfugiés. En arrivant, ils se demandent quoi dire à la frontière. Plusieurs pensent que tout leur avenir va se jouer à ce moment précis où ils traversent la frontière. Ils sont énervés par ce qu'ils doivent dire en arrivant parce qu'un grand nombre ont peur d'être refoulés...» (Michel, ONG)

> « Chez les réfugiés qui arrivent des États-Unis par voie terrestre, la situation est parfois difficile; ils arrivent à la frontière, ils doivent fournir des documents et, sans qu'ils sachent exactement ce qui leur arrive, ils se font demander de revenir dans quelques semaines pour une entrevue et de retourner aux États-Unis en attendant. La plupart sont très déçus de ne pas pouvoir entrer au Canada le jour même de leur arrivée et certains font des crises d'angoisse à l'idée de retourner aux États-Unis.» (Jorge, ONG)

> « Ceux qui font une demande de refuge doivent prouver qu'ils sont vraiment des réfugiés. Les officiers d'immigration sont là pour tenter de compromettre la personne et cela, l'aspirant-réfugié le sait et le sent très bien...» (Constantin, ONG)

• L'entrée au Canada

Le deuxième problème perçu lors de la migration, ce sont les difficultés éprouvées dans le rite d'entrée en lui-même et dans les relations avec les agents du ministère de l'immigration placés aux vigies. En général, les demandeurs de statut finissent par tirer leur épingle du jeu mais, parce que considérés suspects ou «faux réfugiés» à leur insu, ils doivent se défendre et faire face à des agents souvent suspicieux, hargneux, arrogants. En ce sens, plusieurs intervenants des ONG dénoncent les attitudes de ces fonctionnaires chargés d'appliquer une loi et des règlements de l'immigration qui vont en ce sens. Fait intéressant à noter, aucun intervenant du secteur public n'a abordé cette question; ce fait s'explique sans doute parce que les réfugiés n'abordent pas leur perception des contacts avec les agents de l'immigration étant donné que les travailleurs sociaux sont identifiés au gouvernement, tout comme les agents d'immigration, et ils craignent de les choquer. Les intervenants des ONG reçoivent les réfugiés chaque jour, peu de temps après le passage de la porte d'entrée et semblent plus sensibles à leurs réactions sur ces questions.

> « L'accueil est épouvantable. À certains moments, c'est inhumain. Parfois, on fait attendre les gens pendant trop de temps... L'attitude de certains agents est tout simplement inacceptable...» (Raùl, ONG)

> «Les agents de l'immigration sont parfois durs, effrontés, menaçants... C'est inacceptable.» (Arturo, ONG)

Ce rite de passage ne décourage habituellement pas les requérants du statut de réfugié. Les intervenants en sont conscients mais ils souhaitent un assouplissement dans les règles du jeu et les attitudes des agents d'immigration. Des changements s'imposent afin que les réfugiés se sentent accueillis comme des gens normaux et non comme des fraudeurs, des usurpateurs de statut.

• L'installation matérielle

Le troisième problème à l'arrivée en importance se situe davantage au niveau de l'installation matérielle. En raison d'une situation financière souvent précaire, un certain nombre de réfugiés vivent dans des conditions matérielles difficiles. Ce constat est repris par deux intervenants seulement du secteur public mais, de façon générale, par les intervenants des ONG. Evidemment, plusieurs apportent la nuance que les conditions de vie au plan matériel varient beaucoup selon l'appartenance de classe; certains réfugiés entrent au pays avec de bons montants d'argent en poche, une bonne formation académique et/ou professionnelle et une expérience de travail ou dans le commerce. Cette condition varie selon le pays d'origine; de façon globale, les Iraniens, par exemple, ont un niveau de scolarité plus élevé que les Salvadoriens.

> « En général, il me semble que les réfugiés que je rencontre se trouvent dans une situation matérielle difficile à l'arrivée et tout au long de leurs premières années de séjour mais, par contre, tout cela dépend de plusieurs facteurs dont leur classe sociale. Par exemple, si quelqu'un a de l'argent et une bonne formation, il a de meilleures chances de se trouver un travail assez rémunérateur.» (Jocelyne, secteur public)

Les intervenants des O.N.G. s'impliquent davantage dans le dépannage matériel (dons de meubles, de vêtements, de nourriture etc...). En conséquence, leur perception collée à la réalité quotidienne des réfugiés est forcément teintée par l'acuité du désarroi matériel d'un grand nombre d'entre eux, arrivés de pays du tiers-monde depuis peu.

• La rigueur du climat

Un autre problème d'ordre matériel, physique et psychologique affecte les gens à leur arrivée, la rigueur du climat. Ce phénomène n'est pas typique aux réfugiés. Tous les étrangers qui arrivent en hiver rencontrent les mêmes difficultés. Trouver une tenue vestimentaire adéquate constitue le premier défi auquel ils doivent faire face. Par la suite vient l'effort d'adaptation au froid et aux conditions de l'hiver.

Évidemment, la longueur et l'intensité de l'hiver affectent tout le monde d'une façon ou de l'autre à des degrés divers. Il est normal que les réfugiés élevés dans les habitudes de pays tropicaux éprouvent des difficultés à ajuster leurs réactions physiologiques, leur alimentation, leur habillement, leurs relations sociales et aussi leurs réactions émotives à un stress ajouté. Le froid et la réclusion forcée dus aux conditions climatiques obligent l'individu à réagir aussi émotivement à divers facteurs; isolement social plus grand, problèmes de santé plus fréquents, etc.

• Les attitudes des demandeurs du statut de réfugié

Enfin, les premiers pas dans le pays du rêve, au Canada, ne peuvent faire oublier les traces fraîches de tout le processus de la migration. Quelques intervenants estiment que certains réfugiés semblent déroutés à leur arrivée, parce qu'ils se retrouvent dans un labyrinthe bureaucratique (immigration, services sociaux, aide sociale, autres services québécois et canadiens, etc.) pour toutes les démarches formelles et légales. Plusieurs réfugiés ayant connu les procédures illégales (achat de faux documents, contacts avec des passeurs, sorties d'argent de façon clandestine,etc.) doivent se familiariser avec de nouvelles normes de comportement dans les échanges administratifs. Certains gardent une attitude de négociation rigide, revendicatrice. En cherchant à tirer le maximum de profit de leur nouvelle situation, ils s'attirent parfois des ennuis; fonctionnaires et intervenants comprennent parfois mal leur vécu antérieur au chapitre des transactions illégales et les croient fraudeurs, malhonnêtes.

« Certains réfugiés arrivent ici avec de longues habitudes de négociation. Ils semblent habitués à se bagarrer pour obtenir ce qu'ils veulent. Dans leur pays, ils ont été souvent exploités par des fonctionnaires corrompus et ils doivent passer par ces gens pour obtenir des papiers. Ils sont donc méfiants. C'est normal... Il me semble que les peurs associées à l'arrivée dans un nouveau pays peuvent aussi expliquer une telle attitude. De toute manière, je ne veux pas généraliser; il me semble avoir observé une telle attitude chez certains réfugiés, tout particulièrement chez les Iraniens. Ils doivent faire un effort pour s'adapter à de nouvelles règles de fonctionnement. En général, après un an ici, cette mentalité est disparue...» (Gladys, secteur public)

« Le contact avec de nouvelles manières de faire n'est pas facile. Il me semble que plusieurs réfugiés agissent comme des gens du tiers-monde, peu familiers avec les raffinements des bureaucraties modernes des pays développés. Ils font peut-être peur mais, au lieu de les condamner, il faut plutôt chercher à comprendre leur vécu antérieur, considérer leurs besoins immédiats, leur insécurité, etc.» (Marta, ONG)

Quelques intervenants soulignent tout particulièrement le discours positif de certains réfugiés heureux de retrouver des parents, d'avoir échappé à la répression ou à la guerre, ou tout simplement de pouvoir dire qu'ils se sentent plus libres.

« Certains se disent très chanceux à tous les plans...» (Jocelyne, secteur public)

« Vivre en paix, sans une menace constante au-dessus de la tête, c'est beaucoup pour les réfugiés. C'est un soulagement. Plusieurs me disent que c'est déjà suffisant pour faire oublier les nombreuses difficultés.» (Amir, ONG)

Le contexte postmigratoire

Sous la variable «contexte postmigratoire», on regroupe les difficultés, les événements importants qui marquent le vécu des réfugiés tout au long de leur processus d'insertion.

Dans l'ensemble, les intervenants du secteur public ont des perceptions plutôt floues et assez diverses quant aux difficultés d'insertion des réfugiés. Il devient donc difficile de dégager les éléments les plus significatifs, à l'exception de ceux mentionnés ci-haut.

Par contre, les intervenants des ONG présentent en général des positions plus politiques et plus précises et plusieurs opinions vont dans le même sens. De cette manière, il a été possible de dégager des tendances significatives.

• Les difficultés d'insertion

La moitié des intervenants du secteur public accordent beaucoup d'importance aux causes des difficultés d'insertion. Aucun intervenant des ONG n'a abordé les explications de ces difficultés. Une tendance, d'une certaine manière, à «responsabiliser» l'individu de sa situation, représente un élément important dans le discours des intervenants. En général, on répète que les individus se fixent trop d'attentes avant d'arriver au Canada, qu'ils deviennent trop exigeants, qu'ils sont mal informés.

Comment expliquer cette tendance? Encore ici il s'agit d'une explication hypothétique: tout d'abord, les intervenants du secteur public travaillent à partir de certains aspects particuliers de la situation de l'individu, pas avec l'ensemble de la situation; ceci leur fait voir les difficultés avec la perspective de l'institution qui offre une protection sociale d'une part et, par ailleurs, sous l'angle de la demande spécifique de l'individu; par exemple, les intervenants du Service Migrant-Immigrant du Centre des Services Sociaux de Montréal-Métropolitain interviennent surtout auprès de jeunes réfugiés mineurs en difficulté, en se préoccupant d'abord de l'individu aujourd'hui; les intervenants ne semblent alors pas toujours faire les liens concrets avec son vécu antérieur ni avec le contexte socio-politique qui ont forgé l'individu et qui recèlent des facteurs explicatifs des difficultés d'insertion.

Des commentaires révèlent la perception de la moitié d'entre eux avec assez de justesse.

« Certains réfugiés sont très exigeants. Ils ont trop d'attente au Canada par rapport à ce qu'ils vivaient dans leur pays. Plusieurs jeunes avaient un bon niveau social et ils s'attendent à avoir la même chose en arrivant ici; s'ils n'obtiennent pas ce qu'ils veulent, ils développent une perception négative du Québec et ils se compliquent la vie dans leur adaptation». (Jocelyne, service public)

« Certains sont désillusionnés parce qu'ils surestiment leurs capacités et ils ont un choc culturel en réalisant que les nouveaux apprentissages sont difficiles, que ce soit au travail, à l'école, dans les services, etc.» (Pierre, service public)

• La coupure avec le passé

Le deuxième élément souligné par la majorité des intervenants du secteur public repose sur le lien entre la désillusion du passé perdu et la réalité actuelle, et entre la perception brisée d'un futur idéalisé et les difficultés d'organisation. Plusieurs témoignages soulignent cette difficulté majeure.

« Le cas des jeunes est particulièrement frappant. Ils doivent vivre leur jeunesse comme n'importe quel jeune et faire leur apprentissage de la liberté dans un contexte nouveau et étranger, parfois étrange ou bizarre pour eux. Au début, ils vivent dans une certaine euphorie parce qu'ils n'ont pas l'encadrement familial ni celui de la communauté. Ceci s'estompe très vite. Le jeune doit se concentrer sur l'organisation de sa vie de chaque jour.» (Gladys, service public)

« Le gros problème de beaucoup de jeunes réfugiés, c'est qu'ils arrivent ici avec des renseignements biaisés. Ils ont souvent reçu des opinions d'amis ou de parents, ou par d'autres canaux informels. La plupart du temps, ils s'attendent à trouver l'adaptation très facile. Partagés entre l'euphorie et la crainte, ils doivent faire face à une dure réalité.» (Marcel, service public)

Un seul intervenant du secteur privé a souligné cet aspect, ce qui indique clairement que les gens actifs dans ce secteur mettent très peu d'emphase sur les aspirations déçues. La plupart travaillent à partir de besoins immédiats, souvent matériels, de renseignements pratiques, de références à d'autres organismes, de pistes pour la recherche d'emploi, etc. Les intervenants du secteur privé sont très proches du vécu quotidien des réfugiés et ne semblent pas se soucier de faire l'analyse des illusions perdues...

Comme il s'agit d'un cas unique, il faut obligatoirement le citer:

« Les réfugiés me semblent avoir trop d'attentes par rapport au gouvernement canadien. Un grand pourcentage d'entre eux ne savent pas ce qu'est le système social d'ici et attendent trop de lui. Ils vivent donc beaucoup de frustrations...» (Arturo, ONG)

Les intervenants du secteur privé ont souligné tout particulièrement que l'insertion, à leur avis, est difficile à tous les points de vue. Une opinion assez explicite à ce niveau résume bien les points de vue de plus de la moitié des intervenants.

« Le réfugié est un être habitué à lutter pour trouver des solutions personnelles à des situations difficiles, souvent très dramatiques. Il doit souvent se débrouiller avec les moyens du bord. Le réfugié ne vit donc pas la même situation que l'immigrant, lequel a fait le choix de quitter son pays; la plupart du temps, le réfugié quitte son pays quand il est vraiment obligé. En arrivant ici, il se sent donc plus isolé et traîne un héritage lourd au plan psychologique et au plan politique. Le réfugié est souvent très mêlé dans ses choix entre le passé et l'aujourd'hui, entre l'aujourd'hui et l'avenir...» (Marta, ONG)

D'autres témoignages vont dans le même sens et apportent quelques précisions sur certains aspects particuliers.

« En général, je crois que le réfugié est désorienté en arrivant ici. Le gros problème, c'est que le réfugié ne contrôle pas l'information et a souvent un problème de langue. À cause de son passé, il n'est donc pas en mesure de vivre de façon normale. Il vit avec le fardeau d'un traumatisme dont il arrive difficilement à se débarrasser. Par exemple, la personne qui a été torturée porte des séquelles diverses. Elle se sent humiliée, brisée et elle ne trouve pas de ressources pour l'aider à trouver des solutions adaptées à ses problèmes.» (Maria, ONG)

« Ce qui est intéressant, c'est que la plupart des réfugiés veulent agir pour améliorer leur sort. Ils veulent travailler le plus vite possible après leur arrivée et apprendre le français ou l'anglais. Leur grande préoccupation, c'est le souci de faire venir leur famille ici. Comme leur situation ne leur permet pas de le faire facilement, ils se découragent et acceptent difficilement de prendre plusieurs années à réaliser leurs plus grands rêves...» (Hélène, ONG)

« L'attente d'un travail, l'espoir d'obtenir un permis de travail, ce me semble un facteur très important dans l'adaptation. Vouloir travailler sans pouvoir le faire tue la volonté du réfugié...» (Jorge, ONG)

• L'apprentissage de la langue

Les difficultés d'apprentissage de la langue constituent un autre niveau de difficulté important. 50 % des intervenants des ONG soulignent que plusieurs réfugiés et requérants du statut de réfugié ne peuvent pas suivre les cours de langue dont ils auraient besoin de façon urgente, comme clé d'obtention d'un travail. Les programmes sont difficiles d'accès à cause d'horaires mal adaptés à la réalité des réfugiés. Quelques intervenants déclarent que les femmes souffrent davantage à cause de la barrière de la langue; elles ont moins de possibilités de suivre des cours que les hommes car elles doivent souvent s'occuper des soins de leurs enfants et de l'entretien de leur maison.

Ces observations vont dans le sens des témoignages recueillis. Personne cependant ne relève les difficultés créées par le manque de connaissance du français ni les aspects contradictoires de la politique linguistique québécoise; formellement, la langue de travail est le français mais en pratique, plusieurs milieux de travail utilisent l'anglais ou les deux langues. De cette manière, le réfugié se retrouve coincé entre l'exigence d'apprendre le français et son gagne-pain qui l'oblige à parler anglais.

• Les problèmes de logement

40 % des intervenants des ONG ont souligné que les problèmes de logement après l'arrivée des demandeurs du statut de réfugié indiquent le peu de considération du Canada pour ces personnes. À leur avis, ils sont souvent mal logés et laissés à eux-mêmes au YMCA.

« Les demandeurs de refuge vont au YMCA pour y attendre la fin des démarches, le chèque de B.S. Au «Y», à mon avis, les conditions ne sont pas toujours adéquates. Ça démontre bien que le Canada n'a pas une perception très positive de ces gens. On les regarde de haut et on leur offre ce qui reste.» (Constantin, ONG)

« Logés au YMCA, les réfugiés en attente sont un peu laissés à eux-mêmes. Ils doivent se débrouiller. Ils sont souvent déçus...» (Jorge, ONG)

Les problèmes matériels et d'installation (surtout la recherche d'un logement et d'un travail) prennent autant de place que les problèmes d'ordre social et émotif dans les perceptions des intervevants des deux réseaux. À travers leurs propos, un grand besoin d'information sur le pays d'accueil, particulièrement sur les politiques et les procédures relatives à l'immigration, se profile en filigrane comme les ingrédients de base d'une stratégie globale facilitant l'insertion.

B. L'intervention sociale

Les habiletés et les attitudes

Dans un premier temps, nous avons demandé aux intervenants d'expliquer les exigences particulières de l'intervention interethnique dans leur pratique de tous les jours auprès des réfugiés. La plupart ont d'abord reconnu l'existence de dimensions propres aux pratiques sociales dans un milieu interethnique, surtout au niveau des habiletés et des attitudes dans l'intervention.

Autour de ce thème, on situe l'origine ethnique de l'intervenant au cœur des particularités de l'intervention en milieu ethnique. Même si plus de la moitié des intervenants en discute, trois seulement le voient vraiment comme un avantage. Certains croient que cela est nécessaire dans certaines communautés où les différences culturelles et linguistiques sont particulièrement grandes.

> « J'ai un atout majeur, je suis immigrante moi-même. Aux yeux du réfugié, cela est important. Le fait de communiquer avec les gens dans leur langue et d'avoir vécu une partie de ce qu'ils ont vécu m'aide beaucoup car je peux mieux les comprendre.» (Violaine, Secteur public)

> « Pour pouvoir aider un réfugié, il faut gagner sa confiance. À ce niveau, le fait d'être moi-même réfugiée me semble un atout majeur...» (Marta, ONG)

Ce point de vue ne fait pas du tout l'unanimité. Une position opposée cristallise la pensée de plusieurs intervenants.

> « Je suis confrontée constamment dans mes valeurs. Je tente de comprendre moi-même ce qui se passe dans cette société où je vis maintenant. Je pense que beaucoup de réfugiés critiquent la nouvelle société dans laquelle ils vivent maintenant et ce n'est pas correct. Quand je tente de leur expliquer cela, ils n'acceptent pas mon avis et ils me disent souvent que je suis plus Canadienne que Latino-américaine.» (Gladys, secteur public)

> « Les différences culturelles sont très grandes entre ce qu'un réfugié a vécu et ce qu'il vit ici. Ces différences sont très difficiles à surmonter. Comme Latino-américaine, ils sont contents de me rencontrer mais, en même temps, j'ai l'impression qu'ils me perçoivent souvent comme une des leurs qui peut les connaître et les juger plus facilement qu'une Canadienne. Par exemple, quand je parle à un mari latino et que je lui dis qu'ici il doit changer son attitude, il n'accepte pas. Je vis les mêmes problèmes avec des étudiants latinos. Ils ne me croient pas et ils me disent que je suis devenue trop comme les Canadiennes... C'est une contradiction épouvantable. Je crois être dans une bonne position pour les

comprendre et ils me font moins confiance qu'à une Canadienne.» (Manuela, secteur public)

« Le fait d'être Libanais m'aide avec les Libanais et quelques autres personnes de divers pays mais, de façon générale, je ne suis pas sûr que cela m'avantage vraiment.» (Emmanuel, ONG)

« J'ai réalisé que le fait d'être Latino ne m'aide pas avec les Asiatiques. J'ai l'impression qu'ils font plus confiance à un Canadien qu'à un réfugié d'un autre pays du tiers-monde...» (Jorge, ONG)

L'identité de l'intervenant prend donc une signification particulière dans la relation d'aide. D'un côté, l'intervenant immigrant ou réfugié lui-même se perçoit en meilleur position pour comprendre la situation d'un compatriote et parfois d'un ressortissant d'une autre ethnie; de l'autre, son appartenance de classe et son statut d'intervenant le placent dans une catégorie à part, aux yeux des gens avec qui il croit s'identifier. Donc situation ambiguë et inconfortable pour l'intervenant à certains égards mais en même temps avantages certains dans de multiples cas pour comprendre toutes les difficultés d'insertion.

Cette dimension rejoint les propos d'une majorité d'intervenants. Le point de vue le plus explicite révèle qu'ils cherchent d'abord à devenir très attentifs à tous les détails de la vie du réfugié. Constantin résume assez bien cette opinion:

« Pour moi, travailler avec des gens de diverses ethnies, c'est devenu une seconde nature. Ça me demande d'abord d'être très attentif à tous les détails de leur vie. Par exemple, je trouve important de connaître sa culture à lui; connaître les grandes caractéristiques de son pays d'origine ne suffit pas. Tout cela reste souvent très vague et conduit à une perception basée plus sur des stéréotypes que sur une connaissance réelle de l'individu qui est en face de moi. De toute manière, être Ethiopien par exemple, qu'est-ce que cela veut dire? À l'intérieur de l'Ethiopie, il y a plus d'une ethnie, plus d'une culture. Je ne peux donc pas dire, je le connais lui qui est devant moi parce que j'ai une idée générale de l'Ethiopie...Il faut que je sois humble face à la personne qui est devant moi et que j'accepte d'apprendre d'elle. Cette attitude d'accueil est fondamentale et me permet de vraiment communiquer avec la personne.» (Constantin, ONG)

« Il faut connaître certains traits généraux, observer, poser des questions. Par exemple, il est important de savoir au moins des choses générales comme le fait qu'un homme n'embrasse pas une femme musulmane en public...» (Jorge, ONG)

Pour la majorité, le secret du développement d'une relation d'aide (individuelle ou groupale) en milieu ethnique, vient de la sensibilité aux différences et de la capacité à écouter l'individu tel qu'il est. Plusieurs opinions montrent bien la richesse de l'expérience des intervenants en ce sens.

« La compétence ethnique ne s'apprend pas dans les livres. Il faut développer d'abord la capacité à entrer et sortir des diverses catégories ethniques, c'est-à-dire ne pas se confiner à un type de clientèle. Il faut que je me rende capable de comprendre l'individu devant moi, être sensible à ses différences. J'insiste là-dessus, voir ses différences et les différences entre lui et moi, entre lui et la société dans laquelle il vit maintenant. Pour cela, il faut donc avoir une bonne connaissance de soi. Les préjugés nous guettent toujours. Il faut en faire abstraction, comprendre la personne même quand elle m'agresse et qu'elle adopte une attitude négative. Il faut donc que je retravaille constamment mes perceptions et que j'amène l'individu devant moi à en faire autant. Par exemple, certains individus critiquent parce qu'ils doivent apprendre le français; même si je ne suis pas d'accord avec cela, je dois comprendre les raisons qui conditionnent l'individu à prendre position en ce sens.» (Emmanuel, ONG)

« La première chose que je me répète toujours, c'est que j'ai une grande responsabilité à l'égard des gens qui viennent me voir. En quelque sorte, je représente la société d'accueil pour cette personne qui vient me consulter parce qu'elle vit un problème difficile. Je dois donc être à la hauteur et pour en arriver là, je dois adapter mes pratiques aux réfugiés et non eux s'adapter à elles.» (Gladys, secteur public)

« Pour moi, l'écoute de la personne, c'est fondamental. Je la considère comme un tout et je tente de l'aider à se situer dans son passé, dans son vécu là-bas et ici. Par exemple, je dois tenir compte des croyances de la personne. Si elle m'explique ses principes de vie, je la comprendrai mieux et j'apprendrai par le fait même à mieux travailler avec d'autres personnes de la même religion qu'elle. La personne en face de moi doit se sentir en sécurité, non pas jugée.» (Amir, ONG)

« C'est difficile de comprendre tous les problèmes mais, il me semble que c'est important d'aller en profondeur avec chaque individu afin de décortiquer toutes les dimensions de ses problèmes, particulièrement l'insécurité et tout ce qu'elle engendre.» (Arturo, ONG)

« Les différences culturelles, ça varie d'un individu à l'autre. J'ai appris que je ne peux dire à un réfugié: «je connais les Somaliens parce que j'ai travaillé avec quelques-uns...» Chaque personne veut être considérée pour ce qu'elle est et non pas comme le prototype d'un pays. Il ne faut pas heurter les réfugiés en leur accolant des étiquettes.» (Hélène, ONG)

Les connaissances générales

L'attention accordée à chaque individu ne suffit pas, semble-t-il, sans une solide culture générale qui permet de faire des liens entre le vécu de chacun et ce qui se passe dans les différents pays qui génèrent des réfugiés. En somme, on réfère à une culture générale imposante comme qualité de base dans l'intervention sociale en milieu interethnique. Au premier coup d'œil, ceci peut paraître contradictoire avec le fait que les intervenants insistent beaucoup sur l'écoute de l'individu en face d'eux mais, dans les faits, il semble que les deux qualités, culture générale et attention à l'individu, se complètent très bien. D'ailleurs, la plupart des intervenants interviennent seulement auprès des individus et non de groupes, ce qui leur donne peu d'occasions d'être confrontés aux problèmes politiques plus globaux qui amènent des gens à fuir leur pays. Les interventions communautaires, au sens d'une action qui a comme «cible» telle ou telle communauté, sont très peu développées. De façon générale, O.N.G. et institutions publiques ont plutôt une politique et des programmes loin d'une perspective communautaire. Les propos semblent nous donner raison; très peu d'entre eux sont à l'aise avec les dimensions politiques, les conflits interethniques dans divers pays, les situations de guerre, etc. La plupart y réfèrent de façon plutôt vague.

Certains admettent que le fait de travailler avec des réfugiés les remet en question et les confronte avec leurs propres valeurs.

« Chaque jour, dans mon travail, je constate que je suis amené à me remettre souvent en question, à questionner mes valeurs, mon identité même dans ce pays, mes positions politiques, etc. En tant que Québécois «pure laine», le travail en milieu ethnique est le meilleur moyen de découvrir mon identité, mes valeurs, même mes préjugés.» (Pierre, secteur public)

Le tiers des intervenants ont quand même insisté sur cette préoccupation dans leur pratique. Encore là, quelques témoignages résument leur pensée.

« Travailler avec les réfugiés, ça demande beaucoup de souplesse mais surtout une bonne connaissance de ce qui se passe dans le monde, des conflits régionaux, des problèmes interethniques dans certains pays, par exemple en Ethiopie.» (Pierre, secteur public)

« Quand je suis avec une personne, il faut que je sois en mesure de discuter avec elle de ce qui se passe dans son pays, au moins dans les grandes lignes...» (Amir, ONG)

« La connaissance du milieu d'origine me semble fondamentale. C'est la seule manière d'en arriver vraiment à comprendre le contexte prémigratoire de l'individu. Je ne peux pas seulement lui accorder un soutien matériel, je dois aussi l'aider à intérioriser sa nouvelle situation, à découvrir tous les aspects positifs de son nouveau vécu.» (Maria, ONG)

« Quand je travaille avec des gens d'une autre origine que la mienne, je dois aussi me renseigner sur leur pays, lire, etc. Tout cela m'est utile pour bien saisir leurs difficultés, leurs modes de communication, leurs différences de mentalité, etc.» (Michel, ONG)

Les modèles d'intervention

La très grande majorité des intervenants des ONG déclarent que l'institution où ils œuvrent ne leur fournit aucun modèle d'intervention comme tel. Chez la moitié d'entre eux, la réponse est tout simplement: «je ne sais pas ce que c'est un modèle d'intervention...» Chez les autres, on admet volontiers que les orientations des organismes non-gouvernementaux nagent dans une certaine confusion.

« Il me semble que c'est très confus. Tout ce que je sais, c'est que nous faisons du dépannage et je ne pose pas de questions...» (Martine, ONG)

« Mon organisme ne réfère à aucun modèle précis. Nous fonctionnons avec des subventions et nous adaptons nos actions selon les objectifs des programmes qui nous permettent de poursuivre notre assistance aux réfugiés.» (Amir, ONG)

« Je dirais que le modèle qui doit guider toutes les interventions, c'est le respect de l'être humain... Il faut le sécuriser» (Maria, ONG)

Sécuriser l'individu est une stratégie reprise par cinq intervenants seulement mais, à travers d'autres propos, nous avons noté qu'il s'agit là d'une dimension significative. Ce phénomène s'explique par l'orientation à peu près exclusivement psycho-sociale des intervenants du secteur public et d'une bonne partie de ceux des ONG; très peu d'entre eux ont développé une perspective d'intervention communautaire.

« Ma première tâche est d'abord de sécuriser le réfugié...» (Amir, ONG)

« J'ai observé un très grand stress chez beaucoup de réfugiés. Je dois donc gérer cela avec beaucoup d'attention.» (Arturo, ONG)

« Le réfugié vit dans l'insécurité: peur d'être déporté, peur de perdre son emploi, etc. D'ailleurs, des patrons exploitent très bien cette peur dans leur intérêt; ils font travailler des réfugiés comme des fous, les paient peu et les maintiennent dans la crainte de la déportation afin de les rendre très dociles. Quand je le rencontre, ma tâche est d'abord de le sécuriser.» (Michel, ONG)

Chez les intervenants du secteur public, les réponses sont plus précises mais, de façon générale, la plupart disent ne pas tenir compte de modèles institutionnels.

Au Service Migrant-Immigrant (SMI) du Centre des Services Sociaux de Montréal-Métropolitain (CSSMM), la majorité d'entre eux se réfèrent à une démarche de formation en fonction d'un modèle nommé «modèle d'intervention interculturelle». Dans cet organisme particulier, les avis sont partagés; certains estiment que les orientations sont floues et qu'on «se gargarise» beaucoup avec le modèle d'intervention interculturelle. Deux intervenants de ce service déplorent le fait que l'institution ne prévoit aucun programme de prévention ni aucun programme d'action communautaire.

Dans les Centres Locaux de Services Communautaires (CLSC), les intervenants jugent qu'il n'y a aucun modèle d'intervention spécifique en milieu interethnique. Une intervenante a résumé la pensée d'un groupe d'intervenants. Sans référence à un modèle précis, on identifie plutôt un certain nombre de principes généraux qui guident l'intervention.

« Au point de départ, je dois connaître au moins une autre langue si je veux travailler en milieu ethnique. Deuxièmement, être ouverte à d'autres cultures, me questionner sur mes propres rapports à d'autres univers culturels, connaître diverses situations dans d'autres pays et accepter mes limites. Quant au reste, je suis les perspectives générales du CLSC, c'est-à-dire offrir des services à tout le monde sans aucune discrimination tant au niveau de l'information, du dépannage que de l'aide psycho-sociale. Ici, nous tentons d'amener les gens à se prendre en charge et à devenir vite autonomes. Les modèles d'intervention varient donc selon l'intervenante...» (Phuon, CLSC, service public)

En somme, si l'on se fie au discours des intervenants, force est de constater que les institutions font preuve d'une grande pauvreté théorique et idéologique dans leur rapport à l'intervention; on se définit d'abord en fonction des demandes des usagers et des critères utilisés par les bailleurs de fonds. Quelques intervenants admettent devoir faire une démarche personnelle, sans compter sur l'institution qui les embauche.

Comment expliquer ce phénomène? L'absence de politiques claires, le manque de recherche et de formation sur l'intervention sociale en milieu interethnique et les blocages institutionnels (approche étroitement pragmatique des problèmes, crainte des remises en question, crainte de déplaire aux bailleurs de fonds, etc.), l'absence d'une formation spéciale et la nouveauté des préoccupations en ce domaine semblent autant de facteurs qui entravent l'émergence d'une réflexion critique sur l'intervention auprès des réfugiés.

La plupart déclarent ne se référer à aucun modèle et travailler en fonction de quelques principes généraux qui guident leur pratique, par exemple: écouter les gens, répondre à la demande. Malgré l'absence de politiques institutionnelles claires, seulement quelques individus disent appliquer un modèle théorique.

« Moi, dans ma pratique, je travaille beaucoup avec une approche d'intervention de réseau. Mon intervention repose sur l'individu avec tout ce qu'il a d'influences extérieures, son réseau mental, son réseau familial, son milieu de travail, le réseau dans la communauté...» (Violaine, secteur public)

« Nous utilisons l'intervention interculturelle. Ce modèle nous permet d'abord de nous situer face à nos valeurs et nos attitudes, d'intégrer les réalités ethniques, de comprendre notre propre contexte social et politique, de redéfinir notre pratique avec les réfugiés en tenant compte de notre cheminement personnel, en éliminant nos préjugés. Cette approche devrait nous préparer à développer des interventions mieux adaptées aux réalités actuelles.» (Jocelyne, secteur public)

« Le modèle d'intervention interculturelle nous permet de prendre du recul par rapport à la pratique. Nous devenons plus audacieux, moins isolés.» (Pierre, secteur public)

L'insatisfaction exprimée par un certain nombre de réfugiés sur l'intervention ne préoccupe pas les intervenants. Quelques-uns seulement présentent des réflexions critiques face à leur intervention. Dans ces cas-là, la plupart adoptent une position un peu fataliste et défaitiste.

« Je vois qu'il faudrait développer des programmes d'action communautaire mais aucun bailleur de fonds ne semble intéressé à le faire.» (Raùl, ONG)

« Dans mon organisme, on fait du dépannage et on ne peut rien faire d'autre.» (Jorge, ONG)

« Avec le temps, j'en suis venu à me dire: je fais mieux de rentrer dans le moule, d'adopter une sorte d'approche éclectique et de faire mon possible. Je ne compte pas beaucoup sur le CLSC pour remettre en question ses programmes d'intervention, pour mettre plus d'emphase sur l'action communautaire et sur la prévention. On dépanne, on console, on redépanne, on reconsole, et ça continue comme ça sans qu'on touche aux causes des problèmes...» (Marcel, secteur public)

En résumé, les opinions émises indiquent que les orientations des institutions ne semblent pas toujours très claires par rapport à l'intervention en milieu interethnique. Les intervenants semblent miser plus sur leurs ressources personnelles que sur les institutions.

C. Les problèmes sociaux et les besoins des réfugiés

Les besoins des réfugiés identifiés par les intervenants sont regroupés autour de trois pôles principaux: les problèmes socio-juridiques, les besoins en information et les demandes d'aide matérielle. Les problèmes psycho-sociaux (conflits conjugaux, problèmes émotifs, problèmes de comportement) viennent en quatrième lieu seulement. Il est un peu surprenant de constater que les intervenants ne situent pas les problèmes psycho-sociaux reliés à l'insertion dans leurs priorités.

Les problèmes socio-juridiques

Cette catégorie englobe essentiellement les demandes d'assistance en vue de poursuivre les démarches d'obtention du statut de réfugié. Les procédures d'enquête pour l'obtention du statut sont longues et complexes, ce qui entretient les réfugiés dans l'insécurité et les porte à consulter fréquemment à ce sujet. Il est donc normal que la très grande majorité des intervenants indiquent les demandes d'information et d'encadrement dans les démarches administratives comme étant le premier motif des consultations. À ce chapitre, aucune différence entre les perceptions des gens du secteur public et des ONG.

> « La grande question qui revient sans cesse: est-ce que je vais pouvoir rester au Canada? Ils viennent chercher conseil en prévision de leur enquête pour l'obtention du statut de réfugié...» (Gladys, secteur public)

> « Les démarches à l'immigration sont au cœur des demandes d'aide formulées par les réfugiés.» (Arturo, ONG)

Plusieurs soulignent le fait que leur raison d'être comme intervenants et organismes, c'est le soutien aux réfugiés dans leurs démarches au cours de l'enquête et les services d'interprétation en diverses langues. Les autres demandes semblent un peu plus secondaires.

Les demandes d'information

Les demandes d'information constituent un autre volet important des demandes de service. L'objet des demandes varie beaucoup: procédures pour trouver un logement, pour avoir droit aux cours de langue, pour poursuivre des études, pour trouver du travail et pour éclairer tout ce qui concerne les problèmes reliés à l'établissement.

Les demandes d'aide matérielle

Sur cette question, les intervenants des deux secteurs présentent des perceptions un peu différentes. Au S.M.I., par exemple, les jeunes vont chercher une aide financière qui s'inscrit dans le mandat de protection sociale du service. Dans les ONG, les gens vont demander de l'aide financière, de la nourriture, des vêtements, des jouets, etc.

« Tout le monde, services sociaux et ministère de l'immigration, envoie les gens dans notre organisme pour de l'aide matérielle sans tenir compte de nos faibles ressources.» (Amir, ONG)

« C'est incroyable le nombre de demandes que nous recevons. Les gens demandent tout. La plupart ont besoin d'argent avant de se trouver un emploi. Les gens qui ont une famille n'arrivent pas à joindre les deux bouts avec le B.S.» (Emmanuel, ONG)

L'importance que les intervenants accordent aux demandes d'aide matérielle indique clairement que l'intervention sociale, surtout dans les ONG, est très «assistancialiste». C'est la perspective la plus classique de l'intervention sociale, le dépannage, l'aide directe.

D. Les aspirations des réfugiés

Améliorer la situation matérielle

L'analyse des aspirations s'impose comme une dimension significative, dans la mesure où ces dernières conditionnent le processus d'insertion suivi par les réfugiés. Chaque jour, les intervenants écoutent des réfugiés exposer leurs problèmes mais aussi présenter leurs aspirations. À l'analyse, on réalise que les intervenants voient bien les problèmes des réfugiés mais, dans la pratique, ils sont aussi conscients que leurs aspirations ont autant de poids sinon davantage dans leur détermination que les nécessités immédiates.

Dans tous les cas, on estime que les réfugiés vivent dans la perspective d'une amélioration de leur situation. Pas étonnant de constater que tous les intervenants des deux secteurs, sans exception, placent en tête de liste l'amélioration de la situation matérielle et du sort de la famille comme aspiration centrale. En second lieu, vient le projet de retour au pays d'origine, suivi d'aspirations jugées moins prioritaires à court terme et aussi plus vagues comme vivre en paix et liberté, obtenir un statut stable, apprendre le français, poursuivre des études. L'ordre des priorités dans les aspirations diffère donc de l'opinion des réfugiés. Beaucoup de Salvadoriens, par exemple, vivent le retour au pays d'origine comme la première aspiration ou le projet de vie principal, et l'obtention d'un statut stable est central chez les Iraniens.

Dans les premiers cas, améliorer sa situation matérielle signifie aussi pour le réfugié se donner les ressources nécessaires pour effectuer son retour au pays, pour réunifier sa famille et pour faire instruire les enfants. Au premier coup d'œil, les intervenants semblent véhiculer une certaine contradiction entre leur perception des besoins et les aspirations des réfugiés. La majorité d'entre eux estiment que les besoins principaux sont d'abord au niveau des demandes d'information à caractère socio-juridique, au niveau des demandes d'aide matérielle et des besoins psycho-sociaux. Dans les faits, les demandes d'information à caractère socio-juridique et les demandes d'aide ont un caractère passager car elles portent sur les procédures à suivre dans le processus d'obtention du statut de réfugié et l'aide matérielle pour l'installation. Les réfugiés vivent leurs aspirations avec une visée à plus long terme dans leur vie et cela, les intervenants semblent le percevoir avec justesse, se basant sur leur riche expérience acquise au quotidien. Trois points de vue ramassent les principales opinions des intervenants.

« Faire venir les gens restés dans le pays d'origine, c'est un objectif important et la plupart veulent se donner les conditions pour réaliser ce rêve.» (Pierre, secteur public)

« L'intégration au travail est très importante parce qu'à mon avis, ils veulent tous la réunification de leur famille. Je connais beaucoup de gens qui vivent dans une grande anxiété et se font beaucoup de souci afin de ramasser l'argent nécessaire pour la réalisation de leur rêve. La famille, c'est une préoccupation majeure. D'ailleurs, moi je vois une certaine contradiction entre l'aspiration à retourner vivre dans le pays d'origine, ce que nous répètent plusieurs réfugiés, et la détermination à faire venir les membres de leur famille. Je constate que le projet de retour au pays les préoccupe surtout au cours de leur première année ici; après, tout cela s'estompe. Je connais même des gens qui, après avoir échoué dans leur projet de faire venir leur famille, planifient un simple voyage touristique dans leur pays d'origine et le vivent parfois comme une catastrophe, comme un signe d'échec dans leurs premières aspirations. Ils ont le sentiment de ne pas avoir réussi à se bâtir une situation matérielle assez confortable pour faire venir la famille.» (Gladys, secteur public)

« Passée la terrible nostalgie du début, due à la rupture avec la famille et le pays, à la méconnaissance de la langue et au climat, plusieurs réfugiés plongent tête baissée dans la consommation et ne pensent qu'à une chose, améliorer leur situation financière.» (Raùl, ONG)

Améliorer le sort de la famille

La réunification de la famille et l'amélioration du sort de chacun de ses membres est la deuxième aspiration des réfugiés. Tel que mentionné ci-haut, cette préoccupation pourrait venir en premier lieu dans l'ordre des aspirations parce qu'elle sert de levier principal dans l'aspiration à améliorer la situation financière.

« Moi, je trouve que les familles se préoccupent beaucoup de l'avenir de leurs enfants. Le Canada signifie pour eux la sécurité sociale, politique et économique et ils veulent tout faire pour que leurs enfants y connaissent un futur heureux.» (Violaine, secteur public)

« Comme beaucoup de réfugiés arrivent ici seuls, c'est important pour eux de penser réunir de nouveau la famille, si possible au Canada.» (Michel, ONG)

Quelques intervenants jugent que plus les réfugiés viennent de milieux ruraux pauvres ou de camps de réfugiés, plus est vivant leur désir de réunifier leur famille. Après avoir vécu diverses situations traumatisantes, ils recherchent la sécurité, un mieux-être pour eux et leur famille.

« Acquérir des biens, faire de l'argent, semblent devenir la seule valeur. Je m'explique cela par leur désir de réussir et de faire venir leur famille.» (Constantin, ONG)

Est-ce là une perception basée sur un stéréotype ou le résultat de l'observation de plusieurs sujets? L'affirmation pourrait découler un peu des deux sources: d'une part, le réfugié d'origine rurale a vécu diverses privations et il est tout à fait normal qu'il aspire à améliorer sa situation; d'autre part, l'intervenant qui rencontre beaucoup de gens peut développer la perception que l'amélioration de la situation matérielle semble la seule préoccupation du requérant ou du réfugié.

Retourner au pays

Seulement deux intervenants du secteur public ont souligné le retour au pays d'origine comme une aspiration; par contre, presque tous les intervenants du secteur privé y voient là une priorité. Pourquoi cette différence de perception? Certains des intervenants du secteur public sont conscients qu'ils représentent un certain «pouvoir public», ce qui rend les réfugiés plus craintifs et plus discrets dans les discussions sur leurs projets. En disant qu'ils veulent retourner dans leur pays, ils craignent d'être mal accueillis et de ne pas recevoir l'aide qu'ils vont chercher. Dans les ONG, les réfugiés semblent plus à l'aise pour verbaliser sur leur passé, le présent et l'avenir; d'ailleurs, les intervenants des ONG font preuve d'une plus grande volubilité à ce propos.

« Le réfugié arrive ici blessé. Il a été obligé de partir de son pays et il croit pouvoir retourner un jour. Le processus d'implantation est donc plus lent.» (Marta, ONG)

« C'est différent des immigrants. La majorité des réfugiés sont d'abord venus ici pour sauver leur peau et non par choix. C'est normal que la plupart songent à retourner au cours de leurs premières années de vie ici.» (Amir, ONG)

« Le projet «retour» devient le pilier fondamental autour duquel ils construisent leur vie. Dans cette aspiration, ils tirent l'énergie nécessaire pour passer à travers tous les problèmes. Dans les faits, je sais très bien que la majorité d'entre eux vont rester ici et qu'ils vont peu à peu transformer leur rêve de retour en un projet de réunification de leur famille ici, au Canada. Le gouvernement canadien semble croire que la majorité des réfugiés retournent dans leur pays et c'est faux...» (Maria, ONG)

Premier fait à souligner, le retour au pays fait partie des préoccupations au cours des premières années de séjour dans le pays d'accueil. Plus les années s'écoulent, plus cette aspiration s'estompe. Par ailleurs, le projet «retour» vient en première place dans les projets de vie exprimés par les réfugiés salvadoriens eux-mêmes. On ne peut passer sous silence que cet ordre prioritaire dans le projet retour peut varier beaucoup selon les groupes; par exemple, les Salvadoriens placent ce projet en tête de liste alors que les Iraniens ne le font pas.

Autres aspirations

Les autres aspirations sont plus éparses, plus générales et variées, portant davantage sur des visées plus pratiques: apprendre la langue française, poursuivre des études, vivre en paix et en liberté, comprendre la société d'accueil, etc. Un intervenant résume clairement la pensée de plusieurs autres.

« Il me semble qu'une aspiration fondamentale habite plusieurs réfugiés: comprendre la société d'accueil dans laquelle ils veulent s'intégrer et y vivre. Comprendre leur nouveau milieu, cela veut d'abord dire obtenir un statut stable, apprendre la langue de la majorité, travailler, faire des études, vivre en paix, décoder les modes de communication. J'ai un bon exemple qui montre bien, à mon avis, comment les différences sont parfois difficiles à percevoir pour un réfugié. Des réfugiés somaliens m'ont dit qu'ils ne pouvaient travailler pour gagner un peu d'argent afin de pouvoir étudier parce qu'un étudiant ne doit pas travailler manuellement; dans leur culture, cela ne se fait pas. Je dois dire que plusieurs viennent de familles assez à l'aise dans leur pays. Un autre exemple: ici, il y a très peu de femmes somaliennes; les jeunes hommes cherchent alors des filles d'autres ethnies et ils trouvent les communications très difficiles; ils disent que les filles ne les comprennent pas.» (Gladys, secteur public)

Non sans intérêt, cette intervenante relève que la compréhension de la société d'accueil est une aspiration importante. Fait assez surprenant, aucun de ses collègues ne souligne cet aspect fondamental dans la mesure où il interpelle le vécu quotidien du réfugié. L'intervention sociale et psychosociale centrées sur l'insertion devraient inscrire la compréhension des structures, des modes de communication, des habitudes de vie, au cœur des préoccupations. Ce n'est pas toujours verbalisé et on ne peut qualifier cette dimension de «projet» mais, de façon indéniable, c'est une préoccupation majeure.

E. La situation familiale

Dans leur pratique, les intervenants rencontrent surtout des individus mais ils perçoivent quand même la dynamique familiale. Un intervenant du secteur public et six du privé ont déclaré n'avoir rien à dire sur la vie familiale parce qu'ils travaillent d'abord avec des individus et ne sont pas en mesure de discuter de cet aspect de la vie des réfugiés.

Analyser de façon générale leur vie familiale sans se référer à un groupe en particulier comporte certains risques; en effet, les réfugiés de certains pays viennent plutôt comme célibataires (par exemple les Somaliens, les Salvadoriens, etc) alors que la majorité de ceux originaires d'autres pays viennent en couple ou en famille. Etant donné que les intervenants rencontrent beaucoup de réfugiés, ils peuvent quand même se faire une opinion générale qui rejoint la réalité de la plupart des gens qu'ils côtoient dans leur pratique. Quelques dénominateurs communs se dégagent de leur perception: en premier lieu, les conflits parents-enfants restent la préoccupation dominante des intervenants. 80% discutent cet aspect, précisent assez clairement leur pensée, peuvent identifier la nature des problèmes et en cerner les causes principales.

« Les enfants sont appelés à jouer de nouveaux rôles, souvent au grand désespoir des parents.» (Violaine, secteur public)

« Dans beaucoup de pays, les enfants semblent très dépendants de la famille et de la communauté. Ici, ils deviennent plus autonomes. Un rapport inverse se crée parce que l'enfant apprend le français et devient le lien de la famille avec le milieu. Il acquiert donc un certain pouvoir.» (Pierre, secteur public)

« Il me semble que les enfants entrent vite en conflit avec les parents sur des questions de valeurs différentes, de comportement.» (Martine, ONG)

« Les parents perdent souvent le contact avec les enfants. Ces derniers sont souvent désorganisés devant l'incapacité des parents à leur aider à comprendre la nouvelle société dans laquelle ils les ont plongés. Les jeunes s'adaptent mieux et plus vite que les parents, d'où conflits. Les jeunes vivent en fonction de leur avenir dans la société canadienne et les parents prennent le pays d'origine comme point de référence. C'est difficile d'en arriver à un accord avec de tels points de départ; plus souvent qu'autrement, tout cela me semble très inconscient.» (Maria, ONG)

« Quand l'enfant fréquente l'école, il est laissé à lui-même par les parents parce qu'ils ne comprennent pas exactement comment les choses se passent ici. Les enfants réagissent souvent très fortement contre les parents parce qu'ils les trouvent incompétents à assumer leur rôle. De leur côté, les parents sont frustrés parce que les enfants changent beaucoup. Ils considèrent que les enfants ont beaucoup trop de droits, ce qui les autorise à contester l'autorité des parents.» (Arturo, ONG)

En second lieu, on observe des changements dans les rôles à l'intérieur de la famille. Dans la plupart des pays du tiers-monde, le rôle du père est très valorisé. Le modèle familial traditionnel peut varier d'un pays à l'autre mais certaines caractéristiques communes permettent de risquer quelques généralisations: l'autorité du père est très importante, il est souvent le seul pourvoyeur; les femmes voient davantage à l'éducation des enfants et à l'entretien de la maison; dans le cadre de la famille élargie, les hommes prennent habituellement les décisions qui concernent les enfants, l'avenir de la famille, le mariage des filles, etc. Selon l'origine de classe des réfugiés, ces grands traits peuvent être plus accentués; par exemple, l'origine rurale de plusieurs réfugiés salvadoriens et guatémaltèques les rapproche plus de ce modèle que les réfugiés d'Europe de l'Est. Par ailleurs, certains intervenants ont souligné que même chez des réfugiés asiatiques d'origine urbaine, souvent des professionnels, ils ont pu observer leur attachement à des conceptions traditionnelles de la famille et à une définition «conservatrice» des rôles et des responsabilités, en comparaison avec des normes occidentales et nord-américaines.

Il faut rappeler que les intervenants se réfèrent d'abord aux gens en difficulté rencontrés dans leur pratique; en conséquence, ils se prononcent en fonction de cet important paramètre. Aucun intervenant n'a pu fournir une proportion des familles qui vont bien ou mal après la migration forcée. De façon générale, la plupart estiment que le niveau de formation scolaire et professionnelle et de connaissance du français à l'arrivée peut aider des gens à mieux s'en sortir ou, tout au moins, à sentir moins durement les contrecoups de la migration; de l'avis général, plus les gens sont instruits, moins ils vivent de problèmes familiaux dus à la migration parce qu'ils ont plus de ressources à l'intérieur de la famille pour gérer les situations anxiogènes créées par la migration. Les témoignages des Iraniens viennent contredire cette hypothèse.

Néanmoins les intervenants ont une vision assez claire de la dynamique familiale des réfugiés. Pour la majorité d'entre eux, le choc migratoire joue un rôle important dans les changements de cette dynamique. Plusieurs familles sont déstabilisées suite à la perte du soutien de la famille élargie et par la confrontation avec plusieurs situations anxiogènes (difficultés économiques, déqualification professionnelle, confrontation avec des valeurs nouvelles et des conceptions très différentes de la famille, méconnaissance de la langue de la société dominante, etc...). Déstabilisation n'équivaut pas nécessairement à séparation ou divorce. De fait, plusieurs familles restent sous un même toit malgré de sérieux conflits parce que la famille nucléaire forme, malgré toutes les difficultés, le principal noyau d'entraide pour chaque membre, en l'absence de la famille élargie. De plus, en raison de la conviction chez plusieurs que la séparation et le divorce signifient la pire disgrâce aux yeux de la famille élargie et de la société, ils rejettent cette solution et, malgré les conflits, la famille reste souvent constituée dans sa forme conventionnelle.

Dans l'ensemble, on peut dire que le père semble vivre les problèmes les plus difficiles.

> « Le père a souvent peur de perdre son autorité. J'ai même rencontré des pères qui pensaient au suicide parce qu'ils n'arrivaient plus à se définir dans la famille. Souvent la violence familiale naît de l'insécurité et de l'impatience du père. Plusieurs pères veulent la même vie de famille qu'avant parce qu'ils auraient conservé leur pouvoir.» (Jocelyne, secteur public)

> « Au fond, c'est souvent une lutte de valeurs. Le pouvoir de l'homme est modifié par les circonstances, pour des raisons objectives: la femme commence à travailler, les enfants s'intègrent rapidement. De son côté, le père ne suit pas le changement dans sa tête et ses émotions et il réagit souvent avec force.» (Martine, ONG)

Aux yeux des intervenants, la coupure avec la famille élargie semble jouer un rôle important dans le développement d'une nouvelle dynamique.

> « La situation d'exil est très désintégratrice. La famille souffre beaucoup à cause des problèmes qu'ils doivent affronter en s'exilant. Chaque membre de la famille devient exigeant à l'égard des autres membres, d'où une grande tension quand les uns ne sont pas en mesure de répondre aux attentes des autres. De plus, sans la famille élargie, le couple est souvent désorganisé et, à ma connaissance, ici il y a très peu de services qui se préoccupent de ces problèmes nouveaux. C'est un changement dans la structure familiale et dans les rôles. Le couple n'a plus le support de l'entourage et il doit se redéfinir. Certains y réussissent mieux que d'autres.» (Maria, ONG)

Certains expliquent ces changements par plusieurs facteurs conjugués: le fait que la femme devient plus libre, plus revendicatrice; la perte de contact avec les amis et le milieu; l'insécurité due à l'attente d'un statut.

> « Dans plusieurs cas, la femme et les enfants ont suivi le père. Ils n'ont pas plus choisi la nouvelle situation que lui mais ils en souffrent et le jugent souvent responsable de tout. L'anxiété continue, c'est invivable. L'insécurité dans l'attente d'un statut, la crainte de revenir en arrière, l'angoisse suite aux tortures parfois, les peurs pour l'avenir des enfants, les difficultés à comprendre la société d'accueil, le deuil de la famille dans le pays d'origine, tout

cela amène souvent l'éclatement de la famille. Il faut aussi dire que la plupart des familles de milieux traditionnels n'ont pas vraiment un apprentissage de la vie de famille nucléaire.» (Amir, ONG)

« La plupart des familles n'ont pas de parents ici, ce qui signifierait affection, soutien, etc...Ils se retrouvent plus souvent seuls. Il faut donc que les jeunes couples réfugiés s'adaptent à une situation nouvelle. Ils vivent des questionnements profonds. La confrontation entre la situation et la culture d'origine n'a rien de nouveau chez les immigrants mais, chez les réfugiés, c'est particulier parce qu'ils n'ont pas choisi la situation et ils ont souvent l'impression d'avoir agi contre leur volonté.» (Gladys, secteur public)

« Faire venir la famille ici, c'est un beau projet mais souvent difficile à réaliser, d'où beaucoup de frustrations... De plus, les gens réalisent souvent très tard qu'ils changent ici et prennent des positions différentes de leurs proches dans le pays d'origine, ce qui entraîne parfois des ruptures avec eux.» (Martine, ONG)

En conclusion, il semble évident que les services devraient accorder une plus grande attention à la dynamique familiale. Actuellement, il n'y a pas de programmes de soutien aux familles des réfugiés comme telles; on intervient avec des individus à partir de demandes immédiates. Les programmes d'intervention préventive pour faire face aux difficultés spécifiques des familles réfugiées sont pratiquement inexistants. On fait du cas à cas, souvent lorsqu'il est trop tard.

« On ne fait que du dépannage, toujours du dépannage et on passe souvent à côté des vrais problèmes. Dans les services publics, je crois que c'est pire encore; ils ne sont pas en mesure d'aider les réfugiés aux prises avec des problèmes familiaux. Ils interviennent plus souvent qu'autrement suite à un signalement, c'est tout. Comment les réfugiés peuvent-ils les consulter s'ils ne savent pas ni où ni comment ils vont obtenir de l'aide? Après, ils disent: «on ne comprend pas pourquoi les gens ne vont pas dans les services sociaux.» C'est trop bureaucratisé, trop loin des gens.» (Emmanuel, ONG)

Il faut aussi souligner que, de façon générale, les réfugiés se disent gênés de soumettre leurs problèmes familiaux à un intervenant professionnel. Autre point souligné par rapport à la dynamique familiale, le poids de la famille restée dans le pays d'origine. Plusieurs intervenants soulignent le fait que les familles établies au Canada gardent souvent des liens étroits avec les autres membres qui réclament de l'aide financière. La partie qui porte sur les aspirations a fait le point sur cette question et a montré que le réfugié souhaite un mieux-être relatif afin de pouvoir venir en aide à la famille restée dans le pays d'origine. Cette situation a donc un impact sur chaque membre de la famille établie au Canada.

> « Moi je pense que les membres de la famille restés dans le pays d'origine font des pressions sur ceux qui sont ici parce qu'ils croient qu'ils sont riches du simple fait qu'ils vivent au Canada...» (Violaine, secteur public)

Les intervenants voient de façon très juste que les rapports à l'intérieur des familles changent en raison des pressions exercées de part et d'autre par les membres établis ici et ceux restés dans le pays d'origine. La perception de la responsabilité familiale change, la situation matérielle souhaitée n'arrive pas toujours à la hauteur des besoins et des aspirations, les résultats en découlant de façon logique: les tensions grandissent et les ruptures se dessinent. Par le fait, le projet «retour» se modifie avec les années en un projet d'établissement permanent.

Bien sûr, il est toujours hasardeux de généraliser et une mise en garde s'impose: dans certains cas, et de façon plus généralisée chez les réfugiés iraniens par exemple, la coupure avec la famille et le pays d'origine est souvent plus définitive. À ce niveau, leur attitude se rapproche plus de celle des immigrants que des réfugiés. D'ailleurs, rares sont ceux qui quittent leur pays avec l'aspiration d'y revenir, surtout dans le cas des hommes. Le rapport à la famille en est nécessairement modifié.

F. Les relations sociales

Le développement de relations sociales dans la société d'accueil pose de sérieux problèmes quand on ne maîtrise ni le français ni l'anglais. De façon générale, les relations sociales se tissent d'abord sur une base fonctionnelle, par exemple avec les commerçants ou dans les milieux de travail. Plusieurs intervenants soulignent que la plupart des réfugiés rencontrent des difficultés de communication.

Les relations de travail

Dans plusieurs milieux de travail, les réfugiés rencontrent quelques individus qui parlent leur langue mais, dans les faits, beaucoup de milieux où sont employés les réfugiés sont très cosmopolites et la langue de travail est l'anglais alors qu'on les incite à apprendre le français. Ils vivent donc des échanges difficiles. Le milieu de travail offre souvent les premières possibilités de développement de relations sociales mais cela ne se fait pas automatiquement. Plusieurs intervenants estiment que des conflits entre gens de diverses ethnies existent sur les lieux de travail. Abus patronaux et méconnaissance de la langue apparaissent comme deux facteurs de division importants.

> « Le milieu de travail joue un rôle très important dans la socialisation de l'individu et c'est souvent le seul endroit où il peut se faire de nouveaux amis. Malheureusement, à cause des problèmes de langue, les Asiatiques restent avec les Asiatiques, les Latinos avec les Latinos, et ainsi de suite.» (Martine, ONG)

> « Beaucoup de réfugiés ont de la difficulté à s'intégrer au marché du travail. D'abord, ils sont souvent déqualifiés, c'est-à-dire qu'il ne peuvent travailler dans leur métier ou leur profession parce qu'ils ne comprennent pas le français; ensuite, ils sont exploités par des patrons sans scrupules qui s'organisent pour diviser les travailleurs entre eux selon les diverses ethnies afin d'éviter la syndicalisation ou pour diviser le syndicat s'il y en a un...» (Maria, ONG)

En somme, la plupart des relations sociales se limitent à la famille et à des amis durant plusieurs mois.

Les relations politiques

Comme plusieurs réfugiés viennent au Canada pour des raisons politiques, on est en droit de s'attendre à ce qu'ils souhaitent établir des relations à ce niveau. Dans les faits, quelques intervenants sont d'avis que les réfugiés recherchent un tel réseau à l'intérieur de leur communauté et peu avec les Québécois francophones. La plupart n'abordent pas cette question; on peut se demander pourquoi étant donné le fait qu'ils ont affaire à des réfugiés. Il semble que ce soit surtout parce que dans leur pratique quotidienne, ils n'ont pas à aborder ces questions.

> « Beaucoup de réfugiés sont politisés et l'action politique leur manque. Il se sentent orphelins au plan politique et il me semble qu'ils entretiennent très peu de relations avec des gens d'ici.» (Violaine, secteur public)

« Ici, les réfugiés s'impliquent peu. Ils ne comprennent pas notre système politique. D'ailleurs, moi je les comprends, comment est-ce possible de voir les différences entre des partis politiques qui ont à peu près la même position?» (Martine, ONG)

Les relations avec les voisins

La plupart des intervenants s'accordent à dire que les relations avec les voisins sont difficiles à développer. Au début, les réfugiés, à leur avis, développent d'abord des relations entre gens qui parlent la même langue. Après quelques années, ils risquent des contacts avec des voisins ou des amis. Souvent les difficultés viennent des codes de communication: par exemple, les gens d'ici ont l'habitude de téléphoner avant de se rendre chez quelqu'un alors que les gens d'origine rurale n'avaient même pas le téléphone chez eux, d'où certains malentendus parfois. Une intervenante a expliqué qu'un réfugié avait été choqué par la réception un peu froide de voisins québécois francophones alors qu'il avait tout simplement décidé de leur dire bonjour en passant, sans s'annoncer. Chez certains, les contacts se limitent exclusivement aux gens d'une même langue; c'est le cas de plusieurs réfugiés d'origine chinoise.

« La plupart des Chinois restent dans la communauté à cause de la langue, des coutumes, des traditions. Ils aiment vivre à la chinoise et se soucient peu d'établir des contacts en dehors de la communauté. Evidemment, ce n'est pas positif pour l'intégration sociale et la qualité des relations entre gens de diverses ethnies. C'est une question fort complexe.» (Kim, ONG)

Dans l'ensemble, il semble que l'absence de programmes communautaires qui viseraient à développer une intégration sociale dans un quartier ou un voisinage complique la situation des réfugiés qui vivent dans un grand centre urbain comme Montréal. L'isolement est au cœur des préoccupations des intervenants au chapitre de relations sociales.

G. Les problèmes psychosociaux

Plusieurs intervenants estiment que l'isolement social constitue un problème important. La plupart d'entre eux inscrivent ce phénomène parmi les conséquences majeures du processus d'insertion. Méconnaissance de la langue, des codes de communication et des modèles de comportement, et aussi difficultés particulières à vivre en fonction de leurs convictions et de leurs habitudes de vie, forment l'éventail des principales causes énoncées par les intervenants pour expliquer l'isolement social de plusieurs réfugiés. Certes, ne pas maîtriser le français ni l'anglais apparaît comme le facteur dominant et crée beaucoup de difficultés au niveau des relations sociales. Sans possibilité d'échanges suivis avec la majorité des gens, les individus vivent un sentiment profond de solitude et sont confinés aux contacts balisés par les relations avec des compatriotes.

« Plusieurs facteurs me semblent expliquer l'isolement que vivent plusieurs réfugiés. Premièrement, ceux qui ne parlent ni français ni anglais ou qui ont beaucoup de problèmes d'apprentissage parce qu'ils doivent travailler ou parce qu'ils ont un bas niveau de scolarité sont les premières victimes de l'isolement. Deuxièmement, je vois aussi des facteurs qui tiennent à ce que sont les individus eux-mêmes; par exemple, certains ont subi des sévices importants comme des tortures, des menaces de mort, et ils arrivent ici en se méfiant de tout le monde. Ils se méfient donc des «autres», les Québécois. Troisièmement, il y a aussi un ensemble de différences culturelles qui ne sont pas faciles à surmonter; par exemple, je connais des Musulmans qui portent un «chéchia» et qui aimeraient pratiquer leur religion en faisant des prières publiques mais, dans la vie de tous les jours, ils réalisent vite qu'ils apparaissent trop différents et se retirent dans un certain isolement. Aussi, ils ont des habitudes alimentaires différentes et ce n'est pas toujours facile de les changer, d'autant plus quand ils réalisent que les voisins acceptent difficilement les odeurs de cuisine exotique. Vous savez, pour des Canadiens, j'ai l'impression que l'exotisme, c'est bon en voyage à l'étranger et dans les restaurants, pas dans son jardin...» (Gladys, secteur public)

En général, estiment les intervenants, les relations avec les Québécois s'avèrent donc plutôt rares en raison de la méconnaissance de la langue. Ils considèrent l'apprentissage de la langue comme la clé principale dans l'amélioration des perceptions et des relations entre Québécois et réfugiés. À leur avis, les réfugiés qui maîtrisent le français peuvent établir des relations normales avec les Québécois et ils en développent une perception positive.

« Au Canada, les réfugiés sont impressionnés par le premier accueil. Souvent ils rencontrent des gens aimables et ils considèrent les Canadiens chaleureux et gentils. S'ils ont des premières

171

expériences plus difficiles, ils développent vite des préjugés.» (Jorge, ONG)

« En général, s'ils peuvent communiquer avec eux, ils constatent que les Canadiens sont assez accueillants». (Consuelo, ONG)

Si l'isolement social représente un problème social aux yeux des intervenants, ils n'incriminent pas toute la société pour autant. Plusieurs estiment que le gouvernement doit créer les conditions pour que les réfugiés apprennent le français, ce qui faciliterait leur insertion. Par ailleurs, un certain nombre de réfugiés ne se pressent pas pour apprendre le français parce que, souvent, ils connaissent un peu ou assez bien l'anglais comme langue seconde et ils peuvent travailler en anglais et s'installer dans un quartier anglophone, ce qui ne les incite pas à apprendre le français. Plusieurs intervenants croient que la politique de la langue du Québec est difficile à comprendre pour des réfugiés parce que les contradictions entre le discours et la pratique ne manquent pas.

« On leur fait savoir que la langue du Québec est le français mais, dans leur vie de chaque jour, ils réalisent qu'ils peuvent travailler et vivre en anglais. De plus, ils n'ont pas toujours les possibilités d'apprendre le français parce qu'ils doivent travailler et ils n'ont pas accès aux cours de langue du COFI s'ils sont en attente de statut.» (Arturo, ONG)

À l'isolement, se greffent d'autres problèmes sociaux ou psycho-sociaux. Etant donné la diversité des problèmes mentionnés, nous n'avons retenu que les principaux.

La consommation d'alcool est un problème souvent souligné comme conséquence directe ou indirecte de l'isolement social et culturel.

« Moi, je crois que plusieurs réfugiés vivent un isolement profond. J'ai rencontré plusieurs jeunes qui étaient passés par les États-Unis; là-bas, ils connaissaient plus de Latinos, souvent ils ont même appartenu à des «gangs». Ici, ils se retrouvent sans aucun encadrement, seuls.

Les hommes semblent vivre plus de problèmes. Ils perdent leur petit statut de pourvoyeur et leur autorité. Plusieurs se retirent en eux-mêmes, commencent à boire et à vivre isolés...» (Raùl, ONG)

« Des gens attendent depuis plusieurs années une réponse à une demande de statut. Avant leur arrivée ici, plusieurs avaient vécu dans l'illégalité et l'insécurité la plus totale. Une façon fréquente de vaincre l'anxiété, c'est l'alcool. La consommation d'alcool est probablement un symptôme. Je ne veux pas dire que tous les réfugiés boivent mais, parmi ceux que je rencontre dans ma pratique, il y a en plusieurs qui vivent divers problèmes parce qu'ils consomment trop; ils deviennent parfois violents, certains ont de la difficulté à garder un emploi, etc. Il me semble que les Latinos sont plus portés vers l'alcool. Chez les Asiatiques, les Africains et les Orientaux, je crois que c'est moins fréquent...» (Jorge, ONG)

« Trop de changements dans une vie, c'est compliqué... Les effets secondaires de ça, les tensions, la consommation d'alcool, parfois la dépression et la violence. Je crois que certains commencent à boire pour oublier... Il faudrait trouver des moyens, des façons d'aider ces gens abandonnés à eux-mêmes...» (Michel, ONG)

« Beaucoup de gens vivent frustrés. Beaucoup de réfugiés sont victimes de la société de consommation. Ils veulent tout, une auto d'abord parce que c'est le symbole de la réussite sociale et, par la suite, une télé couleur, etc... etc... S'ils n'arrivent pas à obtenir ce qu'ils veulent, certains sont très déçus, se découragent et commencent à boire pour se consoler... Notre société ne fait pas que des heureux...» (Martine, ONG)

Quelques intervenants ont noté qu'un petit nombre de réfugiés peuvent verbaliser des problèmes conséquents à des sévices (surtout tortures et menaces de mort). La plupart des intervenants n'abordent pas ces questions avec les réfugiés parce qu'ils se disent peu formés pour les aider. À leur avis, les conséquences des sévices sont surtout psychologiques mais, souvent aussi, physiques ou psycho-somatiques (problèmes de digestion, migraines, état dépressif, etc.).

Le choc migratoire génère souvent des problèmes à l'intérieur des familles. Le tiers des intervenants le soulignent dans leurs propos. À ce sujet, on note qu'un seul intervenant d'un ONG a souligné ce type de demande, ce qui laisse croire que les services publics accordent plus d'importance aux problèmes psychosociaux à l'intérieur de la famille.

« Les conflits familiaux sont assez fréquents et profonds. Les conflits entre les parents et les enfants sont souvent aigus. De plus, les femmes réclament un peu plus d'autonomie, d'autorité et de sévérité à l'égard des enfants mais, dans les faits, les maris ne sont pas prêts à jouer un nouveau rôle comme mari et comme père.» (Jocelyne, secteur public)

« Moi je trouve que plusieurs femmes viennent chercher de l'aide parce qu'elles subissent beaucoup de violence à la maison...» (Pierre, secteur public)

L'insécurité et l'angoisse semblent être d'autres motifs de consultation mais, dans la perception des intervenants des deux secteurs, ils n'apparaissent pas au premier rang des demandes.

« Les gens viennent parfois chercher un soutien. Ils veulent se faire sécuriser quand ils ont l'impression d'affronter un système et qu'ils ne savent pas comment s'en sortir.» (Marta, ONG)

« Les gens viennent nous voir quand ils sont au bout de leur rouleau. Ils travaillent beaucoup, vivent des tensions, des conflits conjugaux, etc. Certains en viennent souvent à la dépression.» (Constantin, ONG)

Les intervenants des ONG sont conscients de tous ces problèmes mais, dans la pratique, ils se disent peu équipés pour faire des interventions psychosociales; leurs ressources matérielles et humaines ne leur permettent pas de répondre à ces besoins.

Dans les ONG, seulement quelques intervenants interrogés ont une formation en travail social, l'un a fait deux ans en psychologie et les autres ont des formations aussi diverses que secrétariat, journalisme, cinéma, informaticien, etc. En outre, la plupart des intervenants se disent surchargés par les inépuisables demandes de soutien à caractère sociojuridique reliées à l'enquête pour l'obtention du statut de réfugiés, les besoins en renseignements sur tous les sujets imaginables et par le dépannage matériel.

H.   Les services sociaux

Les intervenants du secteur public comme privé d'ailleurs développent une critique acerbe des services sociaux. De façon globale, la plupart constatent que les ONG font un bon travail avec peu de moyens et que les services sociaux publics s'adaptent plutôt difficilement aux exigences particulières du travail avec les réfugiés.

« Les ONG font le gros du travail au niveau de l'accueil et de l'établissement avec des moyens de fortune. Les organismes qui viennent en aide aux réfugiés ressemblent à ceux du tiers-monde... C'est probablement pour cela que les réfugiés s'y sentent chez eux...» (Martine, ONG)

« Nous du secteur public, nous référons beaucoup de réfugiés aux ONG parce que nous savons qu'ils peuvent donner des réponses adaptées. Malheureusement, les ONG sont très peu reconnus dans leur travail et doivent se débrouiller dans de mauvaises conditions de travail... » (Pierre, secteur public)

Les services publics agissent en fonction de mandats particuliers, par exemple la protection sociale, le contrôle de l'aide sociale, etc. Evidemment, ils sont identifiés aux services de l'État et, selon les intervenants, ils apparaissent automatiquement un peu suspects aux yeux de nombre de réfugiés parce que gouvernementaux, trop bureaucratiques, trop formels, trop complexes. Dans cet ordre d'idée, les intervenants des ONG critiquent sérieusement les services sociaux publics parce que leur approche bureaucratique les empêcherait de saisir les vraies dimensions des problèmes. Ceux des services publics restent particulièrement silencieux par rapport à l'évaluation des services qu'ils offrent.

« Les individus ne savent pas à quelle porte frapper. Souvent, c'est le MCCI (ministère des communautés culturelles et de l'immigration) qui les réfèrent au SMI (Service migrant-immigrant) et ils en viennent à ne plus trop faire la différence entre ce service et le ministère... Pour eux, c'est toujours le gouvernement et il faut s'en méfier, même si on en a besoin... » (Marta, ONG)

« Les services sociaux publics ne s'impliquent pas vraiment dans les vrais problèmes des réfugiés. Ils ont une approche bureaucratique et laissent les vrais problèmes aux ONG... » (Michel, ONG)

« Les gens se rendent vite compte que même si les intervenants des services sociaux publics parlent leur langue, ils ne comprennent pas toujours leurs vrais problèmes. Ils sont trop loin du monde... » (Jorge, ONG)

« Moi, j'ai l'impression que la plupart des intervenants dans les CLSC ne savent même pas ce que cela signifie être réfugié... » (Hélène, ONG)

« Quand les gens vont dans les services sociaux, ils ont l'impression de ne pas comprendre ce qui leur arrive et de ne pas être compris... » (Amir, ONG)

Quelques intervenants ont une opinion plus nuancée et proposent même des pistes d'amélioration des services, tout particulièrement au niveau de la formation. Quelques-uns suggèrent une collaboration plus étroite entre les ONG et le secteur public et un engagement plus profond de la part des intervenants du secteur public dans leur travail. Que signifie cet «engagement»? Ce n'est pas très clair. On laisse surtout entendre que les intervenants devraient avoir une compréhension plus globale et plus politique des problèmes des réfugiés et non pas une vision étroitement «fonctionnelle et professionnaliste» conditionnée par leur mandat institutionnel.

> « Je ne connais pas bien les services publics mais ce que j'entends dire me préoccupe un peu. Plusieurs réfugiés qui viennent demander de l'aide ici trouvent que les intervenants des services publics n'ont pas de vision globale et politique des problèmes et qu'ils ne s'engagent pas dans leur travail... Ils se contentent de répondre à quelques demandes sans faire des liens avec l'ensemble de la situation de la personne.» (Consuelo, ONG)

> « En général, les services sont bons même si je sais que le personnel n'est pas toujours formé pour travailler avec les réfugiés. Il me semble qu'il y a un besoin urgent de formation du personnel des services sociaux publics...» (Raùl, ONG)

Dans l'ensemble, si la perception des services sociaux publics est plutôt négative de la part des intervenants des ONG, les intervenants du secteur public reste vague. La plupart d'entre eux ne s'engagent pas dans une évaluation de leurs propres services alors qu'ils présentent une évaluation positive des services offerts par les ONG.

I. Les politiques canadiennes

La raison d'être de plusieurs organismes non-gouvernementaux et celle de quelques programmes d'intervention publics repose sur l'aide aux réfugiés dans leurs démêlés avec le ministère de l'immigration. Nous avons donc cru bon de leur demander leur opinion sur les politiques canadiennes et québécoises de l'immigration.

De façon générale, les procédures d'application des règlements au niveau des politiques de l'immigration sont qualifiées de bureaucratiques, lourdes et complexes par les deux groupes d'intervenants.

> « Les procédures de l'immigration sont difficiles et compliquées. L'étude des cas traîne en longueur et parfois cela décourage les demandeurs de statut.» (Arturo, ONG)

« Moi, je trouve que les procédures sont complexes et traumatisantes. Les réfugiés sont insécures parce qu'ils ne savent pas exactement où ils s'en vont...» (Marcel, secteur public)

Les politiques d'apprentissage de la langue forment le deuxième volet des critiques des intervenants. De l'avis de quelques-uns, la politique linguistique apparaît compliquée aux yeux de plusieurs réfugiés.

« Dans ma pratique, je me fais souvent questionner sur le dilemme linguistique au Québec. J'utilise souvent les exemples de conflits ethniques et linguistiques dans leur propre pays pour les aider à comprendre la situation d'ici. Les difficultés viennent souvent des milieux de travail; on leur dit d'apprendre le français et au boulot, les patrons leur parlent en anglais. Ils sont devant des contradictions.» (Gladys, secteur public)

La plupart croient que des cours de langue adaptés à la situation des requérants du statut de réfugié s'avèrent de plus en plus nécessaires et estiment que le gouvernement du Québec est très en retard sur la réalité en ce qui concerne les politiques d'apprentissage du français.

« Les cours de français que peuvent suivre les réfugiés, c'est souvent insatisfaisant. Le COFI, ça va mais ailleurs les gens sont placés sur des listes d'attente et les organismes comptent sur de bien maigres ressources pour offrir un service adéquat. À mon avis, il faut moderniser le système d'accueil et assurer l'apprentissage de la langue et l'utilisation du français au travail; autrement, l'adaptation est très difficile. De plus, les horaires et les contenus des cours devraient être adaptés à la situation spécifique des réfugiés». (Marta, ONG)

« Dans les COFI, les réfugiés asiatiques ont beaucoup de difficultés parce que les professeurs ne parlent pas chinois. En général, les réfugiés aiment les professeurs canadiens parce qu'ils sont gentils, sympathiques et les aident à comprendre leur nouveau pays. Malheureusement, les horaires ne sont pas toujours adaptés.» (Consuelo, ONG)

Au-delà de la politique d'apprentissage de la langue, jugée souvent inadéquate, plusieurs intervenants trouvent quand même que le gouvernement du Québec fait des efforts louables au niveau de l'accueil. Un intervenant résume assez bien la position générale de la moitié d'entre eux sur la question.

« Depuis quelques années, il y a beaucoup d'amélioration. Le gouvernement fait un effort spécial pour venir en aide aux réfugiés par l'aide sociale et au niveau du logement. De plus, le gouvernement a mis sur pied des bureaux spéciaux pour faciliter l'accueil au niveau de l'aide sociale. La promotion des cours de français s'améliore et le MCCI finance des programmes d'apprentissage du français.»

Conclusion

De façon générale, l'opinion des intervenants correspond sensiblement à celle des réfugiés eux-mêmes. En posant les mêmes questions aux deux groupes, il est normal que certains aspects soient mieux couverts par l'un ou l'autre; par exemple, les intervenants présentent des opinions nuancées mais précises sur l'intervention sociale, phénomène difficile à expliquer puisqu'ils sont les protagonistes principaux de l'action autour de ces questions. La principale hypothèse repose sur le fait que les intervenants travaillent dans des cadres institutionnels qui orientent leur intervention sur des objets précis et limités. Il n'y a pratiquement pas d'approche globale des situations. Une conception fonctionnelle qui vise à résoudre les problèmes organisationnels des institutions conduit à une intervention qui porte sur un aspect (exemple: la recherche d'emploi, le soutien financier, etc.) de la situation des réfugiés.

À cause de certaines incohérences dans les politiques d'immigration et de soutien à l'accueil et à l'établissement au niveau des ministères et des organismes d'intervention, les intervenants se retrouvent souvent coincés entre l'écorce et l'arbre, entre le réfugié et les institutions à divers paliers. Au cœur des controverses, ils font face à toutes les difficultés des réfugiés, souvent avec peu de ressources. Si la critique est facile, dans le cas des intervenants sociaux, il faut donc nuancer avec une rigueur à toute épreuve parce que l'analyse de leur action repose sur des piliers fragiles. D'abord soumis aux aléas de politiques changeantes, à l'arrivée de contingents de réfugiés de multiples pays, au manque chronique de ressources humaines et matérielles, ils font des miracles dans l'affrontement du quotidien aux côtés des réfugiés. On peut souligner des lacunes, au niveau de la formation ou du développement de modèles d'intervention mais certainement pas dans la compromis auprès de ceux et celles qui font appel aux divers services, quoi qu'en disent un certain nombre de réfugiés et d'intervenants d'O.N.G.

CHAPITRE 4

INTERVENTION SOCIALE ET
RELATIONS INTERETHNIQUES

Chapitre 4

1. Intervention sociale et relations interethniques

Depuis plusieurs années déjà, l'approche interculturelle entre gens de diverses origines fait l'objet de débats dans les services sociaux mais, dans la pratique, on a souvent l'impression que nous en sommes aux premiers balbutiements, tout au moins au Québec. Pourtant, cette apparence est trompeuse parce qu'en réalité plusieurs expériences montrent que des essais existent en divers milieux depuis des dizaines d'années, tout particulièrement dans les organismes non-gouvernementaux; le peu de systématisation des diverses pratiques ne rend pas justice à ces démarches souvent originales et adaptées à des situations particulières. En intervention sociale, la gestion de la différence est une réalité très bien connue; les intervenants sociaux doivent gérer d'abord leurs propres différences, différences d'âge, de sexe, de condition sociale, de condition physique et psychologique, de milieu d'appartenance, etc. Par exemple, le fossé «culturel» entre un fermier à la retraite de 75 ans et une jeune travailleuse sociale issue d'un milieu urbain petit bourgeois peut devenir une barrière significative dans la communication entre les deux personnes, pourtant personne ne va penser voir les différences seulement au niveau culturel. Dans le cas des gens de diverses ethnies, le discours politique du gouvernement québécois nous a entraînés depuis une dizaine d'années à ne considérer que les dimensions «culturelles» des relations entre intervenants et gens de diverses origines et, de façon globale, à laisser de côté tous les autres niveaux de la différence (origine ethnique et nationale, profession, appartenance de classe, âge, sexe, couleur de la peau).

Dans les faits, force est de reconnaître que les services sociaux publics commencent à peine à ouvrir formellement les portes au respect et à la promotion de la reconnaissance de la différence dans l'intervention psychosociale et communautaire. À ce sujet, le chapitre précédent a tracé le cheminement des services publics avec assez de précision pour conclure à un constat de lenteur bureaucratique incroyable face à une situation qui dure depuis toujours; en effet, depuis la dernière guerre mondiale, plus d'un demi million de réfugiés sont arrivés au Canada et c'est seulement depuis quelques années que les institutions publiques découvrent cette réalité.

Dans ce contexte de questionnement, il est normal que les premiers pas se fassent en compagnie d'idéologues étrangers, faute souvent d'écrits systématiques de la part des intellectuels québécois sur la question. Les institutions ont d'abord tendance à chercher «la vérité» chez les auteurs américains, britanniques et français tels Cheetham (1972, 1982), Jenkins (1982), Devore (1981), Green (1982), Emérique (1981, 1987), etc. Cette fuite en avant masque parfois notre difficulté à analyser les expériences locales et à les formuler en des explications et des orientations adaptées à notre réalité. À notre défense cependant, la multiplication des publications étrangères sur le sujet ne date pas du siècle dernier mais du début des années 80 et, au Québec, l'analyse de la problématique vient à peine de surgir de la marginalité.

En 1988, dans un document, sur l'approche interculturelle au Service migrant-immigrant du Centre des Services sociaux de Montréal-Métropolitain, Ghislaine Roy et Monique Cantin-Toriz concluaient en des termes laconiques: «peut-être pouvons-nous affirmer que l'approche interculturelle est autant une attitude et une conception qu'une méthode de travail. C'est peut-être aussi pour cela que cette approche, à l'instar de l'approche communautaire et féministe a de la difficulté à faire le consensus...» (Roy & Cantin-Toriz, 1988: 7). Cette conclusion révèle une interrogation et une certaine confusion quant à la nature d'une approche comme l'approche interculturelle. En fait, on parle d'une approche parce qu'il s'agit d'un ensemble d'éléments organisés de manière à dégager une orientation générique et cohérente; les concepts de base, les buts et les objectifs, les stratégies globales forgent un cadre qui devrait permettre à l'intervenant d'adopter des attitudes, de se comporter, de prendre des décisions adaptées dans une situation de communication interculturelle entre des gens de diverses origines. Souvent, dans le langage courant, modèle et approche réfèrent à la même réalité; personnellement, je conçois le modèle davantage comme une structure d'intervention spécifique. Selon Devore et Schlesinger (1987:101-102), le modèle décrit ou présente une image d'un phénomène d'intérêt alors qu'une approche, en principe plus théorique, tente d'expliquer les liens entre les phénomènes. Par exemple, le fait de faire et d'expliquer pourquoi et comment les liens entre les classes sociales et la réalité ethnique agissent dans le vécu des gens relève de l'approche. Les approches sont basées sur un ensemble de connaissances et de théories au sujet des descriptions de la condition humaine. Elles permettent d'expliquer, de comprendre comment, en principe, les gens agissent pour solutionner leurs problèmes.

Dans leur ouvrage, Devore et Schlesinger (1987:105) identifient six grandes approches qu'elles présentent et auxquelles elles ajoutent divers modèles découlant de ces approches: 1) l'approche psycho-sociale basée sur la personne en relation avec la société; 2) l'approche par la solution de problèmes basée sur la personne comme acteur; 3) l'approche structurelle et de protection sociale qui situe la personne dans la dynamique des structures sociales; 4) l'approche systémique qui voit la personne dans la société; 5) l'approche écologique où la personne est en lien avec l'univers; 6) l'approche orientée sur la conscience culturelle et sur les enjeux reliés à la situation des minorités.

La plupart des modèles d'intervention réfèrent à des approches théoriques qui visent à expliquer le comportement humain. Les modèles et les approches nous portent donc au-delà de l'observation et de la seule description des faits pour nous permettre d'expliquer les pensées, les sentiments et les expériences.

Ce chapitre tente donc de relever les principales orientations véhiculées par l'approche interculturelle à la lumière des principaux auteurs sur le sujet, d'en présenter les objectifs et les stratégies et, à l'aide d'exemples et par comparaison avec d'autres approches et modèles, de formuler une critique.

2. Les points de départ de l'approche «interculturelle»

A. Les pionnières: Juliet Cheetham et Shirley Jenkins

Juliet Cheetham, en tant que pionnière dans le domaine, pose les jalons de la réflexion sur l'approche interculturelle. En premier lieu, elle constate que la croissance des services sociaux et de tous les autres services publics dans les années 70 a camouflé la nécessité de prêter une attention particulière aux groupes minoritaires (Cheetham, 1982: 8-9).

Au nom de l'accessibilité universelle et d'une approche égalitaire pour tous, politiciens, administrateurs et intervenants ont longtemps justifié leur immobilisme par le fait que chaque individu, peu importe sa couleur, sa langue et son origine, a droit aux mêmes services que les gens appartenant à la majorité; on invoque aussi le fait que tous les humains sont égaux et que les expériences humaines ne peuvent pas être différentes au point de commander une intervention différenciée. Dans un tel contexte, la culture et les institutions de la majorité prédominent partout, même si les services ne sont pas adaptés à des catégories significatives de gens. Ces perspectives figées bloquent l'émergence de nouvelles orientations des services et une redéfinition des pratiques en fonction des gens et non à la lumière des visées bureaucratiques. Cheetham souligne l'importance pour les travailleurs sociaux d'une approche renouvelée différente. Dès 1972, elle fut une des premières à attacher le grelot d'une façon critique; elle reprochait aux travailleurs sociaux de se préoccuper trop des problèmes psycho-sociaux et pas assez des problèmes économiques et de la situation environnementale des usagers des services sociaux publics. En fait, elle estimait que la majorité des services sociaux ne pouvaient identifier, comprendre et développer une intervention conforme à la réalité socioéconomique de bon nombre de réfugiés et d'immigrants (Cheetham, 1972:11-12).

En 1982, elle revient à la charge en situant la problématique dans des rapports majorité-minorités insolubles dans les cadres bureaucratiques habituels. Elle suggère que les travailleurs sociaux s'approprient des questions comme la défense et la promotion des droits individuels et collectifs de gens qui appartiennent à une minorité. Il s'agit là, dit-elle, d'une question politique et éthique à laquelle les travailleurs sociaux doivent trouver des réponses; de multiples situations commandent une analyse et le développement d'une pratique adaptée, que ce soit dans un hôpital, un centre d'accueil, une garderie, une école, etc. (Cheetham, 1982: 14).

De son côté, Shirley Jenkins reprend le même thème et montre la nécessité pour les services sociaux de redéfinir leur approche des minorités. Après avoir rappelé qu'aux États-Unis (tout comme au Canada d'ailleurs), l'histoire des services sociaux démontrent que ce sont surtout les associations homo-ethniques et les Églises qui ont pris sur elles de mettre sur pied des services adaptés aux immigrants, aux réfugiés et aux minorités. Dans de telles circonstances, on prenait pour acquis que ces institutions avaient une compréhension complète du contexte socio-culturel des communautés ethnoculturelles minoritaires.

Cependant, quand les services publics ont pris plus de responsabilités, ils ont mis de l'avant le principe de la même approche pour tous mais une approche, estime-t-elle, qui reflétait d'abord la culture et les réalités socio-économiques de la majorité. Enfin, elle considère qu'une typologie de l'intervention peut traverser les orientations des services publics avec la préoccupation de faciliter l'application de modèles qui tiennent compte des différences culturelles, ethniques et socio-économiques. (Jenkins, 1982: 21).

D'ores et déjà, dans tous les milieux des services sociaux, s'imposait peu à peu la nécessité non seulement d'une réflexion sur la situation générale de l'intervention sociale en milieu interethnique mais aussi de l'élaboration d'une approche globale et de nouvelles politiques.

B. Les orientations américaines

Au Québec, depuis le début des années 80, Wynetta Devore et Elfriede Schlesinger ont marqué le début de la réflexion sur l'approche interculturelle par la participation de madame Devore à un colloque sur l'intervention en milieu interethnique, organisé voici quelques années par Carole Christensen, professeure à l'Ecole de service social de l'Université McGill.

Les réflexions de Devore et Schlesinger constituent un apport fondamental parce qu'elles ont analysé les valeurs, les stratégies de base et des modèles d'intervention fréquents en travail social dans une perspective critique, avec préoccupation constante de faire des liens avec l'intervention en milieu interethnique. Au fond, elles partent du fait que les travailleurs sociaux doivent régulièrement «travailler» avec les différences de classe, de sexe, d'âge, de condition sociale, de couleur, etc. Les différences ethniques s'ajoutent à la longue liste et commandent une approche particulière. Dans la pratique, les travailleurs sociaux qui ne sont pas conscients de la signification et de l'impact des autres types de différences sur leur pratique vont éprouver les mêmes difficultés à l'égard de l'intervention en milieu interethnique, que ce soit avec des réfugiés, des Amérindiens, des immigrants ou des membres de diverses communautés anciennes comme les Italiens, les Chinois, les Grecs, etc.

3. Les dimensions fondamentales de l'intervention sociale en milieu interethnique

W. Devore et E. Schlesinger introduisent des dimensions fondamentales et nouvelles dans le discours des travailleurs sociaux: le conflit ethnique, l'ethnicité, l'appartenance de classe et les rapports majorité-minorité.

A. Minorités et conflits interethniques

Le conflit ethnique est au cœur de leur approche. Elles considèrent que la compétition constitue un effet pervers de l'industrialisation et du développement capitaliste (Devore & Schlesinger, 1987:8). Les concepts-clé du conflit interethnique sont la compétition interethnique, le conflit interethnique comme tel, la stratification et l'évolution ethniques. Pour elles, le vieux conflit entre Américains et Amérindiens est un bel exemple de ces quatre dimensions. Les groupes les plus forts cherchent à contrôler la richesse et le pouvoir politique et à maintenir leur prestige dans la société; les groupes compétionnent entre eux, entrent souvent en conflit et on voit peu à peu se dessiner une stratification ethnique où les inégalités s'installent dans toutes les structures de la société. Toute cette dynamique marque l'évolution des groupes ethniques. Devore et Schlesinger utilisent l'hypothèse de Longres pour illustrer leur cadre d'analyse du conflit interethnique: Longres (1982) suggère qu'on regarde les groupes majoritaires et minoritaires comme des groupes d'intérêts qui se perçoivent comme des «nous» différents des «eux». Quand les groupes d'intérêts se rencontrent autour des mêmes enjeux, les conflits de pouvoir et les rapports de subordination-domination apparaissent; évidemment la majorité a tendance à dominer les groupes minoritaires. Pour Longres, au statut de minoritaire sont souvent rattachées des inégalités sociales, économiques et culturelles.

Les services sociaux étant sous le contrôle et l'orientation de la majorité, Devore et Schlesinger considèrent qu'ils œuvrent d'abord en fonction de leurs intérêts. Elles partagent les vues de Longres qui estime que les travailleurs sociaux doivent prendre partie pour les minorités s'ils veulent maintenir leur crédibilité et développer des politiques et des pratiques sociales adaptées et favorables au renforcement du pouvoir des minorités (Devore & Schlesinger, 1982: 9).

Évidemment, le terme «minorité» est loin de faire l'unamité et devient révélateur de beaucoup d'émotion. À la lumière du discours égalitariste et idéaliste, plus théorique que réel mais néammoins profondément inscrit dans les perspectives dominantes au sein des secteurs de service dans les sociétés occidentales, reconnaître l'existence de minorités engendre une certaine gêne, voire de la culpabilité. Au-delà des considérations morales, les faits sont têtus et traduisent bien l'existence de minorités en rapport avec un groupe majoritaire, parfois avec des groupes majoritaires. Par exemple, au Canada, on entend souvent parler de deux peuples fondateurs, les Français et les Anglais; ces deux groupes sont majoritaires dans la société canadienne.

Devore et Schlesinger s'appuient sur la définition élaborée par Shibutani et Kwan (1965) pour fonder leur approche de l'interculturel en considérant les minorités. Pour ces deux auteurs, les groupes minoritaires sont les sous-privilégiés dans un système de stratification ethnique et les gens qui reçoivent un traitement inégal dans la société, ce malgré le discours égalitaire dominant; souvent, les gens qui vivent ces situations se définissent eux-mêmes comme minoritaires. Devore et Schlesinger estiment que les minorités se caractérisent par les inégalités, la discrimination, le pouvoir limité, des conditions économiques difficiles et un faible statut social. Cette approche rejoint celle de Green qui estime que la notion de minorité réfère au pouvoir, pas au nombre de personnes, et au fait que des gens sont exclus des privilèges et des opportunités valables pour d'autres (1982: 7); il s'agit d'une communauté d'intérêt qui partage des valeurs, un style de vie et des attentes mais qui sont limités dans leur situation et leurs aspirations politiques et économiques. Le terme «minorité» réfère à l'incapacité sociale et économique, pas aux différences culturelles. Les groupes minoritaires sont, par le fait même, souvent mal vus par la société majoritaire dominante.

Devore et Schlesinger distinguent les minorités ethniques des groupes ethniques parce qu'elles estiment que certaines catégories de gens sont opprimées et se caractérisent par les dimensions indiquées ci-haut. Elles l'opposent au terme groupe ethnique, lequel référerait à des groupes bien intégrés à la société nord-américaine, par exemple les Européens. Cette distinction devient significative dans la mesure où elle mène directement à la considération des différences de classe reliées aux différences ethniques. À ce propos, les auteures signalent que la plupart des travailleurs sociaux se refusent à considérer l'oppression et le racisme comme des dimensions fondamentales.

B. Culture et identité ethnique

Devore et Schlesinger ont aussi développé une autre distinction fondamentale: le pluralisme culturel et le pluralisme structurel. Elles définissent le pluralisme culturel comme la prise en compte de sous-cultures qui influencent la manière de penser, de sentir et d'agir. Le pluralisme structurel signifie que l'identité ethnique entre en jeu quand les gens entrent en interaction (Devore & Schlesinger, 1987:10).

Elles distinguent les notions de culture et de sous-culture pour bien faire les liens avec la prise en compte des caractérisques des groupes minoritaires. Elles définissent la culture comme le produit de la pensée et de l'action qui guide l'individu dans ses perceptions et son comportement; c'est aussi une manière globale de voir le monde, les rapports des êtres humains entre eux et dans leur perception de l'au-delà. En somme, la culture est idéologie. Par contre, quand un groupe partage des manières de voir et des comportements différents d'autres groupes, elles parlent de «sous-culture». C'est là qu'entre en jeu la dynamique des rapports interethniques parce qu'on peut distinguer des groupes par leur passé ethnique, leur formation, leur emploi, leur religion, leur race, leur statut ou par une combinaison de ces divers facteurs. L'ethnicité devient donc fondamentale dans la recherche d'une approche à la fois explicative et surtout compréhensive de la réalité. L'ethnicité fait en sorte que les individus s'identifient à un groupe ou à un autre; ils se différencient des autres groupes ethniques.

Encore là, les considérations de Devore et Schlesinger rejoignent celles de Green qui estime que trois éléments résument la définition de l'ethnicité (Green, 1982: 9). Premièrement, les membres d'un groupe ethnique ont le sentiment de partager un même passé et une même origine; deuxièmement, les membres d'un groupe ethnique se perçoivent eux-mêmes différents d'autres groupes sous différents aspects; troisièmement, l'ethnicité devient plus significative quand différents groupes sont en contact.

Green distingue l'ethnicité catégorielle de ce qu'il qualifie d'ethnicité transactionnelle; l'approche catégorielle explique les différences culturelles par le degré avec lequel les groupes et les individus traduisent des traits spécifiques, c'est-à-dire qu'on distingue les gens par leur façon de s'habiller, de parler, de manger ou d'agir d'une manière particulière. Green privilégie pour sa part «l'approche transactionnelle» parce qu'elle réfère aux manières de communiquer en maintenant le sens de la distinction culturelle. Selon cette approche, le comportement dans les communications interethniques, particulièrement le comportement qui accentue les différences, est le signe et la substance de l'ethnicité (Green, 1982: 9). L'approche transactionnelle met l'emphase sur les stratégies pour définir et préserver les différences culturelles. Green résume sa pensée en soulignant le fait que l'ethnicité s'exprime d'abord dans les rencontres interculturelles; on doit examiner les valeurs, les signes, les symboles, les modèles de comportement qui spécifient l'identité d'une personne. Pour lui, l'ethnicité est un phénomène situationel et c'est là que se situe l'enjeu principal des différences (Green, 1982: 12). Sa définition mène directement à la conclusion que les différences sont transitoires et si elles ne comportent aucun trait permanent, l'assimilation est la seule avenue possible pour l'avenir des gens qui sont différents. Il semble oublier que les différences de couleur et de classe ne sont pas que transitoires, même si les différences de classe ne sont pas permanentes non plus.

Cette identité ethnique est vécue à l'intérieur de groupes significatifs pour l'individu: le groupe primaire (par exemple la famille, groupes d'amis, etc.) où l'individu trouve chaleur, appartenance et cohésion sert de base dans les perceptions que l'individu développe et sa manière de se définir par rapport à d'autres individus. Le groupe secondaire (lieu de travail, école, association, parti politique, etc.) offre le calque à partir duquel l'individu va se définir et se percevoir comme différent des individus d'autres groupes (Devore et Schlesinger, 1987: 19). Par ailleurs, à la recherche d'une identité s'opposent tous les processus d'assimilation et «d'identification» à la majorité.

C. Classe sociale et «ethno-classe»

Enfin, le concept de classe sociale est central dans l'approche de Devore et Schlesinger. Elles réfèrent au concept de classe et «d'ethnoclass» mis de l'avant par Gordon (1973); ce concept renvoie aux différences basées sur la richesse, le revenu, l'occupation, le statut, le pouvoir communautaire, l'identification à un groupe, le niveau de consommation et le passé familial (Devore et Schlesinger, 1987:34). Comme l'appartenance à une classe sociale et à un groupe ethnique exerce une profonde influence sur le style de vie et sur les chances de réussite, on peut parler «d'ethnoclass». Dans l'intervention sociale, ces dimensions fondamentales vont plus loin que le cadre strictement culturel et permettent de tenir compte des dimensions multiples, essentielles à une compréhension complète de la réalité interethnique.

Pour sa part, Green ne croit pas que l'appartenance de classe prenne une signification particulière dans les rapports interethniques parce que le concept de classe sociale, à son avis, est trop général pour expliquer les différences. Pour lui, les différences de classe se traduisent par des différences dans l'éducation, les revenus, l'occupation et parfois les affiliations religieuses mais, dans les faits, ces différences n'auraient aucun lien avec les différences ethniques (Green, 1982: 8). Personnellement, je partage davantage la position de Devore et Schlesinger parce que les différences ethniques et culturelles peuvent aussi expliquer des différences de classe, lesquelles créent les conditions pour l'émergence d'une culture particulière. Par exemple, un réfugié salvadorien d'origine paysanne vit des différences socio-économiques et culturelles fondamentales par rapport au richissime «latifundiste» salvadorien qui l'employait dans son pays. Ne pas en tenir compte, c'est se condamner à une perception tronquée de la réalité des différences. Les rapports de classe au Salvador prennent une connotation particulière.

4. Les six paramètres de l'intervention sociale en milieu interethnique

Devore et Schlesinger classent les perspectives professionnelles en six paramètres permettant une meilleure compréhension du travail social en milieu interethnique: les valeurs du travail social, les connaissances de base du comportement humain, les connaissances des politiques sociales et les habiletés dans les services, la prise de conscience des différences (incluant celle de sa propre ethnicité et la compréhension de son influence sur la pratique professionnelle), la compréhension de l'impact de la différence ethnoculturelle sur la vie des usagers des services sociaux, l'intégration et la modification des habiletés et des techniques en réponse à la réalité ethnique. Elles partent tout simplement d'un cadre généralement accepté en travail social et l'appliquent à la réalité interethnique.

A. Les valeurs du travail social

La polémique sur les valeurs du travail social est loin d'être terminée. En général, le travail social est voué à l'aide et au mieux-être des gens, à l'amélioration de leur qualité de vie, aux changements sociaux. Ce credo de base devrait, implicitement du moins, constituer la charpente autour de laquelle s'érigent la tolérance et l'ouverture à la différence et à la diversité. Les valeurs de base véhiculent une certaine conception des gens et des rapports entre eux, de même qu'une certaine manière

190

d'entrer en rapport avec eux et leur environnement (Devore et Schlesinger, 1987: 83).

B. Les connaissances de base du comportement humain

La plupart des programmes de formation en travail social permettent aux étudiants d'acquérir des connaissances de base sur le développement de l'individu, les groupes, les organisations et la famille et sur les relations entre les systèmes sociaux, psychologiques, biologiques et culturels qui affectent le comportement (Devore et Schlesinger, 1987:84). Les principaux indicateurs des connaissances de base sont les cycles de vie, le rôle social, la théorie de la personnalité et la théorie des systèmes sociaux. Elles accordent beaucoup d'importance à la connaissance des systèmes sociaux et de l'environnement physique aussi bien que l'impact des forces sociales, économiques et politiques.

C. La connaissance des politiques sociales et les habiletés dans les services

À leur avis, les intervenants doivent bien connaître les politiques, les programmes et les services qui les encadrent. Le travailleur social est influencé par les structures, les buts et les fonctions de son institution, laquelle peut contraindre ou faciliter l'intervention et affecter la qualité des services et de la communication entre le professionnel et l'usager issu d'un groupe ethnique. Le contexte organisationnel de l'intervention affecte certainement les croyances, les attitudes et les habiletés des intervenants. Devore et Schlesinger réfèrent à l'étude de Johnson (1986) pour signaler que le poids des organisations bureaucratiques est difficile à mesurer. La pratique quotidienne laisse parfois croire que les institutions semblent plus orientées vers la production d'un produit que vers le mieux-être des gens. Dans ce cadre, les professionnels opèrent avec une autonomie relative et, plus ils expriment un engagement professionnel, plus ils risquent de se trouver confrontés avec les exigences bureaucratiques. Par ailleurs, les usagers ne sont pas conscients de toutes ces contraintes et si les services ne correspondent pas à leurs attentes, ils se retirent tout simplement, ce qui est le cas depuis longtemps de la part d'un grand nombre d'usagers issus des groupes ethniques.

D. La prise de conscience de soi et de sa propre identité ethnoculturelle

Cette prise de conscience suit un mouvement perpétuel. La conscience de soi évolue selon les étapes de la vie, selon les situations vécues et selon les reflets reçus par l'entourage immédiat et les groupes secondaires auxquels participe la personne. Dans la conscience de sa propre identité ethnique, c'est forcément par rapport à d'autres que chacun cherche à se définir, à déterminer ce qui le caractérise par rapport à son propre groupe d'appartenance. Selon Devore et Schlesinger, cette étape est importante pour que l'intervenant reconnaisse comment et jusqu'à quel point sa propre identité ethnique burine sa perception des autres ethnies et influence sa pratique sociale.

E. L'impact de l'appartenance ethnique sur la vie quotidienne de l'usager

Appartenir à tel ou tel groupe peut signifer telle ou telle situation dans la société. Par exemple, une jeune mère de couleur, monoparentale avec quatre enfants, et une jeune femme juive mariée, sans enfant, vivent des situations particulières dans des contextes sociaux, économiques et idéologiques très différents. Ces deux situations peuvent être identifiées dans de multiples milieux mais elles peuvent avoir une signification différente d'un milieu à l'autre, d'une ethnie à l'autre. Ainsi, dans la communauté noire, la pauvreté, disent-elles, est plus répandue; de plus, les préjugés à l'égard des gens de couleur sont probablement plus tenaces qu'à l'égard de la société juive. Pour une femme de couleur monoparentale, il devient plus difficile de trouver un emploi et d'assurer une situation stable à ses enfants.

F. Adaptation et modification des habiletés et des techniques en accord avec la réalité ethnoculturelle

Évidemment, avec une prise de conscience et une compréhension de la réalité ethnique, avec des connaissances des politiques et l'apprentissage d'habiletés de base, on peut s'attendre à une pratique adaptée aux réalités ethniques. Cette conclusion toute simple peut sembler aller de soi mais son application peut exiger un entraînement spécial de la part du professionnel et des changements de politiques et de programmes de la part de l'institution qui l'embauche. En raison des exigences bureaucratiques des organisations modernes, les services offerts ne correspondent pas toujours aux réalités ethniques.

En conclusion, Devore et Schlesinger proposent des réformes profondes dans les services sociaux. Elles considèrent que les principales sources de disfonctionnement social et individuel se situent dans les structures et les inégalités sociales. Il faut donc analyser le comportement des individus non seulement en fonction de la personnalité de l'individu mais aussi en fonction de la structure sociale.

En conséquence, elles proposent donc des stratégies d'intervention en mesure d'affecter des changements sociaux et environnementaux, en opposition aux stratégies d'aide orientées strictement par des approches psychologiques.

5. L'approche interculturelle

L'approche interculturelle réfère davantage à une approche générique qu'à un modèle spécifique. Devore et Schlesinger (1987) ont présenté des balises à l'intervention sociale propres à diverses situations particulières, par exemple avec les jeunes, dans les situations de crise, avec les personnes âgées, etc. Chez tous les auteurs, on constate qu'il s'agit d'abord de trouver les référents essentiels pour gérer les différences ethnoculturelles dans les situations d'intervention. La difficulté de développer une approche univoque repose sur les nombreuses dimensions que recèlent les différences dans les relations interethniques au plan social, idéologique, économique et politique. Autre difficulté fondamentale, la grande préoccupation «fonctionnelle» du travail social visant l'efficacité; de plus utiliser seulement l'intervention psychosociale auprès des individus conduit à un délaissement systématique des aspects structurels de l'immigration et, plus spécifiquement, de la situation socio-économique des réfugiés. D. Lum a identifié trois niveaux de difficulté dans les pratiques sociales américaines et, de façon hypothétique, la situation ne devrait pas être fondamentalement différente au Canada:1) le travail social nord-américain développé depuis la Deuxième guerre mondiale tente de s'appuyer sur la théorie des systèmes et sur l'incorporation des systèmes dans les pratiques sociales; 2) les théoriciens du travail social avec les minorités ont eu tendance à mettre de l'avant des modèles spécifiques (là-dessus, il se situe un peu en opposition avec Longres, Devore et Schlesinger qui estiment que les modèles d'intervention sont trop conformes à ceux de la majorité); 3) la faiblesse d'une méthodologie avec les minorités ne permet pas de compter sur un corpus de connaissances théoriques et d'habiletés pratiques. (Lum, 1982: 244).

Aujourd'hui, on peut quand même considérer que les connaissances ont avancé et peuvent offrir des assises à une réflexion sur les pratiques sociales en milieu pluriethnique. Par exemple, une analyse structurelle de l'intervention en milieu interethnique conduit à tenir compte dans ce champ d'intervention et tout particulièrement dans les pratiques avec les réfugiés, de multiples différences et des diverses dimensions marquant les situations sociales. Une brève analyse des divers types de difficultés vécues par les réfugiés permet de présenter des assises plus solides à une telle approche.

6. Les niveaux de difficulté

A. Au niveau organisationnel

Comme souligné dans le chapitre précédent, le premier niveau de difficulté est d'abord organisationnel et prend ses racines dans les politiques de développement et de mise en place des programmes de services. Sans une volonté ferme des divers paliers gouvernementaux pour développer des politiques adéquates, les intervenants seront toujours confrontés à chercher eux-mêmes toutes les solutions aux difficultés d'accès aux services publics, tant de fois dénoncées depuis une vingtaine d'années. Indépendamment de la bonne volonté et des modèles utilisés par les intervenants, immigrants et réfugiés resteront relativement absents des services publics et parapublics.

Dans la littérature, on constate plusieurs critiques de la planification des services. En général, on déplore un manque d'intégration des politiques à l'égard des réfugiés, que ce soit en santé mentale, dans le logement, les loisirs, l'orientation au travail, les loisirs, etc. (Westermeyer J. & Williams, C.L., 1986 b:238). Deuxièmement, la planification implique rarement les réfugiés dans ses préoccupations. Troisièmement, la formation du personnel présente de sérieuses lacunes; ils devraient être plus créateurs et s'appuyer sur des collaborateurs qui sont des réfugiés eux-mêmes. En santé mentale, la collaboration d'intervenants homoethniques semble essentielle (Westermeyer J. & Williams, C.L., 1986.b; Jones & Korchin, 1982; Irwin & Madden, 1986; Kinzie, 1986).

Deux dimensions fondamentales sont souvent négligées dans la planification des institutions: 1) les conditions de départ du pays d'origine et celles à l'arrivée des réfugiés dans le pays d'accueil, notamment la conjoncture socio-économique et politique et les attitudes qui en découlent dans la population (Jenkins, 1988: 92 et 277); 2) les différences dans la perception de ce qu'est la santé physique et mentale, de ce que sont les problèmes sociaux (Jenkins, 1988: 92).

Heureusement, au Québec, la situation change rapidement depuis le milieu des années 80 mais, avec les limites comprises dans un cadre conceptuel peu satisfaisant balisé par la notion fourre-tout de «communauté culturelle», la plupart des institutions centrent leur intervention en milieu interethnique en se limitant à une approche dite culturelle que l'on pourrait aussi qualifier de «culturaliste»; la notion de culture permet toutes les généralisations et toutes les excuses pour laisser de côté les autres facettes des situations sociales et les singularités propres à une catégorie particulière d'usagers des services comme les réfugiés.

Tant au Canada qu'aux États-Unis, on note une forte implantation des organismes non-gouvernementaux dans les services aux réfugiés. Jenkins explique ce phénomène de deux manières: 1) les réfugiés trouvent surtout une facilité d'accès en raison de l'utilisation d'intervenants homo-ethniques parlant plusieurs langues; 2) les réfugiés y trouvent un soutien complet à leurs difficultés tout au long de leur processus d'insertion sociale (Jenkins, 1988: 281). Nous partageons cet avis; les O.N.G. peuvent servir de précieux relais pour faire connaître la situation des réfugiés aux services publics et contribuent à créer un équilibre délicat entre les services de l'État et la situation particulière des réfugiés. Sans les O.N.G., les récriminations des réfugiés seraient plus explicites chaque jour et leurs frustrations pourraient se transformer en revendications socio-politiques, ce que ne souhaitent évidemment pas les gouvernements. Ils ont donc tout intérêt à supporter les O.N.G.

B. Les difficultés interpersonnelles: langue, stéréotypes et compétence technique

La plupart des théoriciens de l'intervention en milieu interethnique sont d'accord pour dire que les barrières linguistiques prennent toujours une importance majeure. En fait, souligne Green, les différences linguistiques sont les déterminants les plus significatifs de la diversité ethnique (Green, 1982:68).

La langue des individus traduit leurs valeurs personnelles et leur statut social. Mais la langue, à elle seule ne suffit pas à exprimer tout d'une situation; il est aussi essentiel de comprendre le rapport à la société des membres d'un groupe minoritaire et la perception qu'ils en ont, que de comprendre leur langue. Par exemple, analyser le racisme dans la société et le rapport de ce phénomène avec le comportement et les perceptions des individus qui vivent une situation de minoritaires ou de gens de couleur, devient un élément essentiel dans la position de l'intervenant; la compréhension des causes de la pauvreté rend la compréhension des situations sociales et les possibilités d'une intervention adéquate plus probables. Il faut comprendre le point de vue des gens au bas de l'échelle sociale dans le système socio-économique autant que leur langue (Devore & Schlesinger, 1981: 33). Là-dessus, Devore et Schlesinger endossent la position de Norton, lequel considère qu'il ne faut jamais oublier une donnée fondamentale: l'individu devient toujours une partie de deux systèmes, le système de la société dominante et le micro-système que constitue l'environnement physique et social immédiat du réfugié. Les difficultés d'insertion sociale se vivent souvent au niveau du processus d'appropriation des valeurs, des attitudes et du comportement tel que perçu dans la nouvelle société, en comparaison avec le vécu dans le micro-système (Norton, 1978:3).

Il faut aussi poser la question des différences et des similitudes dans les situations sociales; par exemple, est-ce qu'un réfugié, ouvrier salvadorien pauvre d'origine paysanne, pauvre a des perceptions tellement différentes d'un ouvrier pauvre autochtone? Est-ce que la discrimination l'affecte de la même manière?

Dès lors, il devient évident que les habiletés techniques, tant au niveau d'une langue que des techniques d'entrevue, ne suffisent pas dans l'intervention en milieu interethnique. Comme le souligne Green (1982:75), deux limites s'imposent d'elles-mêmes: premièrement l'ouverture d'esprit, l'honnêteté et la bonne volonté sont des qualités générales insuffisantes et ne conduisent qu'à des généralisations souvent hors contexte; deuxièmement, les habiletés à mener des entrevues ne suffisent pas non plus car, dans la pratique, elles s'apprennent avec un peu d'entraînement alors que les capacités d'analyse se développent dans un effort structuré de saisir l'ensemble de la réalité de l'autre. Selon Green, aucune technique d'entrevue spécifique ne peut s'appliquer avec succès de la même façon avec les gens de diverses origines, de toutes les classes sociales, dans des situations différentes (Green: 1982: 76). D'autres auteurs en sont arrivés aux mêmes conclusions en analysant diverses situations spécifiques; Kaneshige (1973) étudia l'intervention chez les Japonais-américains, Ghali (1977) chez les Puerto-Ricains, Youngman et Sadongei (1974) chez les Indiens. Toutes ces études démontrent que les mêmes techniques utilisées en intervention sociale ne s'appliquent pas de façon univoque chez les gens de diverses origines.

Force est de reconnaître que l'intervention avec les réfugiés rencontre d'autres niveaux de difficultés spécifiques et, encore là, on ne peut parler d'une approche passe-partout. Les services sociaux peuvent ajouter à leur mandat de soutenir les réfugiés dans leur processus d'insertion sociale. Plusieurs d'entre eux font face aux difficiles contradictions des sociétés capitalistes développées et, dans les faits, plusieurs individus doivent se remettre des diverses pertes qui caractérisent leur vie. Les politiciens voudront faire croire que les réfugiés constituent une population à risques, tant au plan psycho-social qu'économique et qu'en conséquence, il faut y aller avec une très grande prudence dans la mise en place de services adaptés. C'est juste mais leur contribution au développement social, culturel, économique et politique est significative et positive dans la mesure où les politiques d'accueil accordent un soutien adéquat.

La première tâche des services sociaux est de fournir les personnes-ressources en mesure de soutenir la réflexion du réfugié sur ce qu'il a quitté. La seconde doit aider la personne à découvrir ses propres modèles de changement et ses capacités d'insertion. Enfin, la troisième doit tenir compte du style d'apprentissage de l'usager des services.

Dans toutes les situations, même dans les approches psycho-sociales les plus fonctionnalistes, les intervenants doivent d'abord travailler avec le réseau de la famille tout en aidant les individus à modifier leurs attentes par rapport à une nouvelle situation familiale. Deuxièmement, ils doivent travailler à développer un nouveau sentiment d'appartenance à une communauté (Timberlake & Cook, 1984: 111). De façon générale, l'intervention auprès des réfugiés doit donc s'articuler dans la dynamique des rapports entre le passé et l'avenir. De fait, la référence au passé est extrêmement significative pour le réfugié, surtout parce que le passé rappelle souvent des traumatismes importants; ne pas en tenir compte risque de conduire aussi à une évacuation des rapports familiaux et communautaires des individus. Cette perspective a des répercussions importantes sur les modèles d'intervention eux-mêmes; Timberlake et Cook ont souligné avec justesse l'importance de développer une perspective structurelle en partant de leurs études sur l'intervention sociale avec les réfugiés vietnamiens aux États-Unis: les travailleurs sociaux doivent intervenir en lien avec les institutions sociales qui rencontrent les besoins des réfugiés (O.N.G., églises, pagodes, temples, etc.); ils doivent aussi mettre les parents en relation avec les institutions scolaires fréquentées par leurs enfants; parfois il faut jouer un rôle de médiateur et d'avocat tout en apportant une information constante au sujet de la vie dans la nouvelle société et des rapports aux institutions (Timberlake & Cook, 1984: 112). Dans la même foulée, les intervenants doivent favoriser l'émergence d'un leadership propre à la communauté d'appartenance, promouvoir la mise en place d'associations communautaires si elles n'existent pas. Enfin, il est important d'analyser en profondeur l'impact de l'arrivée des réfugiés dans une nouvelle communauté et les caractéristiques des rapports en devenir vécus par les anciens et les nouveaux résidents d'un quartier, de même que la signification de nouveaux enjeux mis en lumière par l'arrivée de réfugiés, par exemple l'emploi, le logement et la distribution des ressources (Timberlake & Cook, 1984: 112).

7. Vers une approche intégrée

Plusieurs auteurs ont développé une réflexion critique sur l'intervention sociale et proposent des pistes pour une intervention adaptée à des situations sociales qui comportent de multiples facettes, non seulement au plan social, mais aussi au plan économique, idéologique et politique (Carniol, 1987; Moreau,1987; Lum, 1982). Le dénominateur commun de ces auteurs est de tenter de bâtir un cadre d'intervention dialectique qui tient compte des contradictions sociales, économiques, idéologiques et politiques auxquelles sont confrontées tous les individus: l'oppression opposée à la libération, l'impuissance au pouvoir, l'exploitation à l'égalité, l'assimilation au maintien d'une culture propre, les préjugés et les stéréotypes à l'unicité ou à la valeur intrinsèque de la personne. Comme le souligne Lum, il faut certes bien identifier la composante psycho-sociale mais aussi analyser le contexte du vécu des réfugiés afin d'en arriver à une intervention adéquate (Lum, 1987: 247-248).

Au Québec, l'approche structurelle développée par Maurice Moreau (1987) connaît beaucoup d'adeptes. Moreau a développé une perspective intégrée de l'intervention sociale autour de cinq pôles: la matérialisation et la collectivisation des problèmes, la défense du client, le questionnement de l'idéologie dominante et le renforcement (empowerment) du pouvoir du client (Moreau, 1987: 227).

A. La matérialisation et la collectivisation des problèmes

Moreau définit ce premier volet de façon simple et claire:

« La matérialisation et la collectivisation des problèmes sont des pratiques indissociables qui exigent de l'intervenant une perception matérialiste, collective, historique et conflictuelle des problèmes sociaux. Opérationnellement, il s'agit de réfléchir et de se documenter sur les liens entre l'organisation sociale (politique, économique et idéologique), les rapports dominants-dominés qu'elle produit, et le développement de la personnalité» (Moreau, 1987: 227).

Cette définition fournit un éclairage particulier à l'analyse de la situation du réfugié en difficulté. De façon générale, son vécu est fait d'efforts quotidiens pour apprendre la langue en usage dans la société dominante, pour trouver un emploi ou pour gagner l'argent nécessaire à sa survie; de plus, il doit affronter tous les préjugés et les stéréotypes voulant que le réfugié soit souvent un usurpateur de son statut, un rebelle politique voire un terroriste. S'il réussit, il risque de se faire qualifier de voleur d'emploi; par contre, s'il a des difficultés, il passe souvent pour un mésadapté, un fauteur de troubles, etc...

Les stéréotypes ou les idées préconçues

Comme beaucoup d'autres personnes appartenant à certaines catégories sociales, le réfugié est souvent victime des stéréotypes attribués à des individus dont on essaie d'expliquer les difficultés ou les échecs en termes psychologiques seulement. On retrouve le même phénomène par exemple,chez les femmes, en comparaison avec les hommes: si un homme réussit, on attribuera facilement ses succès à son intelligence et à sa détermination, alors qu'une femme réussira parce qu'elle a de la chance, les circonstances lui sont favorables parce qu'elle est femme, etc.

Un individu et des rapports sociaux

L'intervenant social conscient de l'existence de ce phénomène important comprendra vite que le vécu du réfugié s'inscrit dans des rapports de domination, de contrôle et de compétition entre classes sociales et à l'intérieur des mêmes classes sociales. Une telle analyse lui évitera de voir les problèmes strictement en termes de frustrations, de «sociopathie». Analyser la situation au travail, au foyer et dans la société en général conduit à analyser comment le réfugié vit ses rapports sociaux au quotidien, dans quelle mesure il est l'objet de discrimination au travail, dans quelle mesure il est exploité au travail en fonction de son statut, de sa couleur de peau, de son accent, de son origine ethnique ou nationale, de son appartenance de classe, de sa religion, de son sexe. Si l'on transpose l'analogie de l'analyse de la situation des femmes à celle des réfugiés, on comprendra le sens de l'intervention structurelle avec les réfugiés:

« L'intervenant qui veut être matérialiste et collectif doit éviter de redéfinir la situation d'une cliente dans la seule perspective des ressources offertes par l'organisme employeur. Quand les problèmes sont d'ordre financier, du domaine du logement ou sont dus à une difficulté d'accès à un travail valorisant et payant, l'intervention doit aller au-delà de l'exploration des sentiments» (Moreau: 1987: 229).

Dépasser les balises des pratiques dominantes

Les difficultés du réfugié ne proviennent pas automatiquement de problèmes au niveau du dysfonctionnement psychologique résultant de l'anxiété post-migratoire ou de différences culturelles, tel que le laisse souvent croire un courant idéologique dominant dans les services sociaux. C'est possible que ce soit le cas, mais il faut aussi analyser les situations sociales dans une dynamique complexe au niveau structurel. Par exemple, si un enfant réfugié a des difficultés de comportement dans sa famille, tous ses problèmes ne viennent pas nécessairement de troubles psychologiques. Les effets de l'exploitation dans le milieu de travail, les nombreuses heures de travail des parents et les difficultés de communication dans la langue de la majorité peuvent générer une situation conflictuelle entre les parents et l'enfant, etc.

Intervenir avec une conscience critique

Encore une fois, Maurice Moreau situe bien le contexte de l'intervention et les perspectives d'une conscience critique de la part des intervenants: il dénonce le cynisme, la méfiance et la distance que peuvent manifester plusieurs intervenants envers la classe ouvrière et la classe populaire, catégories sociales majoritaires parmi les usagers des services sociaux. Il suggère aux intervenants d'être très attentifs aux conditions concrètes des ouvriers et des assistés sociaux; «enfin, l'intervenante matérialiste et collective demeure critique vis-à-vis toute approche ou modèle d'intervention incapable de considérer les causes sociales des problèmes individuels.» (Moreau, 1987:230)

Une intervention en lien avec un collectif

Point n'est besoin de s'appuyer sur une vaste expérience pour identifier de nombreuses situations où ces considérations s'appliquent à l'intervention avec les réfugiés. L'approche structurelle permet de se questionner et de vérifier si la personne est infériorisée au plan social à cause de l'une ou l'autre des caractéristiques socio-démographiques fondamentales comme la couleur de la peau, l'origine ethnique et/ou nationale, le sexe, l'appartenance de classe, la religion, l'état de santé, l'handicap physique ou psychologique, la situation socio-économique, la langue, l'orientation sexuelle, etc. Ceci impliquera qu'en entrevue, refléter les émotions de la personne ne suffit pas, il faut veiller à ajouter la dimension sociale, l'analyse critique de la situation sociale de la personne.(Moreau, 1987: 230).

Évidemment, une telle approche ne peut se faire en vase-clos. En quelque sorte, l'intervenant est interpellé chaque fois qu'il intervient et se demande quelle sera l'action suivante en lien avec un collectif. Une chose apparaît claire en termes de stratégies: tant à l'intérieur qu'à l'extérieur de l'organisme employeur, l'intervenant favorise des échanges entre des personnes qui vivent des situations similaires. Les échanges de services entre clients sont souhaitables car ils favorisent une remise en question collective des structures qui les oppriment et créent les conditions pour la mise en place de réseaux de soutien et d'entr'aide naturels. (Moreau, 1987: 231).

Travailler en groupe

Dans une telle perspective, l'intervenant peut tenter de travailler en groupe avec des réfugiés, les sortir de leur isolement social, leur permettre de recadrer leurs problèmes dans une perspective collective, matérielle et sociale. À la limite, un groupe de réfugiés pourra discuter de la nature des services offerts, de leur pertinence, de leur adéquation entre les situations sociales réelles et les visées de l'intervention sociale «technocratisée». Pour en arriver là, Maurice Moreau propose des mesures concrètes:

« Pour ce faire, on favorise l'assignation des dossiers par zone géographique ou écologique (un «cas» devient ainsi une rue, un étage dans un cenre hospitalier, un pâté de maisons, etc.). Les visites à domicile et dans le milieu sont aussi encouragées, afin de maximiser la compréhension de l'intervenante des conditions objectives dans lesquelles vit le client». (Moreau, 1987: 231).

L'intervenant homo-ethnique

L'approche vise aussi à permettre le plus possible une intervention par des intervenants homo-ethniques. Cette mesure favorise le partage d'un vécu et aide l'intervenant à mieux définir les problèmes en termes matériels et/ou collectifs.

Les limites de l'organisme

Il est essentiel de bien connaître les forces et les limites de l'organisme, de cerner rapidement le rôle social de l'institution vis-à-vis les collectivités avec lesquelles on travaille. Souvent, on voit les contradictions entre les visées formelles de l'organisme et son rôle réel (Forbes, 1986). De cette manière, l'intervenant pourra mieux saisir et analyser les réactions des réfugiés face aux services et à l'analyse qu'ils en font. Il est possible que ces derniers voient plus de contradictions que l'intervenant lui-même.

Lier les faits, voilà un objectif stratégique fondamental dans l'approche structurelle; cela signifie que la pratique matérialiste et collective exige de l'intervenant qu'il fasse une démarche avec la personne pour qu'elles puissent découvrir les liens entre sa situation actuelle et différents autres facteurs: son identité personnelle et collective, ses conditions de travail et de vie, les valeurs, l'idéologie sociale de son milieu, la façon dont l'entourage perçoit son problème, etc. Cette opération vise à soutenir l'individu dans sa démarche pour démarquer sa responsabilité individuelle et sa responsabilité sociale dans sa situation; en d'autres termes, il s'agit d'évaluer le plus objectivement possible dans quelle mesure une personne est soumise à des conditions de vie difficiles en raison de diverses circonstances indépendantes de sa volonté et dans quelle mesure elle s'y maintient par ses propres perceptions, par sa soumission au lieu de son affirmation de soi et de la défense de ses droits.

Quant on sait comment les structures sociales ont tendance à disqualifier le point de vue et l'expérience de ceux qui les questionnent ou s'y opposent, on n'est pas surpris de la tendance de plusieurs clients à considérer leur réalité de façon fataliste, naturelle et donc inchangeable. Il faut aussi travailler à modifier cette attitude.» (Moreau, 1987: 233).

Un exemple concret permet d'illustrer cette perspective; avec une femme monoparentale réfugiée, on travaille ses craintes de l'isolement social en lui permettant d'analyser les facteurs sociaux et les éléments de sa situation économique qui la placent dans une grande insécurité. Il faut conscientiser pour déculpabiliser.

> « Il est important de souligner l'attention particulière accordée à ce processus dans l'approche structurelle. Il s'agit de saisir la signification totale, personnelle et subjective que le client accorde à ses expériences individuelles et sociales.» (Moreau, 1987: 233)

La technique de l'individualisation contextuelle

Par exemple, en travaillant avec la personne à clarifier son histoire personnelle, son histoire familiale, son histoire de travail, il devient possible de faire naturellement des liens entre le passé et les situations vécues aujourd'hui. Voir comment son vécu a créé ses références idéologiques permet à l'individu de mieux se situer dans le présent, d'expliquer son comportement, ses idées, ses sentiments et ses perspectives d'avenir en se basant sur des faits concrets reliés à son passé et aussi à l'histoire de la société qui l'a fait évoluer. Par exemple, accorder une attention particulière aux moyens que la personne a utilisés pour régler ses conflits dans le passé donne souvent les indices pour mieux comprendre de quelle manière elle lit les conflits sociaux actuels à ses problèmes et comment elle envisage de les régler. Si le réfugié a vécu dans un contexte de guerre où les conflits sociaux, politiques (parfois à dimension internationale) et interpersonnels deviennent aigus et très difficiles à vivre, il a besoin de prendre un certain recul. Chez un certain nombre de réfugiés qui ont combattu un régime répressif soutenu par les États-Unis et leurs alliés (dont le Canada), il est parfois très pénible d'envisager vivre au cœur d'un continent qui a contribué politiquement et militairement à les toucher personnellement; certains ont eu des parents assassinés, parfois ils ont été eux-mêmes victimes de tortures, d'autres ont perdu des proches, parfois leur terre, leur maison, etc. C'est le cas notamment d'un certain nombre de réfugiés salvadoriens.

« *La technique d'individualisation contextuelle* (Caplan, 1987) peut servir à attirer l'attention de la cliente sur la spécificité de sa situation quand elle est portée à se comparer injustement à d'autres qui vivent dans un contexte différent. En d'autres mots, il ne suffit pas de collectiviser une situation avec un client et de comprendre comment ses expériences ressemblent à celles des autres, mais il faut aussi saisir ce qui lui est spécifique et qui relève de sa famille ou de son tempérament, et qui explique sa manière d'intérioriser les messages sociaux.» (Moreau, 1987: 234)

Le questionnement critique

En d'autres termes, une telle démarche peut conduire à une remise en question profonde de la perception que la personne en difficulté a d'elle-même et de sa situation. Il s'agit d'un cheminement assez difficile parce que la personne peut traverser une période pénible au plan émotif et on l'accompagne pour l'amener à faire aussi l'analyse des autres aspects de sa vie qui impriment des marques profondes sur ses émotions. C'est ce que Moreau nomme «la technique du questionnement critique»:

> « *La technique du questionnement critique* (Moreau, 1979; Fook, 1986), qui consiste à réfléchir avec la cliente sur le pourquoi social, c'est-à-dire le pourquoi politique, économique et idéologique d'une situation. Utilisant une variété de moyens tels l'humour dialectique (Frayne, 1987), les métaphores (Gordon,1978), les histoires, l'utilisation de la dissonance cognitive (Festinger, 1957), la vérification des inférences (Middleman et Goldberg, 1974), l'imagerie mentale (Erickson, 1982), la persuasion (Simons, 1982) et même le silence (Bourgon, 1988), l'intevenante aidera le client à recadrer la signification qu'il accorde à sa situation.» (Moreau, 1987: 234).

Ainsi une réfugiée révoltée par toutes les injustices dont elle a été victime peut montrer beaucoup d'agressivité et se sentir jugée négativement. Cette perception peut être transformée d'une façon positive dans la mesure où la personne peut comprendre qu'elle a besoin de développer des relations gratifiantes avec les autres sans retrouver de multiples difficultés comme ce fut souvent le cas dans son passé. Dans le contexte nord-américain, le sentiment de révolte qu'éprouvent des millions de Latino-américains est souvent jugé négativement, socialement et politiquement indésirable, ce qui ajoute un niveau de difficulté; il est important qu'une réfugiée vivant une telle situation comprenne les différences contextuelles. Une telle démarche permet de décortiquer les liens enttre le vécu personnel familial, l'idéologie dominante et les conditions objectives de la famille; elle conduit aussi à percevoir les influences extérieures sur la situation qui fait problème. Ni un individu ni une famille ne peuvent être totalement responsables de leur situation, plusieurs facteurs sont liés. (Moreau, 1987:235)

La matérialisation et la collectivisation, un long processus

Moreau rappelle des mises en garde que tout intervenant aura sans doute perçues quant aux conditions de réalisation d'un processus de matérialisation et de collectivisation des problèmes. Ces conditions sont importantes dans la mesure où elles peuvent souvent entrer en contradiction avec les préoccupations «productivistes» et efficaces des grandes institutions. À moyen et à long terme, travailler en groupe et dans la communauté s'avère plus rentable que l'intervention individuelle à court terme; sauf qu'en termes de statistiques, de mesures de l'acte professionnel et de performance dans l'intervention, ce n'est peut-être pas toujours évident à l'œil méfiant d'un technocrate...

« La pratique de matérialiser et de collectiviser une situation avec un client peut être un processus pénible et de longue haleine. C'est pourquoi ce travail est plus facilement entrepris en intervention de groupe qu'en intervention individuelle.

Enfin, la pratique matérialiste et collective exige d'accorder une priorité à l'aide matérielle, de maximiser l'accès concret aux ressources, incluant les ressources de l'organisme employeur.» (Moreau, 1987: 235) »

B. La défense du client

Dans de multiples situations, l'intervenant est appelé à défendre les intérêts et les droits des réfugiés avec lesquels il travaille. Que ce soit à l'intérieur ou à l'extérieur de l'organisme qui dispense les services, plusieurs facteurs peuvent faire en sorte que les droits du réfugié sont touchés; par exemple, si l'organisme manque de ressources et qu'il se voit contraint de référer constamment les gens à d'autres services ou encore si les services sont inadéquats, l'intervenant peut prendre la défense des réfugiés et faire les représentations nécessaires en vue d'une amélioration des services. Dans certaines situations, l'intervenant peut demander à l'organisme de prendre position; par exemple, plusieurs revendicateurs au statut de réfugié sont lésés dans leurs droits par l'application des procédures de traitement des cas d'arriérage. Certains attendent une décision du ministère de l'immigration depuis cinq ans et plus avant de savoir s'ils vont être admis au Canada ou non; la situation est devenue une question sociale et politique importante qui commande une prise de position des organismes et des intervenants. Les exemples de difficultés que rencontrent les réfugiés dans de nombreux organismes ou face à de nombreux services montrent que l'intervenant doit développer une bonne connaissance des codes de lois civiles et municipales de même que des règlements bureaucratiques des institutions comme les centres hospitaliers, les centres d'accueil, les centres de services sociaux, les centres locaux de services communautaires, la Direction de la Protection de la Jeunesse, y compris les services d'utilité publique comme l'Hydro-Québec, Câble-vision, Bell Canada, Gaz Métropolitain, la Société de Transport en Commun de la Communauté Urbaine de Montréal ou des autres villes, et d'autres services. Habituellement, l'amélioration des services ou le développement de prises de position politiques ne font pas partie du mandat d'un intervenant mais, s'il veut défendre et promouvoir les droits des réfugiés, il doit souvent outrepasser sa description de tâche formelle. En quelque sorte, l'intervenant se fait médiateur et avocat et il doit lire la réalité avec une compréhension conflictuelle des enjeux impliqués dans les services sociaux, considérés comme des lieux de débats où client et intervenant contribuent. Une telle démarche est possible si l'intervenant est familier avec les politiques et les rouages de son organisme afin d'en bien connaître les exigences, les procédures, les pratiques, l'idéologie et les conditions de service. Par exemple, l'intervenant ne réfère pas une personne à un autre organisme à la légère sans tenir compte des conditions de la référence, de la qualité de réception de l'autre organisme, de la personne qui la recevra; l'intervenant s'assurera, en d'autres termes, que la personne recevra une attention adéquate. (Moreau, 1987: 236)

Dans le cas des réfugiés, la référence est souvent une opération délicate en raison des difficultés de communication, de la méconnaissance des institutions et de leurs fonctions, d'une ignorance des procédures bureaucratiques et de la culture organisationnelle, sans compter les barrières géographiques et de temps (plusieurs réfugiés ne peuvent quitter leur emploi au beau milieu de la journée pour aller demander un service dans un organisme). Dans de telles circonstances, l'intervenant doit accorder une intervention particulière à l'utilisation des services. S'il devient impossible d'agir ouvertement, une pratique silencieuse peut s'imposer. Il n'est pas toujours nécessaire de crier haut et fort pour agir de façon efficace. Par exemple, si, après plusieurs tentatives, une ressource ne répond pas adéquatement aux attentes d'un réfugié, l'intervenant peut ne plus y référer personne, sans rien dire. Les pratiques silencieuses n'offrent pas une panacée à tout, parfois l'agir ouvert, public et politique s'impose.

La visibilité d'une situation

« Tantôt, défendre consistera à augmenter la visibilité d'une situation, à faire ressortir publiquement les liens entre telle situation sociale et les problèmes personnels conséquents. Tantôt, défendre consistera plutôt à diminuer la visiblité d'un fait, soit en omettant d'écrire ou de souligner certains événements au dossier, soit en y réétiquetant une situation.» (Moreau, 1987: 238)

Encore là, l'intervenant oriente et agit. Par exemple, le portrait d'une situation inscrit à un dossier peut prendre une signification déterminante pour la personne qui demande l'aide; l'intervenant peut dépasser les seuls aspects psychologiques d'une situation et présenter les dimensions structurelles au plan économique, social et idéologique, les causes externes à l'individu. En quelque sorte, les propos inscrits au dossier induisent la nature des suites à donner à telle ou telle conclusion.

La défense exige parfois une intervention plus directe et active. Même si on doit favoriser la plus grande autonomie possible de la personne, développer les capacités de négociation et de persuasion commande de l'accompagner et de prendre directement sa défense si cela s'avère nécessaire. À cet égard, l'intervenant doit se mettre au niveau de la personne, tant sur le plan de ses attitudes que de son langage; il doit être clair et montrer qu'il lui permet de prendre sa place comme elle l'entend, mais qu'il la soutiendra directement si aucune autre solution ne peut être envisagée.

Le recadrage des significations et du contexte

Recadrer les significations s'inscrit dans une visée de défense en faisant ressortir les gains, les aspects positifs au niveau des idées, des émotions et des comportements de la personne. Par exemple, si un individu doit se défendre face à un organisme, il peut se sentir gêné, impuissant et se comporter de façon peu conséquente. Il devient donc important de donner tout le soutien nécessaire.

« Quant au recadrage contextuel, il consiste à identifier et faciliter l'accès de la cliente aux lieux, circonstances, structures, où ses idées, sentiments ou comportements seraient considérés acceptables sinon souhaitables. L'intervenante cherchera enfin à utiliser toutes occasions pour démontrer son respect envers la cliente et favoriser ainsi une meilleure estime d'elle-même». (Moreau, 1987: 238)

Évidemment, une telle stratégie ne peut reposer sur les épaules d'un seul intervenant. Certaines conditions permettent de garantir de meilleures chances de succès dans l'action: premièrement, l'assentiment et la coopération du réfugié s'avèrent des conditions incontournables; deuxièmement, des alliances sont souvent nécessaires (syndicat, collègues, intervenants d'autres institutions, etc.).

C. Le questionnement de l'idéologie dominante

L'intervenant se trouve souvent en situation de pouvoir face à un réfugié en difficulté. Il faut donc accorder une attention particulière à nos idées, gestes et émotions qui peuvent contribuer davantage à l'écraser. Cela signifie ne pas imposer nos idées toutes faites sur des questions fondamentales comme les rôles à l'intérieur de la famille, la planification familiale, les croyances religieuses et les convictions politiques. Les idées dominantes sur le sexisme et le racisme traversent tous les milieux et toutes les institutions; l'intervenant doit donc en être conscient, en prendre la mesure et agir pour contrer les manifestations de l'idéologie dominante dans la pratique.

Il faut agir avec le réfugié comme avec toute personne et éviter de l'infantiliser. En raison des nombreuses différences que porte le réfugié (couleur de la peau, accent, faiblesses dans la connaissance de la langue, convictions différentes, passé très différent, etc.), il peut être confronté à diverses situations discriminatoires et vivre une infériorisation très profonde qui lui nuit à plusieurs niveaux (travail, vie familiale, relations avec les institutions, etc.). L'intervenant doit tenir compte de ces dimensions et bien comprendre que le racisme et la discrimination sont des réalités et non des inventions de l'esprit. Tenir compte des différences, c'est travailler dans une perspective de respect constant de ces différences:

> « Par exemple, de nombreuses recherches démontrent que l'importance accordée à la famille, à la religion, à la verbalisation, au silence, au contact par les yeux, et même aux distances physiques considérées confortables entre les personnes, varie considérablement selon les cultures (Sue et Sue, 1977). On doit donc se garder d'imposer le modèle culturel dominant au sein de ses interventions.» (Moreau, 1987: 240).

D. Le renforcement du pouvoir du client

Dans le cas des réfugiés, on peut être porté à croire que le réfugié ou le revendicateur du statut de réfugié n'est pas du tout dans une situation pour avoir un certain pouvoir. Dans les faits, il a le droit de participer pleinement à l'interaction réfugié-organisme-intervenant; malgré toutes les difficultés, il a le droit de s'impliquer à fond dans cette interaction, de prendre un certain contrôle sur elle, afin qu'elle conduise à la satisfaction de sa demande. Perspective certes menaçante pour l'intervenant qui serait trop soucieux de défendre ses intérêts et ceux de l'organisme, avant ceux du réfugié.

Donner du pouvoir au réfugié, c'est l'aider à agir lui-même tout en le soutenant dans sa démarche, avant d'agir avec et pour lui. Dès lors, il devient évident qu'il faut transmettre le plus de renseignements possible au réfugié au sujet de sa situation, des politiques, des procédures, de la démarche, y compris au sujet de son droit à une information complète, incluant celle sur son droit à participer à toutes les discussions sur son cas s'il le désire. En somme, pas de stratégies cachées et encore moins de traitement mystérieux du contenu de son dossier dans un langage inaccessible. Ne pas craindre de démystifier l'intervention professionnelle pour que réfugié et intervenant fassent une démarche conjointe, sans prétention de la part de l'intervenant.

« On discute, par exemple, les origines et fondements d'une technique d'intervention, on identifie d'autres situations où celle-ci pourrait servir et on encourage la cliente à partager ces connaissances avec d'autres (Bilodeau, 1980). En intervention de groupe, on tente d'intervenir de façon à augmenter la fréquence des interactions entre les membres, plutôt qu'entre les membres et l'animateur.» (Moreau, 1987: 240-241)

Augmenter le pouvoir de l'individu exige donc une relation plus égalitaire, plus dialogique. La relation se vit comme un partage, comme un «échange de significations entre personnes» (Moreau, 1987: 241). Dans une telle perspective, adieu l'imposition de la sacro-sainte vérité professionnelle. La démarche cherche d'abord à valider, à analyser le point de vue du réfugié, non celui de l'intervenant.

« Au lieu de s'afficher comme expert, l'intervenant se met en position d'apprentissage mutuel avec le client. Il tente d'aider à définir, à poser et à contextualiser les problèmes, tout en favorisant le questionnement et l'expression d'un désaccord; il expose ses propres incertitudes à l'égard de ses interventions (Stephen et Black, 1985; Schon, 1983, 1987). Concrètement, il essaie de réduire, sans la masquer, la distance sociale entre eux, que ce soit au niveau du langage, de l'habillement, ou par d'autres moyens.» (Moreau, 1987: 241)

Toute cette démarche vise d'abord le développement des capacités du réfugié à agir sur sa situation. Comme dans n'importe quel cas, on travaille à modifier les idées, sentiments et comportements du réfugié qui bloquent l'émergence de nouveaux leviers qui lui permettraient de changer sa situation. L'intervention permet à l'individu de faire une démarche réaliste, le rendant capable d'évaluer ses forces, les risques, ses attentes, les possibilités des services.

« On travaille avec lui «les distortions, les rationalisations, les négations, les identifications ou projections auxquelles il a peut-être recours et qui servent, soit à le garder dans l'inaction, soit à opprimer les autres. On remet en question avec lui ses tendances à s'auto-étiqueter négativement. Quand cela est approprié, on identifie avec le client les gains secondaires qu'il retire peut-être de sa contribution personnelle à son oppression. On examine ces avantages implicites et on tente d'affaiblir leur force d'action. On améliore ainsi ses capacités d'analyse, de prise de décision, de planification, d'action et d'évaluation.» (Moreau, 1987: 241)

Au niveau affectif, le réfugié doit enrichir sa sensibilité à ses propres émotions dans le sens qu'il tend à se les approprier, à contrôler leur expression et à les lier à son agir constructif. L'intervention tend constamment à l'estime et l'acceptation de soi, ce qui permet de combattre les peurs paralysantes et annihilantes.

Au niveau des comportements, l'intervenant est amené à améliorer «les habiletés d'affirmation, de négociation et de gestion de conflits.»(Moreau, 1987: 242). Plusieurs habiletés sont à développer pour que les comportements traduisent bien les changements dans la pensée et les émotions: la communication verbale et non-verbale, l'écoute, la réceptivité aux réactions des autres, le partage du vécu, les possibilités d'insertion sociale, la perception des rapports sociaux d'insertion et de l'oppression. Souvent les nombreuses expériences du réfugié, tant dans le contexte prémigratoire qu'au cours de ses démarches migratoires et au sein de la société d'accueil, l'amènent à développer de nombreuses perceptions négatives, des ressentiments qui l'empêchent d'agir de façon positive et cohérente; il doit donc bien identifier les origines sociales de ses sentiments et combattre ceux qui nuisent à son estime de soi et à son insertion dans la société, insertion faite de rapports à divers niveaux.

8. Conclusion

L'approche structurelle ci-haut présentée, diront certains, soulève trop de difficultés, brasse trop de questions politiques et engendre un dilemme perpétuel entre la pratique efficace à cout terme et les changements fondamentaux à long terme. Effectivement, Maurice Moreau, vulgarisateur de cette approche, soulève lui-même des questions importantes:

> « Qui défend-on quand on intervient dans un groupe comme la famille et que, dépendant du point de vue, tous les membres y sont opprimés? Sur quoi se base-t-on pour prendre une telle décision? Quand la défense d'un client devient-elle une forme de contrôle plus subtile, une sorte de paternalisme ou de maternage à son

égard? Comment défendre le client sans affaiblir son pouvoir ? Comment discuter avec le client du rapport qu'il croit avoir avec sa situation, et de la définition qu'il en donne, sans lui imposer sa réalité? Que faire devant une cliente qui refuse de remettre en question son pouvoir et qui insiste pour que l'intervenante maintienne le sien? Comment conserver une crédibilité et ne pas provoquer la désorganisation du client, si l'on met ouvertement en doute sa compétence devant lui? Autant de questions épineuses et difficiles.» (Moreau, 1987: 242)

Les questions sont lourdes de conséquences et les réponses ne sont pas faciles à trouver. Etant une approche intégrée, l'approche structurelle comporte des avantages certains en ce sens qu'elle permet de travailler avec des individus, des groupes et des communautés. Comme toute approche, il ne s'agit pas d'un dogme mais d'une hypothèse de travail qui exige d'abord une prise de position claire de la part de l'intervenant, des attitudes de souplesse, d'ouverture, de douceur même car il ne s'agit pas d'agir avec précipitation et agressivité. Les perspectives sont vastes et il faut aussi voir comment dans des situations concrètes comme l'intervention auprès d'un réfugié victime de torture s'il existe une possibilité d'agir dans une perspective structurelle.

Ce problème particulier qu'est la torture n'a jamais vraiment fait partie des schémas d'intervention des intervenants sociaux. Ce champ de pratique est relativement nouveau et on y retrouve surtout des psychologues et des psychiâtres. Malgré ce développement, les expériences de traitement conduisent inévitablement à une prise en compte des aspects sociaux et politiques de la torture. Au Danemark, par exemple, l'expérience du Centre de réhabilitation et de recherche pour les victimes de torture (CRRVT) énonce cinq principes fondamentaux pour l'intervention: 1) Le traitement doit être physique et mental, la physiothérapie faisant partie intégrante du programme; 2) Les traitements physiques et psychologiques devraient être donnés de façon concurrente; 3) Le traitement devrait inclure non seulement la victime mais aussi son entourage, surtout sa famille; 4) La condition sociale de la victime devrait être considérée comme un facteur important et le service social personnel devrait faire partie du traitement; 5) On doit éviter toutes les procédures qui pourraient rappeler à la victime tous les sévices auxquels elle a été soumise. (Rasmussen & Lunde, 1989: 126). Ces cinq points rejoignent sensiblement les conclusions de Kinzie et Fleck qui estiment aussi que les conditions de vie de la victime constituent une composante importante du traitement, parce que

211

l'individu a énormément besoin de sécurité sur tous les plans pour reprendre confiance en lui-même (Kinzie et Fleck, 1987: 88). Beiser, Turner et Ganesan, pour leur part, ont réalisé une étude au Canada et arrivent à la conclusion que la communauté ethnique, la société d'accueil et la famille forment une triade fondamentale dans le soutien aux victimes de torture (Beiser, Turner et Ganesan, 1989: 184). Ils distinguent les variables macro-sociales (ethnicité et soutien social) et micro-sociales (famille, statut marital). Ils proposent aussi une action plus politique: le gouvernement canadien devrait encourager la formation d'associations à caractère ethnique parce qu'elles sont indispensables dans le support aux réfugiés et, plus spécifiquement, aux victimes de torture et d'autres traumatismes (Beiser, Turner et Ganesan, 1989: 193). Le Centre pour les victimes de torture de Toronto et l'Alliance médicale latino-américaine de Montréal mettent aussi l'emphase sur l'intervention physiologique et psychologique mais, dans la pratique, ces organismes impliqués avec les réfugiés sont aussi conscients des dimensions sociales et politiques de leur situation. En ce sens, une approche structurelle est défendable à plus d'un point de vue dans l'intervention sociale avec les réfugiés ou les revendicateurs du statut de réfugié.

L'approche structurelle n'est peut-être pas institutionnalisée mais elle ouvre de nouvelles avenues aux intervenants coincés entre des situations difficiles, des gens très différents d'eux et des institutions lourdes et lentes dans leurs changements. Ce n'est pas une panacée et elle doit aussi intégrer des dimensions d'autres modèles d'intervention comme l'intervention de réseau, l'approche interculturelle, l'approche conscientisante, etc. En bout de piste, elle engage l'intervenant dans une démarche fort enrichissante et très dynamique parce qu'elle ne se fait pas de façon isolée et sans visée significative. Dépasser les limites institutionnelles pour coller à la réalité intégrale des réfugiés, voilà le défi. Sur ce sentier, pas de recettes magiques, pas de solutions toutes faites. L'imagination créatrice occupe encore une place magistrale. Elle permet de sentir et de voir la dynamique des situations et le vécu profond des réfugiés.

CONCLUSION GÉNÉRALE

Tout au long de cet ouvrage, aucune «technique» d'intervention ne vient caractériser un modèle d'intervention spécifique. Il ne nous semble pas très utile de présenter une revue exhaustive de divers modèles d'intervention; nous avons privilégié le développemet de paradigmes qui peuvent guider l'analyse et les pratiques multiples dans divers milieux. En réalité, les problématiques se révèlent la plupart du temps complexes en raison des situations particulières de chaque catégorie de nouveaux arrivants, de leurs caractéristiques socio-économiques, politiques, démographiques et culturelles. Nous avons souligné que des facteurs-clés comme l'âge, la connnaissance de la langue en vigueur dans le pays d'accueil, la formation académique et professionnelle et l'expérience de travail sont les pierres d'assise autour desquelles s'articulent les rapports sociaux d'insertion. Enfin, dans la compréhension de la problématique de l'intervention sociale en milieu pluriethnique, nous avons tenté de montrer l'importance de dimensions fondamentales comme la prise en compte du contexte prémigratoire, la politique d'accueil, le contexte post-migratoire, les possibilités concrètes d'insertion sur le marché du travail, les projets de vie pour l'avenir, et d'autres aspects significatifs. Face à une réalité aussi complexe, une question reste posée: dans cette relation entre le passé et le futur, comment doit s'échafauder l'intervention au présent, sur le vécu actuel de l'immigrant et du réfugié.

Nous ne voulons pas donner une réponse définitive. L'histoire nous livre des leçons trop riches pour nous laisser piéger; depuis un siècle, la politique sociale a été marquée par des lignes de fond: premièrement, un rôle majeur, dont le non-engagement de l'État, a toujours été significatif dans l'accueil, l'établissement et l'intervention sociale auprès des immigrants, des réfugiés et des membres des communautés

213

ethnoculturelles plus anciennes; deuxièmement, en immigration, l'État a d'abord une visée de rentabilité économique et démographique. Ces conditions évoluent selon les conjonctures politiques, économiques et sociales mais, à chaque époque, elles influencent directement l'intervention sociale et psycho-sociale auprès des nouveaux arrivants. Figer un ou des modèles d'intervention devient donc un jeu de trapéziste où le filet de sécurité n'offre aucune garantie. En effet, quelles sont les garanties de succès d'un programme ou d'un modèle d'intervention, si ce n'est les éléments de politiques d'immigration, d'accueil et d'établissement cohérentes et complètes. En pratique, il faut donc agir mais en tenant compte de plusieurs variables impondérables. Ainsi, il apparaît clair que la charité privée joue encore un rôle déterminant dans l'accueil et l'établissement des immigrants et des réfugiés. En parallèle, la diminution graduelle et constante des budgets alloués à l'apprentissage de la langue fait partie des éléments dont il faut tenir compte dans le développement d'une pratique.

En somme, les pierres d'achoppement sont réelles et indiquent bien les difficultés à fixer les balises d'un modèle d'intervention en milieu pulriethnique. Sur le terrain, les intervenants sociaux ne peuvent contourner l'existence de minorités ethnoculturelles, ni les différences de cultures, de religions, de couleurs et les autres types de différence, pas plus que la discrimination et le racisme. Ces conditions ne devraient pas les empêcher de prendre partie, comme Devore et Schlesinger les invitent à le faire, en faveur de la promotion et la défense des droits de ces minorités s'ils veulent gagner en crédibilité au niveau du développement de politiques et de pratiques sociales adaptées. Les habiletés techniques et la connaissance de diverses cultures ne suffisent pas, il faut aussi une conscience critique claire de sa propre ethnicité, de son identité et de son appartenance de classe. L'analyse de l'évolution de la conjoncture politique, économique, démographique et sociale sert aussi de boussole pour délimiter les paramètres des pratiques sociales.

Dans la pratique, les intervenants sauront trouver les modèles pertinents pour les situations auxquelles ils ont confrontés au quotidien s'ils s'approprient les paradigmes nécessaires à leur analyse.

BIBLIOGRAPHIE

Abou, Selim, (1986), *L'identité culturelle: relations interethniques et problèmes d'acculturation*, Paris, Anthropos, 1981 (réédition).

Alley, J. C., (1982), «Life-threatening indicators among the Indochinese refugees». *Suicide and Life - Threatening Behavior*, (12) 1: 46-51.

Allodi, F. (1980), «The psychiatric effects in children and families of victims of political persecution and torture». *Danish Medical Bulletin*, (27) 5: 229-232.

Allodi, F., Cowgill, G., (1982), «Ethical and psychiatric aspects of torture: À Canadian Study». *Canadian Journal of Psychiatry*, (27) 2: 98-102.

Allodi, F., Rojas, A., (1983), «The health and adaptation of victims of political violence in Latin America». In Pichot, P., Berner, P., Wolf, R., et Thau, K., (eds), *Psychiatry: The State of the Art*. New York: Plenum Press.

Alphalhao, J.A., Da Rosa, V., (1979), *Les Portugais au Québec*, Ottawa, Presses de l'Université d'Ottawa.

Aronson, Dan R., (1976), «Ethnicity as a cultural system», in Henry F. (ed.), *Ethnicity in the Americas*, The Hague, Paris: Mouton, 9-19

Barth, Fredrik (1969), *Ethnic Groups and Boundaries*, Boston: Little, Brown, Maryann, S.

Barwick, C.S.L. (1986), *Services to Immigrants: the New Specificity of Transcultural Psychiatry*. Paper presented to the 36 th. Annual Meeting of the Canadian Psychiatric Association, September.

Bates, Maryann. S., (1987), «Ethnicity and pain: a biocultural model», *Social Science and Medecine*, (24) 1: 47-50.

Beiser, M., «Refuge mental health in the early years of resettlement». In Nann, R.C., Johnson, P.J., Beiser, M. (eds), *Refugee Resettlement: Southeast Asians in Transition*, Vancouver, B.C.: Refugee Resettlement Project.

Beiser, Morton, Turner, Jay R., Ganesan, Soma, (1989), «Catastrophic stress and factors affecting its consequences among Southeast Asian refugees», *Social and Scientific Medecine*, 28 (3) : 183-195.

Bell, D., (1971), «The post - industrial society: the evolution of an idea», *Survey*: Spring, (2).

Berdugo-Cohen, Marie, Cohen, Yolande et Levy, Joseph, (1987), *Les Juifs Marocains à Montréal*, Montréal, VLB Editeur.

Berry, J. W, Kim, U., Minde, T.H., & Mok, D., (1987), «Comparative studies of acculturative stress», *International Migration Review*, Center for Migration Studies, New York, (21) 3: 490-510.

Berry, J.W. & Annis, R.C. (1988), *Ethnic Psychology: Research and Practice with Immigrants, Refugees, Native Peoples, Ethnic Groups and Sojourners*, (Selected Papers from a North American Regional Conference on the International Association for Cross-Cultural Psychology), Berwyn, PA, Swets North America.

Berry, J.W., (1990), «The role of psychology in ethnic studies», *Etudes Ethniques Canadiennes*, (XXII) 1, 8-21.

Bertaux, Daniel, (1986), «Fonctions diverses des récits de vie dans le processus de recherche», in Desmarais, Danielle et Grell, Paul, *Les récits de vie: théorie, méthode et trajectoires types*, Montréal, Saint-Martin, 21-34.

Bibeau, Gilles, (1987), «À la fois d'ici et d'ailleurs»: Les communautés culturelles du Québec dans leurs rapports aux services sociaux et aux services de santé. *Commission d'enquête sur les services de santé et les services sociaux*, Gouvernement du Québec.

Bland, R.C. & Orh, H., (1981), «Schizophrenia: sociocultural factors». *Canadian Journal of Psychiatry*, (26) 3: 186-188.

Bolaria, Singh & Li, Peter., (1985), *Racial Oppression in Canada*, Gramond Press.

Boman, B. & Edwards, M., (1984), «The Indochinese refugee: an overview». *Australian and New Zeland Journal of Psychiatry*, (18) 1: 40-52.

Bomin, B., (1983). *Une problématique des ressources humaines au Québec*, Ministère des communautés culturelles et de l'immigration du Québec.

Bonacich, E., (1976), «Advanced capitalism and black/white Relations: a split labor market interpretation», *American Sociological Review*, 41: 34-51. February.

Bourdieu, Pierre & Chamboredon, Jean-Claude et Passeron, Jean-Claude, (1973), *Le métier de sociologue*, Paris, Mouton.

Bourgon, Michèle et Guberman, N. (1988), «How feminism can take the crazy out of your head and put it back into society», in Finn, Geraldine (ed), *Women's Studies: À Canadian Perspective*, Vancouver, Bergammon Press.

Bourque, Renée (1989), *Les relations interculturelles dans les services sociaux* (Guide d'animation), Montréal, Publication à compte d'auteur.

Brody, Eugène, B., Ed, (1970), *Behavior in New Environments: Adaptation of Migrant Populations*, Beverly Hills, Calif., Sage.

Bruhn, J., Philipe, B., (1984), «Measuring social suport: A synthesis of current approaches», *Journal of Behavioral Medicine*, (7): 151-169.

Burawoy, M., (1976), «The functions and reproduction of migrant labor: comparative material from Southern Africa and the United States», *American Journal of Sociology*, 81(5): 1050-1092.

Burgess, E., (1978), «The resurgence of ethnicity», *Ethnic and Racial Studies*, 1(3): 265-285.

Burke, A.W., (1980), «Family stress and the precipitation of psychiatric disorder. À comparative study among immigrant West Indian and native British patients in Birmingham». *International Journal of Social Psychiatry*, (26) 1: 35-40.

Cafferty, Pastora & Chestang, Leon (1976), *The Diverse Society: Implications for Social Policy*, Washington, National Association of Social Workers.

Caldwell, Gary, (1983), *Les études ethniques au Québec: bilan et perspectives*, Québec: Institut québécois de recherche sur la culture.

Cantin-Toriz, Monique & Roy, Ghislaine (1er mars 1988), *Pour l'élaboration d'une approche interculturelle en service social* (document de travail). Montréal, Centre des services sociaux de Montréal-Métropolitain, 7 pages.

Caplan, P. (1987), *The Myth of Women's Masochism*, New York, Signet.

Carniol, Ben (1987), *Case Critical*, Toronto, Between the lines.

Castles, S. & Kosack, G., (1973), *Immigrant Workers and Class Structure in Western Europe*, London, Oxford University Press.

Centre de ressources de la troisième avenue (16 octobre 1990), *Des services sociaux adaptés pour les femmes immigrantes*, Montréal.

Centre des femmes de Montréal (17 mai 1990), *Stratégies d'intervention auprès des femmes immigrantes: partager nos expériences et nos connaissances sur les diverses approches en travail social* (Acte du colloque) Montréal, Les Editions Communiqu'Elles.

Centre des femmes de Montréal (1989), *Intervenantes au services des immigrantes*, Montréal, Editions Communiqu'Elles.

Centre des Services Sociaux de Montréal Métropolitain (mai 1990), *Recommandations dans le cadre du projet sur l'accessibilité des services aux communautés culturelles*, Document de référence pour la préparation du plan d'action du CSSMM à l'intention des communautés culturelles, Montréal.

Centre St-Pierre, *Pas de réfugié-e-s sans feux!*, (1988), Centre St-Pierre-Apôtre, Montréal.

Chan, K. B., (1984), Mental health needs of Indochinese refugees: toward a national refugee resettlement policy and strategy in Canada, in Lumsden, D., (ed.), *Community Mental Health Action: Primary Prevention Programming in Canada*, Ottawa, Canadian Public Health Association.

Chan, K.B & Lam, L., (1983), «Resettlement of Vietnamese-Chinese refugees in Montreal, Canada: Some psycho-sociological problems and dilemmas». *Canadian Ethnic Studies*, (15) 1: 1-17.

Chan, Kwok B. & Indra, Doreen Marie (1987), *Uprooting, Loss and Adaptation: The Resettlement of Indochinese Refugees in Canada*, Canadian Public Health Association.

217

Chan, Kwok B. & Lam, Lawrence (1987), «Community kinship and family in the chinese vietnamese community: refugees resettling in Quebec», in Chan, Kwok B. & Indra, Doreen Marie (editors), *Uprooting, Loss and Adaptation: The Resettlement of Indochinese Refugees in Canada*, Canadian Public Health Association.

Cheetham, Juliet (1972), *Social Work with Immigrants*. London and Boston, Routledge and Kegan Paul.

Cheetham, Juliet (1982), *Social Work and Ethnicity*. London , George Allen and Unwin.

Cheung, F. & Dobkin de Rios, M., (1982), «Recent trends in the study of the mental health of chinese immigrants to the United States». *Research in Race and Ethnic Relations*, (3): 145-163.

Christensen, Carole P. (Septembre 1988), «Pour une société multiculturelle et multiraciale: redéfinir notre politique sociale», *Inter-culture*, 100 : 2-13.

CISO (Centre international de solidarité ouvrière), (1988), *El Salvador aujourd'hui*, CISO pub., Montréal.

Cohon, J.D., (1981), «Psychological adjustment and dysfunction among refugees». *International Migration Review*, (15) 1-2: 255-275.

Collin, M., (1976). *Les critères de sélection des immigrants pour le Québec*, Ministère de l'Immigration du Québec.

Commission des Droits de la Personne du Québec (novembre 1987), *Programmes d'accès à l'égalité et accès des minorités aux services publics*, Montréal.

Commission Gendron (1972). *Rapport d'enquête sur la situation de la langue française et sur les droits linguistiques au Québec*, Gouvernement du Québec.

Communiqué de presse du Cabinet du Ministère de l'Immigration, 20 février 1978.

Constantinides, Stefanos, (1983), *Les Grecs du Québec*, Montréal, Editions Le Métèque.

Cuillerier, Gilles (1990), *La communauté fermontoise: son développement, sa dynamique sociale et ses acteurs sociaux*, Université de Montréal, Mémoire de maîtrise en service social.

Das, Kalpana (septembre 1988), «Travail social et pluralisme culturel au Québec: des enjeux inexplorés.» *Inter-culture*, 100: 31-55.

David, H.P., (1969), «Involuntary international migration: adaptation of refugees». In Brody, E.B. (ed), *Behavior in New Environments*. Beverley Hills, CA: Sage Publications.

De Rudder, Véronique., (1987), *Autochtones et immigrés en quartier populaire: d'Aligre à l'îlot Châlon*, Paris, L'Harmattan.

De Rudder, Véronique., (1988), «Cultures, différences culturelles, relations interculturelles: de quoi parle-t-on?», in *Groupement de recherches, d'échanges et de communication* (GREC), *Contribution à une réflexion sur l'insertion des immigrés*, Paris, Agence pour le Développement des relations interculturelles, 19-26.

Dejean, Paul, (1978), *Les Haïtiens au Québec,* Montréal, Les Presses de l'Université du Québec, 189 pages.

Delannoy, C., Pichard, J.P., (1988), *Khomeiny: La révolution trahie*, Paris, Carrere.

Deschênes, Jean-Claude (19 août 1982). Sous-ministre des Affaires Sociales, «*Politique d'accessibilité aux services de santé et aux services sociaux pour les personnes issues des communautés culturelles*», circulaire No. 1982-056, Gouvernement du Québec, Ministère des Affaires Sociales.

Desrosiers, D., Gregory, J., Piché, V., (1978). *La migration au Québec: synthèse et bilan bibliographique*, (étude du document No. 2), Ministère de l'immigration du Québec.

Devore, Wynetta & Schlesinger, Elfriede G., (1987), *Ethnic-sensitive Social Work Practice* (second edition). Toronto, Merrill Publishing company.

Disman, M., (1983), «Immigrants and other grieving people: Insights for counselling practices and policy issues». *Canadian Ethnic Studies*, (25) 3: 106-118.

Djalili, M.R., (1981), *Religion et Révolution, L'Islam Shi'ite et l'État*, Economica, collection «Perspectives économiques et juridiques», Paris.

Dorais, Louis-Jacques (1987), «Language use and adaptation», in Chan, Kwok B. & Indra, Doreen Marie (editors), *Uprooting, Loss and Adaptation: The Resettlement of Indochinese Refugees in Canada*, Canadian Public Health Association.

Douyon, Emerson (septembre 1988), «De l'expertise à l'intervention en milieu interculturel», *Inter-culture*, 100: 14-20.

Doyle, Robert & Visano, Livy, (1987), *Access to Health and Social Services for Members of Diverse Cultural and Racial Groups,* (3 volumes), Toronto, Social Planning Council of Metropolitan Toronto.

Dressler, W., Bernal, H., (1982), «Acculturation and stress in a low income puerto rican community» *Yearbook of Human Stress.* (8): 32-38.

Driepger, Leo (ed.) (1978), *The Canadian Ethnic Mosaic: a Quest for Identity*, Toronto, McClelland and Stewart.

Duran, M., (1980), «Life in exile: «Chileans in Canada», *Multiculturalism*, (3) 4: 13-16.

Edleson, Jeffrey L. & Roskin, Michael (November 1985), «Prevention groups: a model for improving immigrant adjustment.» *Journal for Specialists in Group Work*, 217-225.

Elgie, Kae & Montgomery, Helene (1985), «À Community Development Approach to Meeting the Resettlement Needs of Indochinese Refugees», *Journal of the Community Development Society*, 16 (1): 75-93.

Emérique, Margalit Cohen (1990), «Le modèle individualiste du sujet: Ecran à la compréhension de personnes issues de sociétés non occidentales», *Cahiers de sociologie économique et culturelle*, 13: 9-34.

Entzinger, H.B., (1988), «Race, Class and the Shaping of a Policy for Immigrants: The Case of the Netherlands», *International Migration Review* (XXV)1, 5-20.

Equipe de service aux immigrants et migrants du CSSMM (29 août 1972), *Rapport sommaire de trois ans d'intervention*, 29 août 1972.

Erickson, M.H., (1982), *My Voice Will Go with You: The Teaching Tales of Milton H. Erickson*, M.D., S. Rosen ed., New York, Norton.

Ertel, R. et al., (1971), *En marge*, Paris: François Maspero.

Fantino, A.M., (1982), *Psychological Processes of Immigrants' Adaptation: Chileans and Argentinians in Canada*. Unpublished M. Ed. Thesis, University of Alberta.

Fantino, A.M. & Dennedy, S., (April 1983), *Immigrants' views on the adaptation process: the polish case*. Catholic Social Services (Immigration Services) and Alberta Manpower (Settlement Services).

Festinger, L., (1957), *À Theory of Cognitive Dissonance*, Stanford, (Cal.) Standford University Press.

Fook, J. (1986), « Contributions féministes à la pratique du casework», Traduction libre par Lévesque, J., Moreau, M. et Panet-Raymond, J. d'un texte dans *Gender Reclaimed*, Marchant, H.et B. Ewaring, (éds) Sydney, Hale et Iremonger.

Forbes, D. (1986), «Counselling in crisis», *Catalyst: À Socialist Journal of the Social Services*, 8 (2): 53-84.

Frayne, G. (1987), *Tape-Analysis Grid for the Action Research on the Structural Approach to Social Work*, matériel non publié, Montréal, Université de Montréal, Ecole de service social.

G.R.A.R.S.P.I. (1984), «Les pratiques de prise en charge par le milieu», Rapport des travaux du Groupe de recherche-action sur les réseaux de soutien et les pratiques institutionnelles (G.R.A.R.S.P.I.). Ecole de service social, Université de Montréal.

Galway, Janis (1990), *Immigrant Settlement Counselling: a Training Guide*, Ontario Council of Agencies Serving Immigrants (OCASI).

Gans, (1962), *The urban Villagers*, Glencœ III: Free Press.

Gay, Daniel, (1985), «Réflexions critiques sur les politiques ethniques du gouvernement fédéral canadien et du gouvernement du Québec», *Revue Internationale d'Action Communautaire*, (14) 54: 79-96.

Gesten, Ellis L. & Leonard, Jason A. (1987), «Social and community interventions», *Annual Review of Psychology*, 38:427-460.

Ghali, Sonia Badillo (1976), «Cultural Sensivity and the Puerto Rican Client», *Social Casework*, 58: 459-468.

Gingras, Roger (27 juin 1980). *Bref, historique du ministère de l'Immigration du Québec: 1968-1980*, Ministère de l'Immigration du Québec.

Giordano, J. & Giordano, G., (1977), *The Ethno - Cultural Factor in Mental Heath: À Literature Review and Bibliography*, New York: Institute on Pluralism and group Identity.

Goffman, E., (1963), *Stigma*. Englewood Cliffs, NJ: Prentice Hall.

Gomez-Mango, E. (mai 1988), «De la torture au secret», L'information psychiatrique, 64 (3): 313-319.

Gordon, D. (1978), *Therapeutic Metaphors*, Cupertino (Cal), Meta Publications.

Gordon, Milton M. (1978), *Human Nature, Class, and Ethnicity*. New York, Oxford University Press.

Gouvernement du Québec, (1987), *Les services de santé et les services sociaux. Problématiques et enjeux*, Commission d'enquête sur les services de santé et les services sociaux.

Gouvernement du Québec, Ministère de l'Education, (1984), *À la découverte de la communauté Salvadorienne*, Québec, (collection Communautés culturelles du Québec).

Green, James W. (1982), *Cultural Awareness in the Human Services*. New Jersey, Prentice Hall.

Grinberg, L., Grinberg, R., (1984), «À psychoanalytic study of migration: its normal and pathological aspects». *Journal of American Psychoanalisis Association*, (32) 1: 13-38.

Groupement de recherches, d'échanges et de communications (1988), *Contribution à une réflexion sur l'insertion des immigrés*, Paris, Agence pour le développement des relations interculturelles.

Guendelman, S., (1981), «South american refugees: stress involved in relocating in the San Francisco Bay area», *Migration Today*, (IX) 2.

Guidote, P.M. & Baba, V.V., (1980), «On the relationship between demographic factors and need fulfillment,participation in decision making, stress, alienation, and acculturation»; in Ujimoto, K.V., Hirabayashi, G. (eds), *Asian Canadians and Multiculturalism*: Selections from the Proceedings of the Asian Canadian Symposium IV, Montreal.

Guttierrez, J., (1983), «Programme contre l'anomie de l'exil», *L'information psychiatrique*, janvier, (59) 1.

Haghighat, S., (1979), *Iran, La révolution islamique*, Bruxelles, Complexe (La mémoire du siècle: 38)

Hamelin, Jean (1977). «Québec et le monde extérieur», in *Québec et l'immigration: 1867-1975*.

Head, W.A., (1979), «The West Indian family in Canada: problems of adaptation in a multiracial, multicultural society». *Multiculturalism*, (3) 2: 14-18.

Helly, Denise, (1987), *Les Chinois à Montréal*, Montréal, Institut Québécois de Recherche sur la culture.

Henry, Frances, ed., (1976), *Ethnicity in the Americas*, World Anthropology, Mouton publishers, The Hague, Paris.

Hirayama, K.K., (1982), «Evaluating effects of the employment of Vietnamese refugee wives on their family roles and mental health». *California Sociologist*, (5) 1: 96-110.

Hitch, P. J. Rack, P.H., (1980), Mental illness among polish and russian refugees in Bradford, *British Journal of Psychiatry*, (137): 206-211

Hoffman-Nowotny, H.J., (1973), *Soziologie des Freindarbeitterproblems: eine theoretische und empirische analyse am Beispiel der Schweiz*, Stuttgart: Ferdinand Arke.

Hull, D., (1979), «Migration, adaptation, and illness: À review». *Social Science and Medecine*, (13a): 25-36.

Humanitas (Revue), (Déc. 83), Table de concertation au service des réfugiés, Montréal, (1) 3.

Hutchinson, M., (1985), «Women refugees and the United Nations decade for women» (préface). *Refugee Abstracts*, (4) 2: 3-5.

Hutnik, Nimmi, (April 1986), «Patterns of ethnic minority identification and modes of social adaptation», *Ethnic and Racial Studies,* (9) 2.

Huych, E.E. Fields, R., (1981), Impact of resettlement on refugee children, *International Migration Review*, (15) 1-2: 246-254.

Ikels, C., (1983), *Aging and Adaptation: Chinese in Hong Kong and the United States*. Hamden, Connecticut: Shœ String Press.

Irwin, Don A. & Madden, Camilla (1986), «A psychœducational assessment procedure for southeast asian refugee student», in Williams, Carolyn L. & Westermeyer, Joseph (eds), *Refugee Mental Health Services for Refugees*, Washington, Hemisphere Publishing Corporation.

Israel, M., ed. (1987), *The South Asian diaspora in Canada*: Six essays. Toronto, The Multicultural History Society of Ontario.

Jacob, André, (Juin 1987), «Modèles d'intervention et communautés ethno-culturelles: entre l'imaginaire et le réel», *En Piste,* Revue du Conseil Québecois pour l'enfance et la jeunesse, (10) 2: 99-106.

Jacob, André, (Mai 1986), «L'accessibilité des services sociaux aux communautés ethniques», *Intervention,* (74): 16-24.

Jacob, André & Forcier, Louise (1991), *Réflexion sur les modèles d'intégration*, Montréal, ministère des communautés culturelles et de l'immigration.

Jacob, André (1991), *Le racisme au quotidien*, Montréal, CIDICHA.

Jacob, André & Bertot, Jocelyne (1991) *Les réfugiés. Deux études de cas, les Salvadoriens et les Iraniens* (à paraître).

Jacob, André & Blais, Danielle (1991), *Santé communautaire et réfugiés* (rapport de recherche), Ottawa, Santé et Bien-Être Social Canada.

Jenkins, Shirley (1982), «The American Ethnic Dilemna», in Cheetham, Juliet (ed.), *Social Work and Ethnicity*. London, George Allen and Unwin, 20-35.

Jenkins, Shirley (1988), *Ethnic Associations and the Welfare State*, Social Work and Social Issues, Columbia University School of Social Work.

Jesu, F., (Janvier 1983), «L'enfant d'exilés Latino-américains. Préliminaires à la rencontre avec le psychiatre français». *L'information psychiatrique*, (59) 1.

Johnson, Louise (1986), *Social Work Practice: a Generalist Approach*. New York: Anchor Books, Doubleday and Co..

Jones, E.E. & Korchin, S.J. (1982), «Minority mental health perspectives. in E.E. Jones & S.J. Korchin (eds), *Minority Mental Health*, New York, Praeger.

Jordan, W.D., (1968), *White and Black*, Baltimore: Penguin Books.

Kalinago, R., (Automne 1985), «Discours de l'État et récupération des cultures», *Revue Internationale d'Action Communautaire*, (14) 54: 73-78.

Kaneshige, Alfred (1973), «Cultural factors in group counselling and interaction», *Personnel and Guidance Journal*, 51: 407-412.

Kim, B.L., (1978), «The Asian Americans: changing patterns, changing needs». Montclair, N.J.: *Association of Korean Christian Scholars in North America*.

Kinzie, David J. (1986), «The Establishment of Outpatient Mental Health Services for Southeast Asian Refugees», in Williams, Carolyn L. & Westermeyer, Joseph (eds), *Refugee Mental Health Services for Refugees*, Washington, Hemisphere Publishing Corporation.

Kinzie, David J., Fleck, Jenelle, (January 1987), « Psychotherapy with Severely Traumatized Refugees», *American Journal of Psychotherapy*, XL1 (1): 82-94.

Kurian, G., (1986), «Socialization of South Asian immigrant youth in Canada». «International Sociological Association Conference.

Labelle, Micheline, (1979), *Notes sur l'histoire et les conditions de vie des travailleurs immigrés au Québec*, Montréal, Université du Québec à Montréal.

Labelle, Micheline, Turcotte, Geneviève, Kempeneers, Marianne, Meintel, Deidre (1987), *Histoire d'immigrées*, Montréal, Boréal.

Lalonde-Dubreuil, Louise et al. (1986), *Familles monoparentales, développement de l'enfant et rôle des parents dans un contexte multiethnique*, rapport ronéotypé.

Lasry, J.C. & Sigal, J.J., (1980), «Mental and physical health correlates in an immigrant population». *Canadian Journal of Psychiatry*, (25) 5: 391-393.

Latin American and Carribean Women's Collective, (1980), *Slaves of Slaves: The Challenge of Latin American Women*, Zed Press, London, England.

Lavigne, Gilles, (1987), *Les ethniques et la ville: l'aventure urbaine des immigrants portugais à Montréal*, Montréal, Le Préambule (Collection Science et Théorie).

Le Gall, Didier, (1987), «Les récits de vie: approcher le social par le pratique» *Les méthodes de la recherche qualitative*, direction Deslauriers, J.P., Presses de l'Université du Québec, Québec, 35-48.

Le Journal de Montréal, (21 Février 1984), «Les immigrants: une mine d'or!».

Léger, J.M., Estramon, B., Herman, C. et Malauzat, D., (1983), «Problèmes psychopathologiques apparus chez les réfugiés du Sud-Est asiatique». *Annuaire Medico-Psychologique*, Paris, (141) 1: 107-115.

Leminh, Agnès (1974). *Impact économique de l'immigration*, (avant-projet), Ministère de l'Immigration du Québec.

Lin, T. Y.Tardiff, K., Donetz, G., Goresky, W., (1978), «Ethnicity and patterns of help-seeking», *Culture, Medecine and Psychiatry*, (2): 4-13.

Linteau, Paul-André (1979), «*La montée du cosmopolitisme montréalais*», in *Questions de culture 2: migrations et communautés culturelles*, Montréal.

Longres, John F. (1982), «Minority groups: an interest-group perspective». *Social Work*, 27: 7-14.

Lum, Doman (May 1982), «Toward a framework for social work practice with minorities», *Social Work*, 27 (3), 244-249.

Maingot, A., (1985), «The stress factors in migration: a dissenting view». *Migration Today*, (13) 5: 26-29.

Malservisi, M.F., (1973). *La contribution des Québécois, des groupes ethniques autres que français et britanniques au développement du Québec*, Québec, Editeur Officiel, Etude de la Commission d'enquête sur la situation de la langue française au Québec, Cité dans Jacob A. et Labelle, M., «Les travailleurs immigrés au Québec et la crise», in *La Crise et les travailleurs*, compte-rendu du colloque tenu sur la crise et les travailleurs, les 12 et 13 octobre 1979 à l'Université du Québec à Montréal.

Marabe, M., (1981), *Black Marxism: Historical Studies in Race, Class Consciousness and Revolution*, Dayton: Black Praxis Press.

Marleau, René (1972), *Recommandations inspirées de l'historique du Ministère en vue de la rédaction d'un mémoire d'orientation*, Ministère de l'Immigration du Québec.

Martin, Joanne M. & Martin Elmer P. (1985), *The Helping Tradition in the Black Family and Community*, Washington, National Association of Social Workers.

Mauviel, Maurice, (1987), «La communication interculturelle: constitution d'une nouvelle discipline», *Cahiers de sociologie économique et culturelle: Ethno-psychologie*, INSHEPP, le Havre, (7): 45-66.

Merton, Robert K. (1965), *Eléments de théorie et de méthode sociologique*, Paris, Plon.

Michalowski, M., (1987), «Adjustment of immigrants in canada: methodological possibilities and its implications», *International Migration*, (XXV) 1, 21-22.

Michaud, Guy, Bernard et Philippe Jean, (1978), *Identités collectives et relations interculturelles*, Bruxelles.

Middleman, R.R. & Golberg, G. (1974), *Social Service Delivery: À structural Approach to Social Work Practice*, New York and London, Columbia University Press.

Miller, B., Chambers, E. & Coleman, C., (1981), «Indo-Chinese refugees: a national mental health need assessment». *Migration Today*, (9) 2: 26-31.

Minde, K., Minde, R., (1976), «Children of immigrants; the adjustment of Ugandan Asian primary school children in Canada». Journal of Canadian Psychiatric Association, (21) 6: 371-381.

Ministère de l'éducation du Québec, (1984), *À la découverte de la communauté salvadorienne*, collection: communautés culturelles.

Ministère de l'Immigration du Québec (1968), *Politique et structure du service d'immigration.*

Ministère de l'Immigration du Québec, (4-5 juin 1977), *Colloque tenu par le Comité consultatif.*

Ministère de l'Immigration du Québec, (9 septembre 1977), *Orientation de la politique d'immigration*, Réunion spéciale en présence du ministre et de son cabinet.

Ministère de l'Immigration du Québec, (1978), *Entente Couture-Cullen.*

Ministère de l'Immigration du Québec, (Décembre 1980), *Avis du comité consultatif.*

Ministère des Communautés Culturelles et de l'Immigration, Gouvernement du Québec, Rapports Annuels de 1980 à 1990.

Ministère des communautés culturelles et de l'immigration du Québec, Rapports annuels, 1975-1988.

Ministre d'État au Développement Culturel (1979). *Les ministères québécois et les minorités: un dialogue à développer, des communautés à rapprocher, une société à bâtir en commun*, Gouvernement du Québec.

Moghaddam, Fahtali M. & Taylor, Donald M. & Lalonde, Richard N. (1989), «Integration strategies and attitudes toward the built environment: a study of haitian and indian immigrant women in Montreal», *Revue Canadienne des Sciences du Comportement*, 21 (2): 160-173.

Moghaddam, Fathali M. & Taylor, Donald M. & Lalonde, Richard N. (1987), «Individualistic and Collective Integration Strategies among Iranians in Canada», *International Journal of Psychology*, 22:301-313.

Mollica, Richard and al. (January 1990), « Assessing symptom change in southeast asian refugee survivors of mass violence and torture», *American Journal of Psychiatry*, 147 (1): 83-88.

Moreau, Maurice (1979), «A structural approach to social work practice», *Revue Canadienne de service social*, 5(1): 78-94.

Moreau, Maurice (1987), «L'approche structurelle en travail social: implications pratiques d'une approche intégrée conflictuelle», *Service social*, 36 (2): 226-247.

Morin, Rosaire (1966). *L'immigration au Canada*, Montréal, Editions de l'Action Nationale.

Munoz, L., (1980), «Exile as bereavement: socio-psychological manifestations of chilean exiles in great Britain». *British Journal of Medecal Psychology*, (53) 3: 227-232.

Murphy, H.B.M., (1955), *Flight and Resettlement,* Paris: UNESCO.

Murphy, H.B.M., (1973), «Migration and the major mental disorders: a reappraisal». In Zwingmann, C., Pfister-Ammende, M. (eds), *Uprooting and After*. New York: Springer-Verlag.

Murphy, H.B.M., (1977), «Migration, culture and mental health», *Psychololy and Medecine*, (7) 4: 677-684.

Myers, D.H. , Neal, C.D. (1978), «Suicide in psychiatric patients», *British Journal of Psychiatry*, (133): 113-118,

Naditch, M. & Morrissey, R.F., (1976), «Roll stress, personality, psychopathology in a group of immigrant adolescents». *Journal of Abnormal Psychology*, (85) 1: 113-118.

Nagata, J., (1969), «Adaptation and integration of greek working class immigrants in the city of Toronto Canada: a situational approach», *International Migration Review*, 4(3): 44-69.

Naidoo, J.C., (1985), «The South Asian experience of aging». *Multiculturalism*, (8) 3.

Neuwirth, G., Grenier, G., Devries, J., Watkins, W., (1985), *Southeast Asian Refugee Study*, Hull, Canada, Employment and Immigration Canada.

Bibliographie

Nguyen, L.T., Henkin, A.B., (1982), «Vietnamese refugees in the United States: adaptation and transitional statuts». *Journal Ethnic Studies*, (9) 4: 101-116.

Nguyen, S.,D., (1982), «The psycho-social adjustment and mental health needs of Southeast Asian refugees». *Psychiatric Journal of University of Ottawa*, (7) 1: 26-35.

Noiriel, Gérard., (1988), «Synthèse générale», Groupement de recherches d'échanges et de communication, *Réflexions sur l'insertion des immigrés*, Paris, 43-49.

Norton,Dolores G. (1978), *The Dual Perspective*, New York: Council on Social Work Education.

Novak, Michael, (1972), *The rise of unmeltable ethnics: politics and culture in the seventies*, New York, Macmillan, 321 p.

Olowu, A.A., (1983), Counselling needs of immigrant children, *New Community*, (10) 3: 410-420.

Palinkas, Lawrence A. «A longitudinal study of ethnicity and disease incidence», *Medical Anthropology Quarterly*, (1) 1: 85-108.

Parsons, Talcott, (1981), «Some theorical considerations on the nature and trends of change of ethnicity», in Glazer et D.P. Moynihan (eds.), *Ethnicity: theory and experience*, Cambridge, Harvard University Press, 53-83.

Petersen, William, Novak, Michaël & GLEASON, Philip, (1982), *Concepts of Ethnicity*, Belknap, Harvard, London.

Pilisuk, M. & Froland, C., (1978), «Kinship, social networks, social support and health», *Social Science and Medicine*, (12): 273-280.

Polèse, M., Leminh, A. et Thibodeau, J.C., (1977). *L'impact à court terme de l'immigration internationale sur la production et l'emploi* (1968-1975), Montréal, INRS-Urbanisation.

Portes, A. (1977), «Labor functions of illegal aliens», *Society*, 14: 31-37, September/October.

Portes, Alejandro., (1981), «Modes of structural incorporation immigration», in *Global Trends on International Population Movements*, New York, Center for Migration Studies, 279-297.

Potestio, J. & Pucci, A., (1988), *The Italian Immigrant Experience*. Thunder Bay: Canada-Italian Historical Association.

Poulin, Martin., (1978), «L'étude monographique des communautés», *Service social*, (27), janvier-juin, 85-100.

Poulin, Martin., (1978), «Traditions de recherche sur la communauté et concepts de modèles vertical et horizontal de communauté», *Service social*, 27 (1), janvier-juin, 7-21.

Province de Québec, (1986). *Rapport de la Commission d'enquête sur les problèmes constitutionnels*, (1).

227

Radcliffe-Brown, A.R., (1958), *Method in Social Anthropology*, Chicago.

Ramirez-Cassali, Lucy (1986), *Les modalités d'insertion des Chiliennes à Montréal: une décade d'immigration*, Montréal. Mémoire présenté à l'Université du Québec comme exigence partielle de la maîtrise en sociologie.

Rasmussen, Ole Vedel & Lunde, And Inge, (1989), «The treatment and rehabilitation of victims of torture», *International Journal of Mental Health*, 18 (2): 122-130.

Ready, T., (non daté), *Psychological and Social Adaptation of Immigrant and Refugee Adolescents in Washington, D.C.*, Washington, D.C.: Catholic University of America.

Réfugiés (magazine), Haut Commissariat des Nations Unies pour les réfugiés, Genève, Suisse, Fév. 1987 (38), mars 1987 (39), décembre 1987 (48).

Rex, J. & Tomlinson, S., (1979), *Colonial Immigrants in a British City: À Class Analysis*, London: Routledge & Kegar Paul.

Rhoades, R.E., (1978), «Foreign labor and german industrial capitalism, «1871-1978»; The evolution of a migratory system», *American Ethnologist*, 5: 553-573, August.

Richmond, A.H., (1982), *Comparative studies in the economic adaptation of immigrants in Canada: a literature review*. Report submitted to the Department of Employment and Immigration, Ottawa. Downview: York University.

Richmond, Anthony H., (1988), «Sociological theories of international migration: The case of refugees», *Current Sociology*, 36 (2): 7-25.

Rosenblum, F., (1973), *Immigrant Workers: Their Impact on American Labor Radicalism*, New York: Basic Books.

Ross, J. (March 1975), «Social borders: definitions of diversity», *Current Anthropology*, vol. 16.

Roy, Ghislaine (1990), *Pratiques interculturelles sous l'angle de la modernité*, (Mémoire de maîtrise en service social), Université de Montréal.

Rumbaut, R.G., (1985), «Mental health and the refugee experience: a comparative study of Souhteast Asian refugees». In Owan, T.C. (ed), *Southeast Asian mental health: treatment, prevention, services training and research*; Rockville, Maryland, National Institute of Mental health.

Saba, George W. & Karrer, Betty M. & Hardy, Kenneth V., (1990), *Minorities and Family Therapy*. New York, The Haworth Press.

Sagarin, E., (1975), *Deviants and Deviance*, New York: Praeger.

Samuel, John (1987), «Economic Adaptation of Indochinese Refugees in Canada», in Chan, Kwok B. & Indra, Doreen Marie (editors), *Uprooting, Loss and Adaptation: The Resettlement of Indochinese Refugees in Canada*, Canadian Public Health Association.

Sassen-Koob, S., (1979), «Economist growth and immigration in Venezuela», in Kritz, M.M. & Gurak, D.T. (eds.), *International Migration Patterns in Latin America*, Special Issue of International Migration Review, 13(3), Fall.

Schermerhorn, Harry K, Brown, James, (1970), «Social class origins and the economic, social and psychological adjustment of Kentucky Mountain migrants, in Brody, Eugène B. ed, *Behavior in new environments*, Beverly Hills, California , Sage, 117-144.

Schermerhorn, R.A., (1967), *Comparative ethnic relations*, New York: Random House.

Schmitt, Richard., (1988), «A new hypothesis about the relations of class, race and gender: capitalism as a dependent system, *Social Theory and Practice*, (14) 3, 345-366.

Schon, D.A. (1987) *Educating the Reflective Practioner*, San Fransco, Jossew-Bass.

Secrétariat d'État, Direction Générale du Québec (Mai 1982). *Bilan des activités budgétaires 1981-82.*

Sell, R.R., (1983), «Analyzing migration decisions: the first step-whose decision?» *Demography*, (20) 3: 299-311.

Shibutani, Tamotsu & Kwan, Kian M., (1965), *Ethnic stratification.* New York, The Macmillan co.

Shuval, J.T., (1982), «Migration and stress». In Goldberger, L. & Breznitz, S. (eds)., *Handbook of stress: theorical and clinical aspects.* New York, Free Press.

Simons, R.L. (1982), «Strategies for exercising influence,» *Social Work*, 27 (3): 268-273.

Skhiri, Annabi, Allani., (1982), «Enfants d'immigrants, facteurs d'attachement ou de rupture?» *Annals of Medical Psychology* (Paris), (140) 6: 597-602.

Sluzki, C.E., (1979), «Migration and family conflict». *Family Process*, (18) 4: 379-390.

Smither, R., Rodriguez - Giegling, M., (1979), «Marginality, modernity, and anxiety in Indochinese refugees», *Journal of Cross-Cultural Psychiatry*, (10) 4: 469-477.

Spitzer, J.B., (1984), «Planning services for elderly refugees: the Vietnamese and Soviet Jews.» *Migration Today*, (12) 3: 25-27.

Starr, P.D. & Roberts, A.E., (1982), «Community sStructure and vietnamese refugee adaptation: the significance of context», *International Migration Review*, (16) 3: 595-618.

Stephen, R. & Black, B., (1985), *Advocacy and Empowerment: Mental Health Care in the Community*, boston, London Routledge and Kegan Paul.

Sterlin, Carlo (septembre 1988), «L'intervenant homoethnique en contexte interculturel», *Inter-culture*, 100: 21-30.

Stoiciu, Guna et Brosseau, Odette (1989), *La différence: comment l'écrire? Comment la vivre?* Montréal, Nouvelle Optique et Humanitas.

Stone, J.,(1985), *Racial Conflict in Contemporary Society*, London: Fontana/Collins.

Sue, G. Wing et Sue, D., (1977), «Barriers to Effective Cross-cultural Counselling», *Journal of Counselling Psychology*, 34 (3(: 420-429.

Théodorou, Spyros., (1988), «Qu'entendons-nous par «culture»?, Les rapports entre identité «culturelle» et «interculturelle»?, Groupement de recherches d'échanges et de communication, *Réflexions sur l'insertion des immigrés*, Paris, 57-61.

Thernstrom, Stephan (ed), (1980), *Harvard Encyclopedia of American Ethnic Groups*, Boston: Harvard University Press, 1980.

Thomson, Marylin, (1986), *Women of El Salvador - The price of Freedom,* Zed Books, London, England,.

Timberlake, Elizabeth M. & Cook, Kim Oanh (1984), «Social Work and the Vietnamese Refugee», *Social Work*, 29 (2): 108-113.

Tomasi, Silvano., (1981), «Sociopolitical Participation of Migrants in the receiving Countries, «in Kritz, Mary M. & Keely, Charles B. + Tomasi, Silvano M. (editors), *Global Trends in Migration: Theory and Research on International Population Movements*, New York, Center for Migration Studies.

Turner. J.B. (1972), « Education for practice with minorities», *Social Work*, 17 (3): 112-118.

Tyhurst, L., (1982), «Coping with refugees. A canadian experience: 1948-1981». *International Journal of Social Psychiatry*, (28) 2: 105-109.

Ubale, B., (1977), *Equal Opportunity and Public Policy*. Toronto, B. Ubale.

Van Den Berghe, Pierre L., (1981), *The Ethnic Phenomenon*, New York, Elsevier.

Van Drunen, L., (1982), «On the plight of refugee women», *Migration News*, (1-2): 36-40.

Van Tran, Than, (1987), «Ethnic community supports and psychological well-being of vietnamese refugees, *International Migration Review*, Center for migration studies, New-York, (21) 3: 577-589.

Vasquez, A., (Janvier 1983), «L'exil, une analyse psychosociologique», *L'information psychiatrique*, (59) 1.

Vega, W.A., Kolody, B. & Valle, J.R., (1987), «Migration and mental health: an empirical test of depression risk factors among immigrant mexican women, *International Migration Review*, Center for Migration Studies, New-York, (21) 3: 512-528.

Veglery, Anna., (1988), «Differential social integration among first generation greeks in NewYork: participation in religious institutions: *International Migration Review*, (XXII) 4, 627-657.

Bibliographie

Vorst, Jesse et al. (1989), *Race, Class, Gender: Bonds and Barriers*. Toronto, Society for Socialist Studies.

Wakil, S., Siddique, C.M. & Wakil, C.A., (1981), «Between two cultures: a study in socialization of children of immigrants». *Journal of Marriage and the Family*, (43) 4: 929-940.

Walker,H. et Beaumont, B. (1981), *Probation Work: Critical Theory and Socialist* Practice, Oxford, Basil Blackwell.

Walsh, Anthony & Walsh, Patrica Ann, (1987), «Social support, assimilation and biological effective blood pressure levels, *International Migration Review*, Center for Migration Studies, New-York, (21) 3: 577-589.

Warren, Roland L. (1969), *Studying your Community*, New York, The Free Press Paperback.

Way, R.T. (1985), «Burmese Culture, personality and mental health», *Australian and New Zealand Journal of Psychiatry*, (19) 3: 275-282.

Weiss, Bernard S. & Parish, Bonnie (May1989), «Culturally appropriate crisis counselling: adapting an american method for use with indochinese refugees», *Social Work*, 252-254.

Westermeyer, J., Neider, J. & Vang, T.F., (1984), «Acculturation and mental health: À study of Hmong refugees at 1.5 and 3.5 years postmigration», *Social Science and Medicine*, (18) 1: 87-93.

Westermeyer, J., Vang, T.F. & Neider, J., (1983), «Migration and mental health among Hmong refugees. Association of pre - and postmigration factors with self-rating scales». *Journal of Nervous and Mental Disease*, (171) 2: 92-96.

Wieviorka, Michel (1991), *L'espace du racisme*, Paris, Seuil.

Williams, Carolyn L. & Westermeyer, Joseph (1986 b), «Planning Mental Health Services for Refugees», in Williams, Carolyn L. & Westermeyer, Joseph (eds), *Refugee Mental Health Services for Refugees*, Washington, Hemisphere Publishing Corporation.

Williams, Carolyn L. & Westermeyer, Joseph (1986), *Refugee Mental Health in Resettlement Countries*, Washington, Hemisphere Publishing Corporation.

Williams, H & Carmichael, A., (1985), «Depression of mothers in a multiethnic urban industrial municipality in Melbourne». *Journal of Child Psychology and Psychiatry*, (26) 2: 277-288.

Wood, Mary, (1988), «Revue de la littérature sur la santé mentale des migrants», *Santé, culture, health*, GIRAME, (V) 1: 124 pages.

Yamamoto, J. and al. (May 1976), *Chinese Speaking Vietnamese Refugees in Los Angeles: A Preliminary Investigation*. Paper presented at the Annual Meeting of the American Psychiatric Association, Florida.

Yedid, H., (1982), «Quelques problèmes de réinsertion chez les réfugiés Cambodgiens de France», *Asemi*, (13): 1-4.

Yin, Robert K., (1984), «Case study Research: design and methods», «Applied Social Research Methods Series» SAGE, (5): 160 p.

Youngman, Geraldine & Sadongei, Margaret (1974), «Counselling the american indian child», *Elementary School Guidance and Counselling*, 8: 272-277.

TABLE DES MATIÈRES

CHAPITRE 3
LES RÉFUGIÉS ET LES SERVICES SOCIAUX

CHAPITRE 4

Achevé d'imprimer
en novembre 1991 sur les presses
des Ateliers Graphiques Marc Veilleux Inc.
Cap-Saint-Ignace, Qué.